FRANÇOISE BOURDIN

Françoise Bourdin a le goût des personnages hauts en couleur et de la musique des mots. Très jeune, Françoise Bourdin écrit des nouvelles ; son premier roman est publié chez Julliard avant même sa majorité. L'écriture est alors au cœur de sa vie. Son univers romanesque prend racine dans les histoires de famille, les secrets et les passions qui les traversent. Elle a publié une trentaine de romans chez Belfond depuis 1994 – dont quatre ont été portés à l'écran –, rassemblant à chaque parution davantage de lecteurs. Françoise Bourdin vit aujourd'hui dans une grande maison en Normandie.

Retrouvez toute l'actualité de Françoise Bourdin sur www.françoise-bourdin.com

D1115123

LA MAISON DES ARAVIS

DU MÊME AUTEUR
CHEZ POCKET

Françoise Bourdin
présente
GALOP D'ESSAI

FRANÇOISE BOURDIN

LA MAISON
DES ARAVIS

BELFOND

© Belfond 2000

ISBN : 978-2-266-11901-6

À ma fille Fabienne, ombrageux écureuil, cette histoire de loups et de conquête, dans laquelle j'ai glissé le nom du chevalier capitaine d'Assas... Avec tout mon amour.

1

Bénédicte noua le dernier point de suture, coupa le fil d'une main experte, puis porta elle-même le caniche en salle de réveil. C'était un nom plutôt pompeux pour désigner une pièce carrelée qui comportait quatre boxes et une grande armoire métallique. Mais les clients appréciaient beaucoup que l'on traite leurs animaux comme de véritables malades, aussi les trois vétérinaires du cabinet n'hésitaient jamais à utiliser un jargon hospitalier.

Agenouillée près du chien, Bénédicte prit quand même le temps de vérifier son rythme cardiaque. Tout était normal et elle ne s'attarda pas plus longtemps, sachant qu'il restait encore une demi-douzaine de personnes dans la salle d'attente. Elle gagna le hall d'accueil où se trouvait le bureau de la secrétaire, qui lui tendit une fiche sans interrompre sa conversation téléphonique. Les affaires marchaient bien, presque trop bien d'ailleurs car Bénédicte rentrait chez elle de plus en plus tard. Elle essaya de se souvenir du contenu de son congélateur. Restait-il de quoi dîner ? Au pire, ils iraient manger tous les quatre chez le Chinois où ils avaient leurs habitudes.

Après avoir vacciné deux chats, diagnostiqué la teigne d'un setter et détartré les dents d'un épagneul, elle se trouva confrontée à un cas de typhus dont l'évolution ne présageait rien de bon. Quand elle put enfin faire le tour des bureaux pour tout éteindre, il était plus de vingt heures et la secrétaire était déjà partie. Ses deux associés s'en allaient toujours avant elle mais lui laissaient la possibilité de commencer plus tard qu'eux le matin. Lorsqu'elle les avait rejoints, trois ans auparavant, elle avait payé cher son droit d'entrée dans la clinique vétérinaire. Les locaux étaient vastes et bien placés dans le XVIIᵉ arrondissement, mais surtout la clientèle augmentait sans cesse. Plusieurs confrères s'étaient intéressés à l'affaire, ce qui avait provoqué une surenchère, pourtant Bénédicte avait été choisie parce qu'elle était une femme. Aux yeux de ses associés, c'était un atout supplémentaire pour le cabinet.

En fermant le dernier verrou, Bénédicte soupira. Il y avait bien longtemps que l'enthousiasme de ses débuts l'avait quittée. À longueur de semaine, elle gérait la routine d'un travail répétitif dont l'aspect mercantile n'avait rien d'exaltant. Vaccins antirabiques avec formulaires en trois exemplaires, traitements antiparasitaires pour des chiens qui ne fréquentaient que le bitume, conseils psychologiques destinés à des perroquets aussi déprimés que leurs maîtres, stérilisation de beaux chats qui deviendraient d'affreux gros matous : tout cela lui procurait des revenus substantiels dont une bonne partie servait à rembourser son investissement.

La circulation était dense sur l'avenue de Villiers et elle en profita pour écouter les informations. Elle n'avait jamais le temps de se tenir au courant. Son existence était depuis longtemps une course contre la montre. Pourtant elle avait cru, les enfants grandissant, qu'elle retrouverait un peu de liberté ou de loisirs. Ce n'était pas le cas, bien au contraire. Louise sortait à peine de l'adolescence et n'avait toujours pas décidé de son avenir ; quant à Laurent, il vivait avec le parfait égoïsme de ses vingt ans, persuadé que ses bons résultats universitaires le dispensaient du moindre effort à la maison.

Sourire aux lèvres, Bénédicte baissa sa vitre. Même si l'atmosphère était particulièrement polluée depuis le début du mois de septembre, elle avait envie de sentir la tiédeur de l'air. Depuis combien de semaines n'avait-il pas plu ? Comme la plupart des Parisiens, elle n'avait qu'une vague conscience des intempéries et des saisons, passant de sa voiture à son cabinet, ou de son appartement à une galerie commerçante sans jamais lever la tête.

La place Pereire franchie, elle remonta vers Levallois. Dans quelques instants elle serait chez elle et Clément devait s'impatienter. À moins qu'il n'ait été retenu par un rendez-vous tardif, un de ces entretiens qui l'aigrissaient de plus en plus. Elle avait la chance de n'avoir qu'un quart d'heure de trajet en moyenne, alors que son mari avait dû traverser Paris matin et soir durant toutes les années où il avait dirigé l'agence de Port-Royal. À présent, il regrettait sans doute ces encombrements qui lui avaient pourtant si souvent mis les nerfs à vif. Le chômage était bien pire que n'importe quelle contrainte professionnelle.

Devant la barrière du parking, elle s'énerva à présenter dix fois de suite sa carte magnétique. Ce truc ne fonctionnait qu'un jour sur deux malgré les plaintes des copropriétaires. Elle descendit la rampe jusqu'au troisième sous-sol et se gara sur son emplacement en pestant contre le voisin qui débordait encore de ses lignes. C'était la même chose chaque soir, elle devait se contorsionner pour quitter sa voiture sans érafler sa portière, et les mots virulents qu'elle glissait sous l'essuie-glace du sans-gêne n'y changeaient rien.

Dans l'ascenseur, elle évita de croiser son reflet dans le grand miroir, sachant pertinemment que le néon creusait les traits sans pitié.

« Il n'y a pas que la lumière, ma vieille, il y a aussi les années. »

Qu'en avait-elle fait, d'ailleurs, de toutes ces années écoulées depuis la naissance de Laurent ? Quelques remplacements, une première installation à son compte puis cette association à la clinique, l'éducation des enfants, et voilà qu'un bon morceau de son existence – peut-être le meilleur – s'était envolé.

— Maman ! cria une voix furieuse dès qu'elle ouvrit la porte.

Louise avait dû guetter le bruit de la clef dans la serrure, et elle se précipita vers sa mère.

— Je l'ai dit sur tous les tons, je ne veux pas qu'il entre dans ma chambre ! Fais quelque chose, à la fin !

— Bonsoir, chérie, répondit Bénédicte en embrassant sa fille par surprise.

La cuisine était éteinte, preuve que personne n'avait songé au dîner.

— Il allait à une soirée avec Carole, alors ils ne se sont pas gênés pour se servir dans mes CD ! poursuivit l'adolescente d'une voix aiguë.

— Ton père est arrivé ?

— Non... Mais je te parle de Laurent, maman !

— Chérie ! dit seulement Bénédicte en souriant.

— Tu es fatiguée ? La journée a été dure ? s'exclama aussitôt Louise d'un air contrit.

Pourtant elle n'écouterait pas la réponse, toute à sa rage contre son frère. Résignée, Bénédicte posa son sac sur la desserte et fila vers sa chambre où sa fille la suivit en demandant :

— Qu'est-ce qu'on mange ?

Une question répétée à longueur de vie et dont elle était censée posséder seule la réponse.

— Chinois, j'en ai peur.

Tandis qu'elle troquait son tee-shirt pour un chemisier, Louise la détaillait sans pitié depuis le lit où elle s'était écroulée.

— Comment fais-tu pour rester mince, maman ?

— Je me prive ! Tout le temps...

Elle l'avait dit en riant mais elle était effectivement très gourmande et ne devait qu'à sa volonté d'avoir gardé une silhouette svelte. Régulièrement, elle prenait de bonnes résolutions pour aller courir ou nager, mais des contretemps de toutes natures l'en empêchaient une fois sur deux. Durant son enfance, puis sa jeunesse, elle avait été une sportive acharnée et elle en conservait une solide musculature, de belles épaules carrées, un dos droit et un ventre plat. Cependant la quarantaine – et un travail de forçat depuis le début de ses études à Maisons-Alfort – ne l'avait pas épargnée. Quelques cheveux blancs se devinaient dans ses courtes boucles brunes, tout un réseau de fines rides s'était accumulé au coin de ses yeux bleus, et elle avait une mine de papier mâché à force de ne jamais voir le soleil.

— Tu es si jolie, dit Louise qui le pensait vraiment.

Elle avait toujours été fière de sa mère et n'était encore passée par aucune phase de rébellion.

— Alors les filles, on se prélasse ? lança Clément en entrant.

Il affichait systématiquement une fausse jovialité lorsqu'il revenait bredouille. Une foule de gens acceptaient de le recevoir, anciennes relations d'affaires ou vrais copains, mais personne ne lui avait proposé de travail. Devant ses enfants, il ne se plaignait pas, pourtant Bénédicte savait ce qu'il endurait. À quarante-sept ans, il avait peu de chances de retrouver une situation.

— On dîne chez *Wang*, si j'ai bien compris ?

Bénédicte se contenta de hocher la tête avec un sourire encourageant. Elle aurait pu lui faire remarquer qu'il disposait de temps, qu'il n'y avait rien de déshonorant à faire les courses ou la cuisine, mais elle ne voulait pas avoir ce genre de discussion en présence de Louise.

Quelques minutes plus tard, ils se retrouvèrent attablés tous les trois dans la pénombre du minuscule restaurant chinois. Clément avait plaisanté avec le patron, comme d'habitude, en réclamant l'apéritif maison. À présent il étudiait la carte, qu'il connaissait pourtant par cœur, et Bénédicte en profita pour l'observer un instant. Hormis un petit pli amer au coin des lèvres, on aurait pu croire qu'il était un homme heureux.

— Est-ce que tu t'es enfin décidée ? demanda-t-il brusquement à sa fille en levant la tête.

Preuve qu'il ne lisait pas le menu mais restait bien plongé dans ses soucis.

— En fait, j'hésite encore…, avoua piteusement Louise.

Depuis l'obtention – inespérée – de son bac, deux mois plus tôt, elle n'avait toujours pas choisi sa voie. Inscrite à tout hasard en fac de droit, elle ne se sentait pas le moindre goût pour un quelconque cycle universitaire. L'exemple de son frère ne la motivait en rien. Elle rêvait d'une vie active, sans trop savoir de quelle façon l'aborder.

— Tu ne comptes pas te croiser les bras jusqu'à la fin de l'année, quand même ? lui jeta son père d'un ton agressif. Tu attends que le prince charmant sonne à la porte, ou quoi ? Regarde Laurent, il se donne du mal, il a compris que tout n'est pas rose ! Qu'est-ce que tu imagines ? Qu'on va t'entretenir à ne rien faire ?

Un silence pénible suivit sa tirade. Puis Louise se leva, ramassa son sac sur la banquette et quitta le restaurant sans que son père cherche à la retenir. Bénédicte alluma une cigarette dont elle inhala profondément la première bouffée.

— Il serait temps qu'elle mûrisse un peu, marmonna Clément.

Même s'il était désolé de la réaction de Louise, il se sentait dans son bon droit.

— Nous ne devons pas faire peser nos problèmes sur eux, rappela Bénédicte d'un ton calme. Elle n'a même pas dix-huit ans, comment voudrais-tu qu'elle sache à quoi consacrer sa vie ? Elle t'a expliqué cent fois qu'elle préférerait travailler plutôt que retourner s'asseoir sur les bancs d'une école…

— Mais enfin, on ne l'attend nulle part ! répliqua-t-il, outré.

Il n'avait pas apprécié que sa femme parle de « leurs » problèmes. C'était son problème à lui et elle ne risquait pas de connaître le même. Elle aurait toujours une situation quoi qu'il arrive. Bien

15

entendu, ce n'était pas seulement une question de chance, elle avait accompli un parcours sans faute durant ses longues études, et il se souvenait qu'elle avait parfois veillé des nuits entières pour préparer ses concours. Il avait beaucoup admiré sa volonté, à l'époque, son inépuisable énergie, la manière dont elle avait su tout concilier. À ce moment-là, c'était lui qui faisait bouillir la marmite. Aujourd'hui, c'était son tour à elle et il le supportait mal.

— De nos jours, il faut des diplômes, s'obstina-t-il.

— Ce n'est pas certain. Rien ne remplace l'expérience.

Elle essayait de le réconforter, mais elle lui en voulait d'avoir fait fuir Louise.

— Mon expérience, comme tu dis, personne n'en veut. Mes idées non plus. J'ai toujours cru qu'on appréciait mon boulot à la direction générale, pourtant quand ils ont fermé la boîte, ils ne m'ont rien proposé, rien ! Oh ! je suis bien placé pour savoir que l'immobilier se porte mal à Paris, mais quand même !

Sa litanie s'usait à force d'être ressassée. Ulcéré d'être mis sur la touche, il avait cru qu'il retrouverait facilement un poste. Au bout d'un trimestre de recherche, il ne visait déjà plus la direction d'une agence et un simple emploi de négociateur l'aurait satisfait. Là encore, il avait dû déchanter. Ses indemnités de licenciement étaient en train de fondre et aucun espoir ne se profilait. Et, pire que l'échec, l'inaction commençait à le rendre irascible.

— Veux-tu que je l'appelle ? proposa-t-il en sortant son portable de sa veste.

Bénédicte secoua la tête. Louise devait s'être installée devant la télé avec un assortiment de fromages et de crackers, sa nourriture favorite. Après tout, Clément avait bien le droit de la secouer un peu de temps à autre.

— Mange, ça refroidit, murmura-t-elle en désignant le canard grillé.

Le petit téléphone resta posé près du cendrier et elle pensa qu'à une certaine époque cet objet bruyant l'avait exaspérée. Quand Clément dirigeait l'agence, ses collaborateurs le harcelaient à n'importe quelle heure. Aujourd'hui, l'appareil sonnait si rarement qu'il était devenu inutile. Elle baissa les yeux vers son assiette pour y déposer des boulettes cuites à la vapeur. Son mari l'attendrissait mais elle avait faim, comme toujours.

La baie vitrée était grande ouverte et une relative fraîcheur avait envahi la chambre. Bénédicte remonta doucement le drap sur elle pour ne pas réveiller Clément. En principe il avait le sommeil lourd mais il lui arrivait de faire des cauchemars depuis quelques semaines. Leur tête-à-tête chez *Wang* s'était vite terminé, pourtant à leur retour Louise était déjà couchée. Laurent avait ses clefs et ne rentrerait sans doute qu'à l'aube. Il semblait de plus en plus amoureux, parlant de Carole avec des accents lyriques. Ce qui ne l'empêchait pas de rester sérieux, les résultats de ses examens le prouvaient. Jamais Louise ne pourrait montrer une pareille assiduité, surtout pour quelque chose qui ne l'intéressait pas. Son année de terminale avait été un calvaire pour toute la famille. Ses parents et son frère s'étaient relayés pour la stimuler, l'aider, la faire réviser. Hélas ! elle détestait les études, les matières imposées, tout le système scolaire. Elle voulait exister, et Bénédicte comprenait parfaitement ce que ça signifiait.

Lentement, elle glissa au bord du matelas et quitta le lit. Elle longea le couloir obscur et n'alluma qu'à la cuisine. Devant le réfrigérateur, elle hésita puis choisit une bière blonde qu'elle but à longs traits, sans se donner la peine de prendre un verre. Ensuite elle s'installa sur l'un des hauts tabourets, devant le comptoir. L'appartement était bien conçu, vaste, un peu impersonnel. Clément et Bénédicte n'avaient guère eu le temps de s'occuper de la décoration, encore moins de chiner chez les brocanteurs. D'ailleurs ils avaient beaucoup investi en achetant ce cinq pièces, séduits par le balcon et la vue. Pour Clément, d'un point de vue professionnel, c'était une bonne affaire. L'immeuble était neuf et offrait des prestations de qualité. Une expression qui amusait beaucoup Bénédicte car elle se moquait bien du marbre reconstitué des parties communes, du vidéophone ou de la taille de la cave. Ils avaient encore sept ans de crédit à rembourser avant d'être vraiment chez eux.

— Toi aussi, c'est l'insomnie ? Je me demande si la cuisine de *Wang* est très digeste, finalement…

Ébouriffé, Clément se tenait sur le seuil, l'air pitoyable. Il se traîna jusqu'à l'évier, ouvrit le robinet et mit sa tête sous l'eau.

— Bon sang que j'en ai marre, si tu savais, murmura-t-il en se redressant.

Impuissante, elle le regardait sans répondre. Que dire qui ne le blesse pas davantage ? Elle détourna son regard, attendant qu'il retrouve son sang-froid ou qu'il parle.

— J'ai fait le tour de tous ceux que je connais, de près ou de loin. Je ne comprends pas. Et je commence à avoir la trouille.

— Nous ne sommes pas en danger, rappela-t-elle en étouffant un soupir.

— Financièrement ? Non. Pas encore. Mais il n'y a pas que ça.

Il vint s'asseoir près d'elle, sur un autre tabouret, posa deux canettes de bière devant eux.

— Je me sens nul, inutile, rejeté. Trop vieux et trop con. Voilà, je l'ai dit.

Et il y avait aussi tout ce qu'il ne disait pas. En vingt ans, il avait brassé beaucoup d'affaires, gagné beaucoup d'argent, en avait conclu qu'il possédait un certain talent pour vendre n'importe quoi à n'importe qui grâce à son bagout. Or, il ne parvenait même pas à se vendre lui-même aujourd'hui. Quand il avait rencontré Bénédicte, il était déjà bavard, brillant, très à l'aise dans un métier qu'il n'avait pourtant pas choisi. À la fin de ses études d'ingénieur informaticien, il avait accepté un contrat de trois mois dans une société immobilière pour rendre service à un ami. Il s'était montré si doué – et le marché était alors si florissant – qu'il y était resté cinq ans. Puis il avait reçu une proposition alléchante, émanant d'un groupe puissant, et il s'était retrouvé directeur d'agence. Il n'avait jamais utilisé son diplôme et l'informatique avait été ravalée au rang de loisir dans son existence. Il n'était plus temps de le regretter.

Bénédicte aperçut quelques enveloppes coincées sous la coupe de fruits, à l'autre bout du comptoir. Elle n'avait pas pensé à regarder son courrier en rentrant.

— Je ne dois pas être marrant tous les jours, non ?

Il avait tourné la tête vers elle, quémandant une consolation quelconque. Elle le prit par le cou et l'embrassa sur la joue. Ce n'était sans doute pas ce qu'il attendait mais elle ne savait pas quoi faire d'autre. Peut-être aurait-elle dû se montrer plus sensuelle, lui donner envie de faire l'amour pour penser à autre chose qu'à lui-même, mais elle était aussi fatiguée que lui. Leurs étreintes étaient devenues rares, faites d'habitudes et de tendresse, mais sans rien qui rappelait la passion des débuts.

Le bruit de la porte précéda l'arrivée de Laurent qui s'arrêta net en découvrant ses parents.

— Qu'est-ce qui se passe ?

— Rien. On ne dormait pas. La chaleur, peut-être…

Ils le dévisageaient avec plaisir, aussi fiers l'un que l'autre de leur fils.

— Tu n'es pas resté chez Carole ? s'enquit prudemment Bénédicte.

L'air buté, il secoua la tête. Il n'aimait pas les questions directes de sa mère et n'avait aucune envie d'expliquer que Carole refusait de parler de lui à sa famille, le contraignant à s'introduire comme un voleur dans sa chambre de jeune fille.

— Ta sœur était furieuse.

— Pour ses disques ? Je les ai rapportés. C'est une emmerdeuse.

— Laurent ! protesta son père.

— Mais si, tu sais bien. Elle ferait mieux de se bouger au lieu de ronchonner.

— Bon, ça suffit ! coupa sèchement Bénédicte. Quand on aura besoin de ton avis… De toute façon, tu n'as pas à fouiller dans sa chambre. Chacun chez soi.

Agacée, elle avait tendu la main vers la pile de courrier qui se composait de deux cartes postales, une facture EDF, diverses publicités et une enveloppe anonyme. Elle ouvrit cette dernière avec curiosité, après avoir remarqué l'estampillage en provenance de Haute-Savoie. La seule personne qu'elle connaissait encore là-bas était sa vieille tante Mathilde, perdue de vue depuis longtemps et avec qui elle n'échangeait plus que des vœux à Noël.

Elle parcourut la lettre sans comprendre, puis la relut plus lentement.

— Écoutez ça…, murmura-t-elle, incrédule.

Un notaire lui annonçait, en termes choisis, le décès de la pauvre Mathilde, dans sa quatre-vingt-deuxième année.

— Qui est-ce ? demanda Laurent.

— Une drôle de vieille dame. Ma tante.

— Celle des Aravis ?

— Oui…

— Et alors ?

— L'enterrement a lieu après-demain.

Père et fils échangèrent un regard.

— Euh… Tu l'aimais bien ? risqua Laurent.

Bénédicte secoua la tête sans répondre. Elle avait peu de souvenirs de Mathilde, rien qui valût la peine d'être raconté.

— La dernière fois que je l'ai vue, j'avais douze ans. C'était une parente par alliance. La deuxième femme du frère de mon père… Elle nous avait envoyé ça pour notre mariage, ajouta-t-elle en désignant la coupe de fruits sous laquelle se trouvait le courrier quelques minutes plus tôt.

C'était un lourd objet de cristal travaillé, assez insolite pour être remarquable et assez massif pour avoir résisté au temps.

— J'espère qu'on l'avait remerciée, dit Clément pour plaisanter.

Bénédicte sourit en reposant la lettre.

— Si je m'en souviens bien, c'était une maîtresse femme. Dans tous les sens du terme, puisqu'elle était l'institutrice de son village.

— Où ça ?

— Un bled. Pas très loin du lac d'Annecy.

— Et ton oncle ?

— Elle était veuve depuis des décennies. Le notaire précise que je suis sa légataire.

— Formidable ! s'écria Laurent avec enthousiasme.

— Ne rêve pas, elle n'était pas riche. Mais je suppose que ça m'oblige à faire le voyage.

Chaque absence soulevait un problème à la clinique vétérinaire et elle allait devoir négocier âprement les deux journées nécessaires.

— Faites de beaux rêves, les héritiers, moi je vais me pieuter, déclara Laurent en bâillant.

— Tu veux vraiment descendre là-bas ? demanda Clément.

— Non, je ne *veux* pas, c'est seulement plus... correct.

Il se pencha vers la lettre, déchiffra l'en-tête.

— Et si on en profitait pour s'offrir un petit séjour en amoureux ?

Ils avaient renoncé tacitement à prendre des vacances durant l'été et les enfants étaient partis sans eux, chacun de leur côté.

— Pas un séjour, chéri, mes associés ne seront jamais d'accord. Quarante-huit heures au mieux.

— Il faudra se taper l'enterrement ?

— Oui mais après, à nous la fondue, le vin blanc et la viande des Grisons !

Cette fois, elle riait franchement, et Clément lui déposa un baiser léger sur l'oreille.

— Le vertige des sommets ? murmura-t-il en la prenant par la taille. Tu vas m'expliquer où ça se trouve exactement, ton patelin perdu...

Pour l'instant il s'en moquait, saisi d'un désir inattendu, joyeux et conquérant. Elle n'eut pas le courage de lui avouer qu'elle tombait de sommeil.

Le soleil éclatait sur toutes les nuances vertes ou bleues des forêts et des eaux. Séduit, Clément ne tarissait pas d'éloges depuis qu'ils étaient arrivés. Après avoir loué une voiture à l'aéroport d'Annecy, ils étaient passés déposer leurs sacs à l'hôtel puis s'étaient offert un mémorable petit déjeuner au bord du lac. Ensuite ils avaient pris la route, d'abord la départementale qui longeait la rive droite puis, quittant les berges, ils s'étaient lancés à l'assaut des pentes boisées, en direction du col de la Forclaz.

Bénédicte ne reconnaissait rien de ce somptueux paysage qu'elle n'avait vu qu'en hiver, trente ans plus tôt. La montagne ne la fascinait pas, et depuis toujours elle lui préférait la mer. Laurent et Louise avaient connu les classes de neige, puis les sports d'hiver entre copains, mais leurs parents n'avaient jamais eu le temps – ou l'envie – de les accompagner.

— Regarde la carte, je ne sais pas où je vais, demanda Clément.

Il roulait doucement, décidé à profiter de leur escapade pour oublier ses soucis. Depuis qu'il cherchait du travail, il n'avait pas eu le loisir d'un seul week-end de vacances, et ce voyage imposé lui apparaissait soudain comme une récréation.

— Prends la première à gauche, décida Bénédicte en relevant la tête.

Elle ne partageait pas la gaieté de son mari. Le décès de Mathilde, dont elle se souvenait mal, avait peu d'importance, mais le surcroît de travail qui l'attendrait à son retour l'exaspérait d'avance. Elle cala sa nuque contre l'appui-tête puis ferma les yeux. Le chômage de Clément menaçait de durer et ce n'était pas le moment de lever le pied. Surtout lorsqu'elle pensait aux études de leurs enfants. Laurent ne serait pas autonome avant trois ans encore. Quant à Louise...

— Je crois qu'on y est !

Elle se redressa pour regarder autour d'elle. La place du village lui sembla vaguement familière avec ses chalets à grands toits largement débordants qui s'étageaient jusqu'à l'église.

— C'est ravissant, dit Clément, enthousiaste.

Avec un haussement d'épaules agacé, elle ouvrit sa portière.

— On est en retard, ça commençait à onze heures.

Devant le porche, il n'y avait que trois voitures en plus du fourgon des pompes funèbres. Au moment où ils s'approchaient, les portes s'ouvrirent en grand pour laisser passer le cercueil.

— Merde, murmura Bénédicte, ils ont fini...

Clément adopta une mine de circonstance tout en observant le maigre cortège.

— Le cimetière est par là, on va les suivre, lui chuchota sa femme.

24

Elle était contrariée d'avoir manqué le service religieux. Quitte à faire tout ce chemin, elle aurait préféré avoir le temps de se recueillir un instant, par décence. Il ne restait personne d'autre qu'elle dans la famille, hormis de très lointains cousins.

— Excusez-moi, madame, mais seriez-vous Bénédicte Ferrière ?

L'homme qui venait de lui poser cette question la dévisageait en souriant. Il tendit sa main sans attendre la réponse.

— Pierre Battandier, dit-il. Vous vous rappelez ? Je vous ai connue toute petite, sur une luge !

Bénédicte lui rendit son sourire sans se forcer. Quelques images du passé venaient brutalement de remonter à la surface. Battandier devait avoir une quinzaine d'années de plus qu'elle. Il n'avait pas seulement prêté la luge, il l'avait aussi juchée sur une vache pour la promener, elle se souvenait bien de lui, même s'il avait beaucoup vieilli depuis.

— Je suis navrée d'arriver si tard, je vous présente mon mari, Clément. Comment Mathilde est-elle… enfin, de quelle…

— De vieillesse, coupa Battandier en saluant Clément d'un signe de tête. Ma femme était auprès d'elle.

Il les entraînait à sa suite vers la grille du cimetière tout proche, en continuant à bavarder à mi-voix.

— Je suis devenu maire du village, alors c'était à moi de vous prévenir. Mais dans les affaires de Mathilde nous n'avons pas trouvé votre numéro de téléphone. Finalement, le notaire avait votre adresse. J'ai organisé la cérémonie au mieux… Elle était née ici et il y a un caveau de famille.

Effectivement, dans l'allée centrale, les quelques personnes qui avaient suivi le cercueil s'étaient immobilisées près d'un monument funéraire d'un goût douteux. Pierre Battandier poussa gentiment Bénédicte devant lui. Il ne l'avait pas vraiment reconnue, quelques minutes plus tôt, mais il était sûr de ne pas se tromper. Sans aucune arrière-pensée, il la trouvait superbe, racée comme un bel animal, mais très différente de l'idée qu'il avait pu se faire de cette nièce vétérinaire que Mathilde évoquait parfois avec fierté.

Le prêtre était en train d'achever son discours au-dessus de la fosse et Bénédicte eut une pensée émue pour la vieille dame qu'elle avait négligée. Près de la dalle ouverte, elle vit une gerbe de fleurs et une unique couronne barrée d'un ruban. Il n'y avait qu'un prénom sur la soie mauve : « Ivan. » Avec un petit soupir, elle s'aperçut qu'elle n'avait pas pensé aux fleurs non plus. Elle devrait réparer son oubli avant de quitter le village. S'approchant d'un pas, elle saisit machinalement la rose que le curé lui tendait. Après l'avoir jetée sur le cercueil qui reposait au fond du trou, elle s'écarta et releva la tête. Son regard croisa celui d'un homme qui se tenait un peu en retrait, l'air triste. Bénédicte se détourna mais elle avait eu le temps de remarquer les yeux bleu-vert et le visage de l'inconnu.

Pierre Battandier leur présenta son épouse, Danièle, puis leur offrit de se désaltérer. Il faisait chaud et l'air était si léger qu'ils s'attablèrent à la terrasse d'un bistrot, un peu plus bas dans la rue. Pierre n'avait rien prévu, il était désolé, mais le notaire n'avait pas su lui dire si les Ferrière viendraient de Paris ou pas, sa lettre étant restée sans réponse. Clément s'excusa, expliqua qu'ils étaient partis en catastrophe. Bénédicte le laissait faire les frais de la conversation, ravie qu'on ne les oblige pas à déjeuner là. Elle rêvait d'un restaurant au bord d'un torrent, d'une sieste à l'hôtel, d'une promenade dans le vieil Annecy avant leur rendez-vous à l'étude en fin de journée. Du coin de l'œil, elle vit l'inconnu du cimetière qui ouvrait la portière d'un Range Rover gris métallisé. Elle nota le jean et la chemise à col ouvert. Il n'avait pas fait beaucoup d'efforts vestimentaires pour l'enterrement, mais il avait une silhouette naturellement élégante.

Le Range démarra et se mit à descendre doucement la rue dans leur direction. Pierre Battandier fit un signe de la main au chauffeur et, pour la seconde fois, Bénédicte croisa le regard clair.

— Qui est-ce ? demanda-t-elle en s'étonnant de sa propre curiosité.

— Ivan. Ivan Charlet, un voisin. Il aimait bien Mathilde, il a été son élève, comme presque tous les gens d'ici… Mais nous ne sommes plus très nombreux à présent.

Clément se mit à poser une foule de questions sur le village et la région, tandis que Bénédicte s'impatientait. Il lui fallut encore attendre dix minutes avant de pouvoir prendre congé, remerciant chaleureusement les Battandier pour leur gentillesse. À peine assis dans la voiture, Clément lui fit remarquer qu'elle avait frisé l'impolitesse en partant aussi vite. Pour sa part, il serait volontiers resté déjeuner au village où ils auraient d'ailleurs pu inviter ces braves gens. À condition qu'il existe un restaurant quelque part.

— Mais oui, il y en a sûrement, ce n'est pas la brousse ! répliqua-t-elle. On va en trouver plein dans la vallée, j'en suis persuadée… et s'en choisir un pour nous seuls !

Maintenant que la corvée du cimetière et des souvenirs de circonstance était passée, elle se sentait pleine d'entrain. Ils s'arrêtèrent à Talloires, dans une auberge au bord du lac où ils purent déguster des perches à la sauce gribiche et des râbles de lapin rôtis, arrosés d'un vin blanc de Savoie au goût piquant. Clément parlait beaucoup, et avec humour, décidément ravi de se trouver là. Ce ne fut qu'au moment où Bénédicte sortit sa carte bancaire pour régler l'addition qu'il se rembrunit. Auparavant, ni l'un ni l'autre n'avaient jamais prêté attention à ce genre de choses. Chacun payait les dépenses à tour de rôle et gérait ses comptes sans souci. À présent, il devait se montrer économe s'il ne voulait pas être obligé de demander à sa femme un virement. Pour lui épargner cette humiliation, elle avait proposé d'ouvrir un compte commun, mais il avait refusé, très vexé.

Une longue promenade dans les vieux quartiers piétonniers d'Annecy le remit pourtant de bonne humeur. Décidément, il appréciait l'endroit, et il s'extasia devant les maisons sur arcades, les puits à l'italienne, mille détails dont Bénédicte ne semblait guère se soucier. Elle n'avait d'ailleurs jamais été un touriste attentif et elle fuyait les musées, ce qui consternait Clément.

À dix-huit heures précises, fatigués d'avoir tant marché, ils se présentèrent à l'étude de maître Taquet qui les reçut avec beaucoup de courtoisie. Les phrases de condoléances furent brèves, le vieux notaire sachant parfaitement que Bénédicte n'avait pas revu sa tante depuis une trentaine d'années.

— Son testament est très simple, je vais vous en donner lecture, mais en substance vous héritez donc de la maison et de son contenu, ainsi que de l'actif bancaire qui n'est pas très important, environ deux cent mille francs. À peine trente mille euros si vous préférez.

Bénédicte fronça les sourcils, intriguée.

— Sa maison ?

— Oui. Vous vous en souvenez sans doute assez mal ? Elle est située à la sortie du village, c'est une sorte de…

— Je me la rappelle très bien.

Et curieusement, c'était vrai. Elle n'avait pas éprouvé l'envie d'aller revoir la bâtisse, le matin même, mais elle en avait quelques images précises.

— Une maison forte, ça s'appelle comme ça, précisait le notaire. Mathilde l'avait baptisée « Les Aravis » parce qu'on peut voir les sommets de ces montagnes depuis les fenêtres. Très beau panorama, c'est vrai. Quant à l'architecture, c'est un peu… gothique, mais ça ne manque pas d'allure !

— Gothique ? répéta Clément, éberlué.

— Au XIIIe, la petite noblesse a fait édifier un certain nombre de ces constructions massives, symboliquement défensives parce que souvent implantées en hauteur, et tout ça pour imiter les comtes de Savoie, enfin, à une échelle plus modeste… Château fort, maison forte, à chacun ses moyens ! Bref, quelques-unes sont encore en assez bon état, comme celle de Mathilde, malgré des remaniements plus ou moins heureux au fil du temps ! Oh ! je ne dis pas que ça intéresserait les Beaux-Arts mais c'est à la fois insolite et typique, or il y a des amateurs pour ça.

— Eh bien tant mieux, répliqua Bénédicte, car nous allons sans doute vous charger de la vendre.

Clément tourna la tête vers elle pour lui lancer un coup d'œil furieux. Tout ce qui touchait l'immobilier relevait de sa compétence, et ce n'était pas un notaire de province qui allait lui griller la politesse.

— J'imaginais bien que vous ne souhaiteriez pas garder…

— Avant toute discussion, j'y jetterais volontiers un coup d'œil ! coupa Clément. C'est mon métier.

Le ton était à peine aimable et Bénédicte enchaîna :

— Mon mari est… de la partie.

Elle avait hésité, ne sachant trop comment finir sa phrase, ce qui provoqua un petit silence contraint. Le notaire prit un trousseau de clefs dans un tiroir de son bureau et le tendit à Bénédicte.

— Il y en a un deuxième, dit-il, c'est Pierre Battandier, le maire, qui l'a gardé. Nous pourrons reparler de cette succession ultérieurement, il faut toujours prendre le temps de réfléchir.

Il ne manifestait aucune mauvaise humeur, comme si l'intervention de Clément le laissait indifférent. Avait-il déjà un client en vue ? Pensait-il que ces Parisiens repartiraient aussi vite qu'ils étaient venus en lui abandonnant le soin de tout régler ? C'est en tout cas ce que Bénédicte aurait souhaité.

— Resterez-vous quelque temps dans la région ? s'enquit le notaire.

Il ne s'adressait qu'à elle, puisqu'elle était la légataire de Mathilde, et Clément se leva.

— Nous repartons demain.

— Très bien, je vous tiendrai au courant. Il faut compter plusieurs semaines pour régulariser la situation. La paperasserie…

Bénédicte prit une carte de visite dans son sac et la posa sur le bureau. Avec une légère hésitation, elle saisit le trousseau de clefs puis se crut obligée de prononcer quelques mots aimables avant de sortir, pour compenser la froideur de Clément.

— Mais qu'est-ce qui te prend ? s'écria-t-elle dès qu'ils furent dehors. Tu veux retourner là-bas ?

— Oui, par curiosité ! Et surtout pour que ce petit notable ne nous escroque pas. Ah ! on voit que tu ne les connais pas, les notaires !

Il tournait sa colère contre maître Taquet pour ne pas être désagréable avec Bénédicte, mais elle ne fut pas dupe.

— De toute façon, chérie, laisse-moi seul juge en matière d'achat et de vente. Tu aurais dû me montrer la baraque ce matin.

— Je ne savais pas que j'en héritais. Je ne me suis jamais posé la question de savoir si cette maison lui appartenait ou pas.

Clément eut un petit rire sarcastique qui déplut beaucoup à Bénédicte.

— Tu es incroyable, tu sais ! Il n'y a pas que les chiens et les chats, dans la vie…

Elle retint de justesse une réflexion cinglante et s'arrêta pour allumer une cigarette. Avant que Clément ne se retrouve au chômage, elle s'était toujours exprimée librement. À présent, elle devait le ménager, éviter tout ce qui pouvait le vexer ou le décourager, et elle se sentait parfois à bout de patience, comme si elle vivait avec un grand malade. Quand retrouveraient-ils donc des rapports normaux ? Fallait-il qu'elle s'excuse de réussir, de gagner de l'argent, d'être bien dans sa peau ? D'ici peu, il la traiterait d'égoïste, alors qu'elle travaillait dix heures par jour à longueur d'année.

La vitrine d'un confiseur lui permit de se détourner, le temps de reprendre son sang-froid. Elle détailla une pyramide de roseaux du lac, en chocolat noir fourré au café, sans pouvoir se défaire d'un sentiment de malaise. Elle était la femme de Clément depuis vingt ans mais qu'éprouvait-elle pour lui ? En dehors de toute la tendresse, des liens qui s'étaient tissés, des habitudes, des petites attentions, d'un passé et d'un avenir commun, restait-il aussi de l'amour ?

Elle fit volte-face et se retrouva contre lui.

— Qu'est-ce que tu regardes ?

C'est lui qu'elle dévisageait, en constatant que s'il avait été un inconnu, là sur ce trottoir, elle ne l'aurait sans doute pas remarqué. Il avait désormais beaucoup de cheveux gris sur les tempes et son regard brun n'avait rien d'extraordinaire. Il était moins gai qu'autrefois, plus enclin à critiquer ou à se plaindre.

— Tu veux acheter des chocolats pour les enfants ?

— Non, si j'entre dans cette boutique, je vais craquer. Allons plutôt chercher un endroit où dîner.

Prenant affectueusement son mari par la taille, elle l'entraîna vers la rue Sainte-Claire.

Le temps était toujours radieux, le lendemain matin, lorsqu'ils revinrent au village. Bénédicte se trompa d'abord de direction mais finit par retrouver le chemin de la maison de Mathilde. Située un peu à l'écart et surplombant la vallée, la bâtisse possédait une certaine allure, vue de loin. En approchant, on discernait ses fenêtres à meneaux, bizarrement alignées, sa grande porte de bois sombre surmontée d'un arc en accolade, les pierres un peu abîmées de la façade. Rien ne rappelait les traditionnels chalets dans cette construction massive faite pour défier les siècles. Aucun portail, aucune clôture ne délimitait la propriété. Au-delà de la maison, en contrebas, une grange et une étable s'étageaient de part et d'autre d'une cour pavée.

— Et elle habitait là toute seule ? s'exclama Clément.

— Elle avait épousé mon oncle au début de la guerre mais il a été tué presque tout de suite, expliqua Bénédicte. Elle n'avait pas d'enfant et elle ne s'est jamais remariée. Elle est revenue vivre ici où elle a enseigné jusqu'à la retraite. Quand je l'ai connue, elle était directrice de l'école, et je peux te dire que ce n'était pas le genre à avoir peur de quoi que ce soit. Mon père l'aimait bien, pourtant nous ne sommes descendus que deux ou trois fois pour de courts séjours. C'est loin de tout, ici… Après, tout le monde s'est un peu perdu de vue. La dernière fois que je l'ai rencontrée, c'était pour l'enterrement de papa, elle avait fait le voyage. Tu ne te souviens pas d'elle ?

— Non, pas du tout.

Le décès du père de Bénédicte remontait à plus de quinze ans et Clément n'avait prêté aucune attention aux lointains parents venus présenter leurs condoléances. Il avança vers la maison, intrigué et séduit, cherchant déjà la clef de la grande porte sur le trousseau. Sa longue pratique d'agent immobilier lui faisait flairer la bonne affaire. C'était le genre d'endroit insolite et plein de charme qu'il aurait aimé faire visiter. Mais là, c'était différent, il en était momentanément propriétaire.

Dès qu'ils furent dans le vestibule, l'impression se confirma. Les lieux respiraient la sérénité d'une autre époque, avec quelques meubles patinés, un admirable sol de pierres blanches et lisses, dans un renfoncement une causeuse aux tons défraîchis, puis l'escalier large mais obscur qui devait être le cœur de la maison. Clément trouva sans peine le compteur. L'électricité semblait vétuste mais fonctionnait. À droite de l'entrée s'ouvrait une immense pièce où Mathilde avait dû passer le plus clair de son temps. Clément alla ouvrir les volets intérieurs et le soleil éclaira brutalement une cheminée monumentale cernée de gros fauteuils avachis. Il régnait un certain fouillis mais aussi une évidente propreté. Clément apprécia l'épaisseur des murs de pierres apparentes avant de lever la tête vers le plafond qui lui arracha un sifflement d'admiration.

— Regarde-moi ces merveilles de petits caissons ! Il faudrait que je trouve une échelle pour examiner ça de plus près… Grands dieux, quel âge a donc cette maison ?

Mais déjà il avait quitté la salle pour partir à la découverte du reste. Bénédicte resta quelques instants immobile puis elle s'approcha de la cheminée.

— Jean qui rit et Jean qui pleure…, murmurat-elle en reconnaissant les chenets sculptés.

Rien ne lui était ni vraiment familier ni tout à fait inconnu dans cette pièce, et c'était une sensation étrange.

— Viens voir ! cria Clément.

Sa voix était perdue dans les profondeurs du rez-de-chaussée et Bénédicte en déduisit qu'il avait trouvé la cuisine. Elle le rejoignit devant les vieux fourneaux de fonte qu'il examinait d'un œil critique.

— Tout ça est tellement authentique… J'adore ! On se sent tout de suite chez soi. Il ne faut pas brader cette baraque au premier venu, crois-moi.

Elle aurait voulu lui dire qu'elle s'en moquait, qu'elle était pressée de reprendre l'avion pour Paris et qu'il était inutile de s'attarder ici, mais elle réalisa brusquement la tâche qui les attendait.

— Qu'est-ce qu'on va faire de tout ce fatras ? demanda-t-elle. On ne peut pas vendre sans déblayer d'abord. Au moins trier les papiers personnels avant de convoquer un commissaire-priseur.

— La totalité de ce bazar t'appartient, ma chérie, alors ne le solde pas n'importe comment ! Il y a des choses de valeur qui doivent être estimées. Pour le reste, on fera venir un brocanteur. Mais c'est vrai qu'il va falloir y consacrer un peu de temps.

L'idée le réjouissait, manifestement, et Bénédicte se défendit aussitôt.

— J'ai un travail fou, tu le sais très bien ! Je ne peux pas rester ici à trier des photos ou des factures, à jeter de vieux médicaments ou à faire des cartons d'épicerie pour les pauvres de la commune ! Je ne suis pas en vacances, Clément…

Il la regardait, interloqué par la violence de sa réaction. Elle respira à fond, la gorge serrée, au bord des larmes, et ajouta à mi-voix :

— Excuse-moi. Je suis un peu… émue.

Elle se demandait encore pourquoi Mathilde l'avait choisie, elle. La vieille dame avait sans doute des gens plus proches d'elle que cette nièce qui n'écrivait qu'une fois par an et ne se donnait jamais la peine de téléphoner. Des voisins, des amis, des nécessiteux auraient été ravis de l'aubaine, ou même n'importe quelle association caritative.

— Tu as vu ça ? s'exclama Clément en s'emparant d'un petit cadre doré, coincé entre deux assiettes de collection, sur une des étagères à balustre du vaisselier.

C'était une photo de Bénédicte posant avec ses enfants, prise dix ans plus tôt, et qui avait été glissée dans la traditionnelle carte de vœux. Mathilde l'avait conservée, bien en vue, preuve qu'elle n'était pas indifférente à ce qui restait de sa belle-famille.

— Va te mettre dehors au soleil, je fais juste un petit tour au premier étage et je te rejoins, proposa-t-il gentiment.

Il supposait que les quelques souvenirs d'enfance qu'elle avait soudain retrouvés la bouleversaient. Or, Bénédicte n'éprouvait qu'un sentiment de gêne, un attendrissement diffus. Il n'y avait pas lieu de s'apitoyer sur le sort de Mathilde, elle en était certaine, le joyeux désordre de la maison témoignant d'une vie bien remplie. Une existence dont elle ignorait à peu près tout et qu'elle n'avait pas envie de découvrir.

Elle quitta la cuisine sans regret, alluma une cigarette en sortant. L'air était délicieusement tiède et léger, le ciel d'un bleu intense, et elle alla s'asseoir sur un long banc de pierre adossé à la façade. Un petit groupe de conifères aux aiguilles argentées cachait une partie de la route. Du côté de la grange, des gentianes tardives étaient encore en fleur. Bénédicte se demanda si Laurent et Louise auraient aimé cet endroit. Mais il n'était pas question de conserver la maison pour d'éventuelles vacances, leurs moyens ne le leur permettaient pas, surtout pas maintenant.

« Ni maintenant ni jamais. Qu'est-ce que va devenir Clément ? »

En général, elle essayait de ne pas y penser. Ils étaient probablement moins malheureux ou inquiets que les millions de gens qui affrontaient eux aussi le problème du chômage. Cependant l'argent n'était pas tout, si vital qu'il fût. Clément se sentait inutile, à sa famille comme à lui-même, et il finirait par s'aigrir ou par sombrer dans la dépression. Des détails significatifs avaient déjà alarmé Bénédicte. La façon dont il s'adressait aux enfants, par exemple.

Un bruit lointain de moteur lui fit lever la tête. Les environs du village étaient si tranquilles qu'elle avait eu l'impression d'être seule au monde depuis cinq minutes. Sur la route en lacets qui montait vers la maison, elle aperçut une voiture grise dont le pare-brise luisait au soleil. Quelques instants plus tard, le véhicule freina puis s'arrêta à la hauteur des sapins. Après un petit silence, il y eut un claquement de portière et le conducteur traversa en direction de Bénédicte.

« C'est le type des fleurs, au cimetière… Comment s'appelle-t-il, déjà ? Le maire nous l'a dit… »

Souriant, il avançait vers elle, vêtu comme la veille d'un jean et d'une chemise blanche à col ouvert.

— Bonjour, je suis Ivan Charlet, déclara-t-il en lui tendant la main. Et vous êtes la nièce de Mathilde, Bénédicte, c'est ça ?

Dans son visage bronzé, les yeux bleu-vert avaient un éclat remarquable. Elle voulut se lever mais ce fut lui qui s'assit à l'autre bout du banc de pierre, comme s'il avait l'habitude de s'installer là.

— Mathilde était quelqu'un de formidable, dit-il doucement.

— Je l'ai peu connue. Je n'avais pas mis les pieds ici depuis très, très longtemps.

Même devant un inconnu, elle ne voulait pas jouer le rôle factice de la bonne nièce.

— Oui, je sais, répondit-il en la dévisageant.

Sans doute la comparait-il à la jeune maman de la photo qui trônait dans la cuisine.

— Il paraît que vous avez été son élève ? demanda-t-elle par politesse.

— C'était il y a longtemps aussi. Là, nous étions presque devenus… des amis.

Elle ne trouvait rien à ajouter, gênée de ce regard énigmatique qui pesait sur elle, et l'arrivée de Clément la soulagea. Ivan se leva pour se présenter puis posa la question qui avait dû motiver sa halte.

— Je suppose que vous allez garder la maison ?

— Malheureusement non, c'est impossible, répondit-elle trop vite.

— Avez-vous chargé quelqu'un de la vente ? Parce que…

— Pas encore, coupa Clément. D'ailleurs c'est mon métier et je m'en occuperai probablement moi-même.

— Très bien… Puis-je vous laisser mon numéro de téléphone afin d'être averti ? Je me mettrai sur les rangs des acheteurs potentiels.

Sa voix, un peu grave, était très chaleureuse.

— Elle vous tente ? demanda Clément soudain très professionnel.

— Non. C'est… sentimental.

Clément sortit un stylo et un carnet de sa poche pour noter le numéro. Il raccompagna Ivan jusqu'au Range Rover, le prenant familièrement par le bras. Bénédicte, qui n'avait pas bougé, les vit discuter quelques instants. Elle s'étira paresseusement, gagnée par la somnolence. Demain, elle serait à nouveau enfermée dans son cabinet, cernée de ses soucis quotidiens.

— Ce type est charmant, déclara Clément qui revenait enfin. D'après ce que j'ai compris, il est le patron d'une cristallerie, quelque part dans la montagne…

Sourcils froncés, il observait la façade de la maison.

— On devrait pouvoir en tirer un bon prix, murmura-t-il d'un ton rêveur.

— Assez pour rembourser l'emprunt de l'appartement ? Ce serait merveilleux !

— Je ne sais pas. Il faut que je me renseigne auprès de mes confrères de la région.

Il conservait une expression perplexe et il s'éloigna vers les dépendances sans rien ajouter. Bénédicte haussa les épaules puis s'allongea carrément sur la pierre chaude du banc. Avant de sombrer dans le sommeil, elle perçut un martèlement étrange qu'elle reconnut pourtant aussitôt. Un pivert tapait sur un tronc, quelque part à sa droite. Ce bruit-là, elle était certaine de l'avoir entendu ici même.

« En hiver ? Impossible… »

Non, c'était lors de sa première visite, aux vacances de Pâques. Elle avait neuf ans, dix. Son père lui avait expliqué comment l'oiseau faisait sortir les vers ou les insectes. Roulement de tambour, silence. Elle avait appris, depuis, l'anatomie particulière du pivert qui lui permettait de frapper à cette cadence sans se décrocher la tête.

Se rasseyant, elle se frotta les tempes du bout des doigts. Les souvenirs d'enfance avaient la vie dure, finalement. Clément avait disparu dans l'étable où il devait poursuivre son inspection. Conserver la propriété de Mathilde comme résidence secondaire était impossible, et c'était bien dommage, mais à présent il était temps de partir ou ils finiraient par manquer l'avion.

2

Clément s'était fait au moins une alliée avec Louise. Depuis son retour d'Annecy, il n'avait pratiquement pas quitté l'appartement. Soit il s'enfermait pour téléphoner dans sa chambre, soit il marchait de long en large, plongé dans ses réflexions. Et il avait trouvé judicieux de se confier à sa fille parce qu'elle était la plus fantaisiste de la famille.

L'idée avait germé là-bas, peut-être à cause du soleil, ou alors du dépaysement, mais il s'était vraiment imaginé en conquérant d'un possible Eldorado. La bouffée d'oxygène de la Haute-Savoie l'avait galvanisé, ouvrant soudain pour lui un nouvel horizon. Bien sûr, il avait déjà caressé ce genre de projet, de façon abstraite et chimérique, comme exutoire au découragement qui le saisissait parfois. Le rêve de recommencer une autre vie, de prendre un nouveau départ sous d'autres cieux lui permettant d'échapper quelques instants à la sinistrose créée par son chômage prolongé. Toutefois, aucune opportunité ne lui avait permis jusqu'ici de considérer la chose comme possible. Réaliste. Peut-être même réalisable.

La maison de Mathilde l'avait séduit à maints égards. Outre la grande pièce à vivre du rez-de-chaussée, elle offrait quatre chambres spacieuses ainsi qu'une salle de bains vétuste au premier étage. Au second, il avait découvert un immense grenier dont les murs, de pierres apparentes, étaient percés d'une série d'ouvertures étroites affleurant sous le toit. Il n'y était resté qu'une minute mais avait vu – littéralement *vu* – son futur bureau. Une longue table à tréteaux et un ordinateur suffiraient à son organisation. De là, il pourrait gérer ce qu'il voudrait, un œil sur les sommets montagneux, solitaire mais relié au monde entier par son modem… Après tout, il avait passé des années à pester contre le manque de coordination des réseaux immobiliers, à affirmer que s'il en avait le temps il mettrait au point un programme informatique prodigieusement simple et efficace. Eh bien, à présent, il avait du temps ! Et toutes les compétences voulues. Son projet de « télétravail » n'avait rien d'impossible, il en était certain. Un acheteur potentiel, à Paris, d'une résidence secondaire à la campagne ou d'un appartement à la montagne, pourrait faire son choix en toute quiétude et s'épargner des voyages inutiles ou des recherches décevantes.

Il avait pris le temps de sonder, autour de lui, ses anciens collègues. Son plan suscitait un intérêt évident, et il était peut-être le seul à pouvoir le mener à bien. Trouver puis convaincre des partenaires le stimulait d'avance, et depuis qu'il envisageait ce changement radical d'existence, il se sentait revivre. Les arguments ne lui manquaient pas, bien au contraire, il cherchait plutôt à les mettre en ordre avant de les présenter à Bénédicte. En parlant à leur fille, il avait déjà marqué un point. Que Louise s'emballe sans réserve pour quelque chose d'aussi inattendu était le signe qu'il ne se trompait pas.

Maintenant, il était prêt à affronter sa femme. Il avait choisi le samedi soir parce que Bénédicte rentrait toujours épuisée ce jour-là, après avoir vu défiler une bonne cinquantaine de chiens et de chats. Louise et Laurent avaient promis d'être là vers vingt heures, ce qui lui laissait le champ libre pour ses préparatifs. Au début de leur mariage, il lui était parfois arrivé de faire la cuisine, mais depuis longtemps il avait abandonné les casseroles à sa femme et à sa fille. Il traversa Paris pour aller acheter un foie gras mi-cuit et des confits de canard dans un magasin de luxe. Dès son retour, il éplucha consciencieusement les pommes de terre, les coupa en très fines tranches, préleva un peu de la graisse des confits pour les mettre à cuire avec de l'ail et du persil. Comme l'appartement ne comportait pas de salle à manger, il dressa le couvert sur le comptoir de la cuisine avec un soin particulier. Le pouilly était au frais et une odeur délicieuse régnait quand Bénédicte arriva enfin, stupéfaite de trouver son mari derrière les fourneaux, et comme prévu, exaspérée par son interminable journée. Il la conduisit vers le séjour, la fit asseoir et lui mit un verre dans la main sans lui laisser le temps de poser la moindre question. D'un geste machinal, elle ôta ses mocassins pour se lover dans le canapé.

— Qu'est-ce qu'on fête ? J'ai oublié un anniversaire ?

Avec un sourire énigmatique, il lui servit un peu de vin blanc.

— On attend les enfants et je t'explique.

— En tout cas, ça sent bon... Je meurs de faim !

— Gourmande...

Le regard brun de Clément était posé sur elle avec tant de gentillesse qu'elle flaira le piège. S'il avait eu une bonne nouvelle à lui annoncer, il l'aurait déjà fait. Jamais il n'aurait résisté au plaisir de lui apprendre qu'il avait retrouvé un travail, donc il ne s'agissait pas de ça.

— C'est nous ! cria Louise en entrant.

L'air surexcité, elle poussait son frère devant elle, et Bénédicte surprit le clin d'œil qu'elle adressa à Clément.

— Qui veut du pouilly ? C'est une merveille, il a un arrière-goût de noisette. Ensuite nous aurons la clef du mystère, je suppose ?

Bénédicte avait servi ses enfants d'office, décidée à ne pas gâcher la surprise que son mari leur réservait. Ils trinquèrent en s'observant les uns les autres puis Clément prit une grande inspiration.

— J'ai quelque chose à vous proposer, commença-t-il. Une chose qui nous concerne tous les quatre.

Il se mit à déambuler devant eux, le long de la baie vitrée, comme un professeur arpentant son estrade.

— Vous, les enfants, vous allez bientôt voler de vos propres ailes et nous ne tarderons pas, votre mère et moi, à nous retrouver seuls dans cet appartement. Qui deviendra trop grand tout en étant ridiculement petit, mais c'est le lot de tous les citadins. Nous avons beaucoup travaillé pour acquérir ces mètres carrés coulés dans le béton et je ne suis plus très sûr aujourd'hui que ça puisse constituer le but suprême d'une existence.

Bouche bée, Bénédicte le regardait sans deviner où il voulait en venir.

— Comme tout le monde, poursuivit-il, j'ai souvent rêvé de la maison de famille, celle où les enfants reviennent avec leurs propres enfants, le port d'attache où chacun trouve son bonheur. Mais, vous le savez, les mois et les années passent vite, on n'a jamais le temps de réfléchir. Le chômage que je subis en ce moment m'a appris un certain nombre de choses…

Il reprit sa respiration et Bénédicte en profita pour murmurer :

— Va au but, ce sera plus simple.

Sa réflexion coupa net l'élan de Clément. Dans son enthousiasme, il avait oublié à quel point sa femme appréciait les raccourcis, les phrases directes. La franchise de Bénédicte était l'une de ses principales qualités, même si cette attitude froissait souvent ses interlocuteurs.

— Très bien, décida-t-il en se jetant à l'eau, je serais assez tenté par un départ définitif de Paris. Ailleurs, on découvrirait une autre qualité de vie, et surtout je pourrais retrouver du travail. Nous avons une opportunité inespérée avec la maison dont tu viens d'hériter.

Le silence s'abattit entre eux de façon brutale. Si Clément avait redouté les protestations intempestives, ce mutisme ne le rassura guère. Bénédicte continuait de le dévisager, sourcils froncés, comme si elle attendait ses explications. Louise vola au secours de son père.

— C'est une idée géniale ! lança-t-elle avec conviction. En ce qui me concerne, je suis prête pour l'aventure !

Laurent et Bénédicte s'étaient instinctivement tournés l'un vers l'autre. Laurent ne se contentait pas d'adorer sa mère, il l'admirait beaucoup. Il enviait son sang-froid, sa capacité à gérer les situations les plus complexes en gardant le sourire, son goût du perfectionnisme et aussi son humour. Il supposa qu'elle allait réagir devant l'énormité de la proposition, mais elle se taisait toujours, les yeux rivés sur Clément, et ce fut lui qui parla le premier.

— Pour ma part, il n'en est pas question. Vous ferez ce que vous voulez, moi j'ai mes études à boucler, bougonna-t-il. Et je ne vois pas maman tuant la poule aux œufs d'or !

C'était assez maladroit de souligner ainsi que leur mère avait une situation professionnelle stable et lucrative, contrairement à leur père qui se sentit très vexé.

— Maman peut exercer n'importe où, rappela Louise.

Cette fois, ce fut Bénédicte qui protesta :

— Soyez gentils, ne parlez pas à ma place. Je peux travailler où je veux, même à Trifouillis-les-Oies, c'est un fait, mais j'ai acheté, très cher, des parts de clinique vétérinaire il y a à peine trois ans.

— C'est vendable…, dit doucement Clément.

— Bien sûr. En fait, la question n'est pas là.

— Non, c'est un choix de vie.

— Justement ! Quitte à choisir…

Elle n'acheva pas, consciente qu'elle allait se montrer désagréable. Comment argumenter avec un mari qui cherchait désespérément un emploi et risquait de finir neurasthénique s'il ne trouvait pas une issue ?

— Vous êtes nés à Paris, rappela-t-elle à ses enfants. Moi aussi.

— Et alors ? Nous ne sommes pas des arbres, on peut se déraciner ! lança Louise. Paris, qu'est-ce que tu en fais, maman ? Vous allez tout le temps dans le même resto, en bas de l'immeuble, et jamais à aucun spectacle. Tu détestes les musées et les expos. Quand tu as cinq minutes, tu les passes à lire ! Tu pourrais aussi bien le faire ailleurs…

— C'est quoi, cette maison ? s'enquit Laurent, prosaïque.

— Rien d'extraordinaire, soupira Bénédicte.

— Tu es très injuste ! s'emporta aussitôt Clément. D'abord, elle est belle, grande, authentique, chaleureuse… Ensuite, elle est placée sur un promontoire, à la sortie d'un adorable village, à quelques minutes d'Annecy. Je pense que nous devrions y faire un saut, tous les quatre ensemble.

— Enfin, Clément, je rêve ! explosa Bénédicte. Tu voudrais t'installer là-bas *définitivement* ? Et de quoi vivrions-nous ? C'est un trou perdu !

— Il y a beaucoup de bétail, et sûrement la place pour un vétérinaire.

— Du bétail ? Mais tu deviens fou ? Je ne connais rien aux vaches, imagine-toi, rien ! Oh ! cette discussion est ridicule…

Elle retenait à grand-peine des commentaires plus désagréables. De quel droit son mari envisageait-il de la faire changer de ville, de la contraindre à abandonner son investissement professionnel, à se refaire une clientèle, bref de tout chambouler sur un coup de tête ? Lorsqu'il dirigeait l'agence de Port-Royal, quelle aurait été sa réaction si elle avait eu le culot de lui proposer la même chose ?

— Maman, est-ce qu'on ne pourrait pas juste aller voir ? murmura Louise.

Cette question-là était plus difficile à rejeter. Leurs enfants avaient passé l'âge d'être traités en bébés, autant ne pas leur faire subir ce que

Bénédicte endurait à l'instant même : une décision arbitraire.

— D'accord. Un week-end, c'est toujours possible, dit-elle d'une voix plus calme.

Ils se retrouvèrent à la cuisine, assis sur les hauts tabourets du comptoir, un peu gênés. L'héritage inattendu de Mathilde les ayant séparés en deux camps distincts, les affrontements s'annonçaient inévitables. Clément sortit le pain de campagne puis se mit à couper délicatement le foie gras. Il s'était donné beaucoup de mal pour cette soirée parce qu'il voulait obtenir quelque chose, et Bénédicte le trouva attendrissant. Infantile, oui, mais aussi à plaindre. Son orgueil avait été mis à rude épreuve, ces derniers temps, ce qui le rendait plus autoritaire que d'habitude, comme s'il voulait compenser ses faiblesses.

— Eh bien, quand seriez-vous libres, les enfants ? demanda-t-il négligemment.

S'il avait tout son temps, hélas, les autres débordaient d'activités et de contraintes. Bénédicte avec son cabinet, Laurent avec ses examens, Louise avec ses multiples inscriptions et sa bande de copains. Deux ans plus tôt, la famille se serait pliée à son emploi du temps à lui. Il les écouta discuter, attendit qu'ils tombent d'accord sur une date, et il fut très heureux d'apprendre qu'il n'aurait que quinze jours à patienter. Ce répit de deux semaines allait d'ailleurs lui permettre de peaufiner sa stratégie, de fourbir ses armes. Avec son sens de la persuasion, il ne doutait pas un instant de parvenir à les convaincre, et il ne se posait même plus la question de son choix. Là-bas, il pourrait redevenir quelqu'un, redémarrer, il ne serait plus un anonyme chômeur de « longue durée ». À son âge, cette perspective lui apparaissait comme une ultime planche de salut qu'il n'était pas concevable de laisser filer.

« Et tant pis pour les autres… », songea amèrement Bénédicte.

Il y avait trop d'ail dans les pommes de terre et les confits étaient un peu secs, mais personne ne le fit remarquer et le reste du dîner se déroula assez gaiement. Plus tard dans la soirée, quand Bénédicte et Clément se retrouvèrent couchés, lumières éteintes, ils restèrent silencieux un long moment, tout en sachant que l'autre ne dormait pas. Ils étaient conscients de vivre les prémices de leur première véritable crise de couple, de famille. Étaient-ils assez unis, s'aimaient-ils encore suffisamment pour supporter une tempête de cette envergure ? Aucun des deux ne voulut prendre le risque d'en parler et ils finirent par s'endormir chacun à un bout du lit, sans avoir tenté un seul geste de paix.

Ivan reposa la tasse vide et considéra ses chiens qui attendaient patiemment, couchés au soleil. Dans cinq ou dix minutes, il les emmènerait en promenade, mais d'abord il avait envie d'un autre café. Les yeux mi-clos, Diva surveillait comme d'habitude ses moindres gestes. Il se pencha un peu, avança la main vers elle et se mit à la caresser derrière les oreilles, lustrant son pelage épais. Roméo souleva la tête pour les observer d'un air de reproche.

— Ne t'inquiète donc pas, je ne cherche pas à la séduire, lui murmura Ivan.

Il se resservit, ajouta deux sucres. Lorsque le temps le permettait, il prenait son petit déjeuner sur le balcon. Le chalet, planté à flanc de montagne, offrait des différences de niveau selon les façades, et le rez-de-chaussée, à l'ouest, se retrouvait au premier étage côté sud. C'était une belle construction traditionnelle, qu'Ivan entretenait avec un soin méticuleux. Les troncs de mélèzes équarris qui formaient les murs, au-dessus du soubassement de pierre, avaient été traités l'année précédente, retrouvant leur chaude couleur miel. Le toit, composé de petites tuiles de bois appelées tavaillons, était vérifié chaque printemps, ainsi que toutes les huisseries. Les conduits de cheminée étaient ramonés, le système électrique et les extincteurs contrôlés. En montagnard averti, Ivan savait que ce type de maison ne redoutait qu'une chose : le feu. Durant son enfance, son père le lui avait répété sur tous les tons car c'était lui qui avait fait bâtir le chalet, surveillant les moindres détails du chantier, fier de s'offrir enfin le symbole d'une certaine réussite. À l'intérieur, les lambris de pin étaient partout d'excellente qualité, sans nœuds, et quelques pièces de mobilier savoyard, taillées sur mesure, s'intégraient parfaitement à l'ensemble. Ivan s'était contenté de moderniser la cuisine quand il était revenu s'installer là, douze ans plus tôt. Sa mère avait des rhumatismes et prétendait ne plus supporter les rigueurs de l'hiver en altitude. Elle avait solennellement remis les clefs à son fils en formulant des vœux de bonheur. Des vœux pieux, tout à fait absurdes. Quant à son père, il était resté silencieux, mécontent parce que son fils ne reprenait pas sa petite entreprise d'ébénisterie mais incapable de lui adresser des reproches.

Une ou deux fois par an, Ivan rendait visite à ses parents, installés au soleil d'Avignon. Il leur donnait des nouvelles du village, de la cristallerie qu'il avait montée dans les anciens locaux paternels, et bien sûr du chalet. Mais sans jamais parler de lui, encore moins de bonheur.

Il se leva, emportant sa tasse et la cafetière. Les deux chiens s'étaient redressés pour s'asseoir dès qu'il avait bougé. Ils n'essayèrent pas de le suivre à l'intérieur, au contraire ils descendirent l'un derrière l'autre l'escalier de bois et allèrent se poster près du Range Rover. Quand il y avait de la neige, c'était à la porte de la remise qu'ils patientaient tandis qu'Ivan chaussait ses skis.

— Allez hop, en voiture les athlètes...

Sans le moindre effort, les deux chiens sautèrent d'un bond souple à l'arrière du véhicule. Ils avaient mis un certain temps à supporter ce moyen de locomotion, mais ils l'associaient désormais à la forêt et acceptaient sans broncher de se retrouver enfermés entre la vitre arrière et la grille de séparation.

Ivan monta jusqu'au col puis s'engagea sur des chemins peu carrossables qu'il était pratiquement le seul à emprunter. Lorsqu'il jugea avoir parcouru assez de kilomètres sous les sapins, il s'arrêta dans une petite clairière et libéra les chiens qui s'ébrouèrent avant de s'élancer, au petit trot, sur un sentier escarpé.

Trois ans plus tôt, il avait dû consacrer des journées entières à les poursuivre, les appeler, les obliger à obéir. Le dressage avait été long, éprouvant, ponctué d'affrontements parfois violents. C'était Roméo qui avait posé le plus gros problème avec son caractère méfiant et indépendant. La femelle, imprévisible, décidait tour à tour de faire confiance à son maître ou à Roméo, sans parvenir à choisir entre ses deux idoles. Ivan avait tenu bon, n'avait jamais perdu sa patience ni reculé d'un pas. Désormais, il considérait ses animaux comme fiables et il leur laissait une certaine liberté, cependant il ne s'approchait pas des alpages tant que le bétail y séjournait.

D'un geste machinal, il rejeta sur le côté une mèche de cheveux qui s'obstinait à retomber devant ses yeux. Il s'occupait assez peu de son apparence et mettait rarement les pieds chez un coiffeur ou dans une boutique de mode. Lorsqu'il s'y résignait, il expédiait la corvée le plus vite possible, achetant les chemises et les sous-vêtements par douzaines. À la rigueur, il lui était arrivé de s'attarder dans un magasin de sport où il choisissait de grands pulls chauds, bleu marine ou écrus, et des parkas de haute montagne. En revanche, il pouvait perdre des heures à hésiter entre deux paires de skis, ou payer une fortune pour des raquettes ultralégères, munies d'un système anti-bruit qui lui permettait d'approcher la faune.

La paix de la forêt n'était troublée que par les pépiements des mésanges noires et les bourdonnements d'insectes. Les hêtres commençaient à prendre leurs flamboyantes couleurs d'automne au milieu des sapins toujours verts, annonçant un prochain changement de climat. Les chiens avaient suffisamment d'avance, à présent, pour se sentir libres, et Ivan se mit en marche sans se hâter. Il appréciait les grandes balades silencieuses dans ces sous-bois où aucun promeneur ne s'aventurait. La solitude ne l'avait jamais effrayé, même lorsqu'il était enfant, et en revenant s'installer dans la vallée, il avait retrouvé une sérénité oubliée. C'était le seul endroit du monde où il avait eu envie de se réfugier après le drame. Il aurait pu faire le tour de la terre, aller chercher l'oubli sur un autre continent, sa douleur l'aurait poursuivi n'importe où, il en était certain. Ici, au moins, il avait de bons souvenirs et il pouvait s'y raccrocher quand c'était trop dur. Personne ne lui posait de question puisque tout le monde connaissait son histoire, ce qui était finalement plus supportable. Seule Mathilde l'avait parfois obligé à en parler, et au fond il lui en était reconnaissant car elle l'avait aidé à sa façon.

Au bout d'un long moment, il s'arrêta pour émettre un sifflement modulé qui se répercuta à travers la hêtraie sapinière. Où qu'ils soient, les chiens l'entendraient et reviendraient sur leurs pas. Adossé à un tronc, il fouilla ses poches à la recherche d'une cigarette. Il savait fumer dans une forêt sèche, récupérant les cendres dans sa main jusqu'à ce qu'elles soient froides, écrasant longuement le mégot qu'il ramassait ensuite autant par sécurité que par respect de la nature. Il aurait adoré pouvoir apprendre des petites choses comme celle-là à son fils. Avec un soupir, il appuya sa nuque contre l'écorce, ferma les yeux une seconde. La montagne l'apaisait, oui, mais ne le consolait pas. Si seulement Élisabeth cessait de le harceler, il lui resterait une chance de s'en sortir. Peut-être ne viendrait-elle pas cet automne ? Mathilde lui avait souvent conseillé de ne plus la recevoir, de ne même plus lui adresser la parole, seulement il en était incapable. Le sentiment de culpabilité était tellement écrasant qu'il cédait à chaque fois. Il lui signait un chèque, s'obligeait à écouter ses confidences, acceptait des phrases aigres ou même des injures sans broncher. Et ça durait depuis des années…

L'un derrière l'autre, Roméo et Diva apparurent en trottinant sur le sentier. Ivan attendit qu'ils soient couchés à ses pieds pour se pencher vers eux et les caresser.

— C'est bien… très bien… Vous en avez assez pour aujourd'hui ? On rentre ? Allez…

Il prit la direction de la clairière, allongeant le pas pour s'obliger à un effort physique. Le sport lui manquait et il eut soudain hâte d'être en hiver. Là, il pourrait vraiment fatiguer les chiens, s'épuiser lui-même, dormir enfin sans rêve. Janvier était son mois préféré, à cause de la neige épaisse sur laquelle il s'élançait chaque matin, créant ses propres pistes, et aussi du feu d'enfer qui ronflait dans la cheminée du chalet dès que la nuit tombait. Le froid isolait davantage les habitants du village, chacun restant chez soi, et il en profitait pour inventer des recettes qu'il testait ensuite sur ses rares amis. De plus, entre Noël et Pâques, il était bien rare qu'Élisabeth surgisse à l'improviste.

— Oui, mais d'ici là…, marmonna-t-il en ouvrant le hayon pour les chiens.

Tant que les routes restaient praticables, elle pouvait débarquer à tout moment, pour peu qu'elle soit à court d'argent. Et s'il voulait se porter acquéreur de la maison de Mathilde, il allait falloir lui tenir tête, pour une fois. Acheter cette baraque serait une folie mais il redoutait de la voir aux mains d'étrangers. Rien de plus sinistre que ces résidences secondaires dont les volets restaient fermés onze mois de l'année, et la mémoire de la vieille dame méritait autre chose.

La gentillesse de Clément était tellement factice que Bénédicte s'était sentie de mauvaise humeur toute la semaine. Elle n'avait évidemment pas parlé du projet de son mari à ses associés, ni même demandé vingt-quatre heures de congé supplémentaire. Clément et les enfants étaient partis en voiture, à l'aube, et elle avait promis de les rejoindre par le premier train du lendemain. Qu'ils campent donc sans elle dans la maison forte, puisque l'idée les séduisait tant, mais elle ne pouvait pas se permettre de lâcher ses clients un samedi. Ni un samedi ni un autre jour, d'ailleurs, et encore moins de les quitter tout court ! Elle refusait de s'imaginer guettant le chaland alors qu'elle avait pris l'habitude d'une salle d'attente pleine, d'un planning de forçat, et du chiffre d'affaires qui allait avec. Dans quelques années, ses parts de la clinique seraient remboursées, l'appartement de Levallois aussi, et elle se serait ainsi constitué un petit patrimoine à la force du poignet. De quoi se sentir à l'abri, même si Clément était toujours au chômage, même si les enfants traînaient dans leurs études. Le but d'une vie. Pas forcément glorieux ni fantaisiste, mais respectable.

Tout l'après-midi, elle soigna des chiens et des chats, coupa des griffes, prescrivit des vermifuges. Ce n'était peut-être pas exaltant, toutefois c'était son métier et elle le faisait bien. Vers cinq heures, l'un de ses confrères, Serge, vint lui proposer une pause-café. C'était un rituel quotidien durant lequel ils échangeaient quelques commentaires désabusés sur le cabinet ou sur les clients. Les cas difficiles, qui auraient mérité une véritable discussion, étaient plutôt rares.

— On devrait envisager un système de garde de nuit, je te jure que ce serait rentable, déclara-t-il en lui tendant une boîte de chocolats.

— Très peu pour moi ! maugréa-t-elle en mordant dans un rocher praliné. Sois gentil, ne me laisse pas ça sous le nez.

— Ils sont divins, non ? C'est un cadeau des Barnier, la chienne a accouché d'une portée de huit.

— Formidable… Comment vont-ils les caser ? s'enquit-elle d'une voix lasse.

— Oh, toi ma vieille, tu n'as pas le moral. Tu as des soucis avec tes enfants, avec ton mec, ou avec le fisc ?

Elle se contenta de hausser les épaules, songeuse.

— Ou bien tu as un amant ? Si c'est ça, considère que je suis jaloux.

— Que tu es bête, mon pauvre Serge…

L'idée lui paraissait absurde, pourtant elle avait encore l'âge de plaire.

« Et à qui ? Quand ? »

— Je n'ai jamais trompé Clément, déclara-t-elle tranquillement.

C'était vrai, même si parfois elle en avait éprouvé l'envie.

— Mon Dieu, ça existe encore ?

Il riait sans se forcer et il ajouta :

— Tu ne sais pas ce que tu rates. C'est très excitant, la clandestinité.

Célibataire endurci, Serge collectionnait les aventures avec des femmes mariées et ne s'en cachait pas.

— Si un jour ça te tente, pense à moi, ajouta-t-il en jetant son gobelet dans la poubelle.

Venant d'un dragueur comme lui, Bénédicte n'était pas certaine qu'il s'agisse d'un compliment. Mais c'était mieux qu'être ignorée, malgré tout.

— Allons-y, décida-t-elle, on prend du retard.

Les histoires de Serge – qui avait souvent un mari furieux à ses trousses – étaient la grande distraction du cabinet, pourtant elle ne les écoutait que distraitement. Mensonges et quiproquos, portes qui claquent et crises de larmes lui semblaient méprisables.

— Quand même, tu devrais prendre le temps de vivre un peu, conclut-il. À quoi te sert tout l'argent que tu gagnes ici, hein ?

Il éclata d'un rire insouciant et se hâta vers la salle d'attente. Désemparée, Bénédicte hésita une minute avant de sortir. Vivre ? Mais qu'est-ce qu'elle faisait d'autre avec un travail aussi envahissant, des enfants aussi remuants ? Ménager Clément, stimuler Louise, écouter Laurent, boucler sa comptabilité, trouver le temps de faire un saut chez le coiffeur et penser à la révision de la voiture, se tenir au courant de la recherche vétérinaire en pleine évolution, régler les factures et dévaliser les supermarchés, préparer les anniversaires et planifier les vacances, tout ça n'était pas vivre ?

— Madame Ferrière, murmura la secrétaire qui se tenait sur le seuil, il y a une urgence.

Bénédicte sursauta et prit conscience des jappements suraigus en provenance de l'entrée. Encore un chien qui avait échappé à son maître pour aller se jeter sous une voiture. Mais il leur restait si peu de place où s'ébattre, avec des trottoirs de plus en plus étroits aux arbres grillagés, et des jardins publics dont l'accès leur était interdit !

Elle boutonna sa blouse en apercevant le braque qui saignait abondamment sur le carrelage du vestibule et elle adressa un sourire rassurant au jeune homme livide qui était agenouillé près de lui.

Louise se récria une nouvelle fois en ouvrant le vaisselier. Tout lui plaisait, du sous-sol au grenier, dans le moindre détail.

— Ne fais pas l'inventaire, sors des bols ! lui lança son frère.

Il semblait de mauvaise humeur. Pourtant Carole avait accepté de les accompagner et elle avait beaucoup ri, la veille au soir, durant leur drôle de repas improvisé à la lueur des bougies. Ensuite, chacun avait choisi une chambre au hasard et s'y était endormi dans un sac de couchage.

— Je ne comprends pas comment papa peut sérieusement envisager de venir s'enterrer ici ! maugréa-t-il entre ses dents.

Leur père devait faire la grasse matinée, comme Carole qui détestait se lever tôt où qu'elle soit.

— C'est bien la maison d'une veuve, ajouta-t-il méchamment en considérant les tasses de faïence dépareillées.

— Arrête ça, lui jeta sa sœur. Personne ne t'oblige à rien. Laisse-les se débrouiller entre eux…

— Parce que, toi, ça te tente ? ricana-t-il. Six mois d'hiver avec un mètre de neige, et l'été les vaches couvertes de mouches, sans parler des touristes toute l'année ! Tu veux te lancer dans le reblochon ? Fromagère, ça t'irait trop bien…

Elle le dévisagea avec insistance, jusqu'à ce qu'il baisse les yeux.

— Qu'est-ce que tu as ? demanda-t-elle à mi-voix. Ça ne va pas avec Carole ?

Agacé d'être si aisément percé à jour, il renonça à son café et sortit en claquant la porte. Mais, comme il n'avait pas mémorisé la disposition des lieux, il se retrouva dehors. Avisant le banc de pierre qu'il n'avait pas remarqué la veille, il alla s'y asseoir et ouvrit son paquet de cigarettes. Sa mère lui répétait de ne pas fumer à jeun, ce dont il s'abstenait la plupart du temps, pourtant il en prit une, l'alluma, inspira profondément la première bouffée qui déclencha aussitôt une quinte de toux. Il avait mal dormi, seul dans son sac de couchage, avec Carole qui boudait sur l'autre lit. Toute la nuit, il avait lutté contre l'envie d'aller la retrouver, de la prendre dans ses bras et de la caresser. Il s'était tourné et retourné, guettant la respiration désespérément régulière de la jeune fille. Au bout d'un très long moment, comprenant enfin qu'elle s'était endormie, il s'était senti frustré. Dès qu'il parlait de vie commune, elle se dérobait. Les sorties, les week-ends, parfois même une semaine de vacances ensemble lui suffisaient. Le reste du temps, elle voulait conserver son indépendance, sa famille et ses amies. Il avait tort de revenir sans cesse sur ce sujet qui déclenchait systématiquement une querelle. Elle allait finir par le rendre fou mais elle n'y était pour rien, en fait, c'était lui qui faisait seul son malheur. Il l'aimait trop passionnément, il l'étouffait. Or, elle avait une formidable envie de vivre, de profiter de sa jeunesse, de rire avec ses copains et de bouger sans cesse, quand lui ne rêvait que de tête-à-tête aux chandelles. S'il l'avait pu, il l'aurait gardée sous une cloche de verre où elle aurait dépéri, il le savait très bien. Elle était aussi frivole qu'il était sérieux, et surtout elle refusait avec horreur les projets à long terme, les idées d'avenir.

À deux reprises, en quête de conseils, Laurent avait évoqué ce problème avec son père. Mais le discours de Clément avait été plus surprenant que rassurant. La liberté était pour lui une excellente chose, à préserver le plus longtemps possible

– comme s'il regrettait de s'être marié jeune – et l'acharnement de Carole à épuiser tous les plaisirs de son âge était plutôt une preuve de sagesse ! Déçu, le jeune homme s'était tourné vers sa mère qui avait été tout aussi catégorique : qu'il s'amuse donc tant qu'il le pouvait, les engagements et les responsabilités l'assailliraient bien assez tôt.

Il entendit la porte de la cuisine et, deux secondes plus tard, Louise lui mit un bol de café fumant sous le nez.

— Bois ça, tête de mule, et respire à pleins poumons ! Tu as vu le ciel, au moins, ou tu ne regardes que tes pieds ?

Elle s'installa à côté de son frère, épaule contre épaule, pour contempler le paysage qui s'étendait devant eux. La montagne la fascinait depuis toujours, et elle attendait chaque année les sports d'hiver avec beaucoup d'impatience. Non seulement Laurent n'était jamais parvenu à la distancer sur les pistes, mais lors d'un séjour où il leur avait été impossible de skier, faute de neige, elle s'était avérée une excellente marcheuse, organisant avec entrain d'épuisantes randonnées quotidiennes.

— Pourquoi maman ne nous a-t-elle pas envoyés ici quand nous étions petits ? demanda-t-elle d'une voix rêveuse.

— C'est un village, pas une station ! Il n'y a aucune installation, ni hôtel ni remonte-pente, qu'est-ce qu'on aurait fait, du matin au soir ? Et puis, la grand-tante Mathilde, merci bien…

— Pourquoi dis-tu ça ? On ne l'a pas connue, on ne sait même pas à quoi elle ressemblait.

— À sa baraque, tiens ! Tout est vieux, triste, ringard, mastoc.

— Je te trouve injuste. C'est ancien, alpin, typique.

— Et d'un romantique ! s'exclama Carole qu'ils n'avaient pas entendue arriver.

Pieds nus, vêtue d'un tee-shirt bleu ciel et d'un short noir, elle était si ravissante que Laurent lui sourit béatement, oubliant sa rage de la veille. Il se promit même d'être patient et de ne plus la brusquer désormais.

— J'adore cet endroit, déclara-t-elle en s'asseyant dans l'herbe.

Elle étendit ses longues jambes, offrit son visage au soleil. Louise la détailla un instant, se demandant si elle pourrait jamais lui ressembler. L'assurance de Carole, sa désinvolture étudiée et ses gestes gracieux lui paraissaient le summum de la séduction. Elle enviait même sa façon de s'habiller, provocante mais sans excès, qui mêlait habilement les teintes neutres et les tissus moulants, les décolletés vertigineux et les manches sages.

— J'ai dormi comme un bébé… Qu'est-ce qu'on fait aujourd'hui ?

— En attendant que papa émerge, on pourrait s'offrir le tour du village, proposa Louise.

— Et acheter des croissants. Il doit tout de même y avoir une boulangerie dans ce trou ! décida Laurent qui s'était levé, soudain affamé.

Il tendit la main à Carole pour l'aider mais elle secoua la tête.

— Allez-y sans moi, j'ai la flemme de mettre des chaussures.

Penché au-dessus d'elle, il passa un bras autour de ses épaules, l'autre sous ses genoux, et il la porta jusqu'au banc de pierre malgré ses protestations.

— Je vais les chercher, dit-il en lui déposant un baiser léger au coin des lèvres.

Louise poussa un soupir tandis que son frère disparaissait dans la maison.

— Tu l'as rendu docile comme un caniche, fit-elle remarquer d'un ton ironique.

Voir Laurent se comporter en amoureux transi était un peu agaçant. Il avait toujours été la coqueluche des filles, et durant ses années de lycée le téléphone n'arrêtait pas de sonner pour lui. Louise était flattée de constater que toutes ses copines se pâmaient devant lui. À cette époque-là, il changeait de petite amie tous les mois et se comportait en bourreau des cœurs. Mais, du jour où il avait rencontré Carole, le loup s'était transformé en agneau, le don Juan était redevenu un petit garçon.

— Tu m'en veux ? demanda Carole en fronçant les sourcils.

Elle était naturelle, sûre d'elle, si inconsciente des ravages qu'elle pouvait provoquer que Louise finit par lui sourire. Laurent rapporta les sandales de toile blanche et ils gagnèrent la route qui descendait vers les premiers chalets, en contrebas. Bras dessus, bras dessous, les deux jeunes filles bavardaient à mi-voix, laissant parfois échapper un éclat de rire. Derrière elles, Laurent gardait les yeux rivés sur la silhouette mince de Carole. Il n'était venu jusqu'ici que pour profiter du week-end avec elle, et il se moquait éperdument du paysage. La rue escarpée dans laquelle ils venaient de s'engager était bordée de maisons typiques dont les toits s'étageaient jusqu'à une place ensoleillée. Il ne vit rien des volets de bois, des fenêtres à petits carreaux ou des fleurs sur les balcons, trop occupé à chercher les enseignes des commerces, et dès qu'il avisa le tabac qui faisait également dépôt de presse, il s'y engouffra. Lorsqu'il ressortit, avec ses journaux, il rejoignit Louise et Carole attablées à la terrasse d'un café.

— Je suis subjuguée par ce village, pas toi ? lui dit sa sœur. Tout est tellement préservé... Tu as remarqué les pavés ?

Haussant les épaules, il laissa tomber ses revues sur une chaise.

— Ils n'ont pas grand-chose à lire dans ce bled...

Il n'avait pas trouvé ce qu'il voulait, or il dévorait sa ration quotidienne de publications diverses avec application, affirmant que c'était indispensable à ses études de droit. Carole, qui ne montrait pas la même assiduité, se contentait de suivre les cours et de préparer les examens en se limitant au programme imposé.

— Le site est classé, je suppose, poursuivit Louise qui détaillait la façade de l'église, une main en visière.

Le patron du bistrot déposa devant eux les cafés au lait et les tartines beurrées qu'ils avaient commandés puis, en s'éloignant de leur table, il heurta des clients qui sortaient de la salle. Il y eut un échange de plaisanteries et de poignées de main. Carole se pencha vers Louise pour chuchoter :

— Le type aux yeux clairs... un vrai canon... si c'est la race locale, tu fais bien de t'installer ici...

Absorbé par l'éditorial d'un magazine économique, Laurent ne s'aperçut pas tout de suite de l'intérêt suscité par l'inconnu qui bavardait toujours à quelques pas d'eux. Quand il releva enfin la tête, il découvrit l'expression de Carole et il fronça les sourcils.

— Ne te gêne pas pour moi, maugréa-t-il.

Elle allait répondre vertement lorsqu'elle aperçut Clément qui remontait la rue dans leur direction, en leur adressant de grands signes.

— Vous auriez dû me réveiller ! Je ne sais pas si c'est l'altitude mais il y a longtemps que je n'avais pas dormi comme ça !

Au moment de s'asseoir, il avisa les trois hommes qui discutaient et il bifurqua aussitôt vers eux.

— Bonjour, dit-il en saluant Ivan. Nous sommes déjà de retour, et de moins en moins vendeurs…

Il serra la main de Pierre Battandier puis il présenta ses enfants et Carole.

— Vous allez garder *Les Aravis* ? s'enquit Ivan en souriant.

Sa voix était agréable, plutôt grave, avec un léger accent indéterminé.

— *Les Aravis* ? Ah oui, c'est vrai… Eh bien, nous sommes assez tentés, mais tout dépendra de ma femme.

D'un geste spontané, Clément approcha des chaises de la table occupée par les jeunes gens, élargissant le cercle.

— Asseyez-vous avec nous… Qu'est-ce que vous buvez ?

Le patron prit la commande et disparut à l'intérieur tandis que Pierre lançait une plaisanterie sur ses futurs « administrés ».

— Oh ! c'est très sérieux, affirma Clément, vous risquez de nous voir débarquer avec notre camion de déménagement !

— C'est plutôt une chance qu'un risque, répliqua le maire, je fais tout pour que ce village vive et vous seriez les bienvenus.

Clément croisa le regard furieux de son fils et il ajouta, à regret :

— La décision appartient à mon épouse. Elle doit nous rejoindre aujourd'hui… Pensez-vous qu'il y aurait du travail pour un vétérinaire ?

— Sans aucun doute. Il y en a deux à Faverges, qui sont toujours débordés, et celui de Thônes est sur le point de prendre sa retraite.

— Et vous croyez vraiment que les gens d'ici feraient confiance à une femme, à une Parisienne ? demanda Laurent d'un ton ironique.

Pierre Battandier prit le temps de dévisager le jeune homme avec intérêt avant de répondre.

— Tout a évolué très vite, ces dernières années… La mentalité des Savoyards aussi.

Il y eut un petit silence gêné avant que Carole ne s'adresse directement à Ivan qu'elle n'avait pas cessé d'observer.

— Qu'en pensez-vous, monsieur Charlet ?

Surpris qu'elle ait retenu son nom et qu'elle l'utilise avec une telle assurance, Ivan secoua la tête.

— Rien. Je ne suis pas éleveur et je ne possède aucun bétail. Tout ce que je peux vous dire, à titre d'exemple, c'est que le médecin qui travaille le plus dans cette vallée est une femme. Preuve que nous ne pratiquons aucune discrimination.

Son sourire était cordial, sans ambiguïté, mais Carole semblait croire qu'il s'adressait à elle seule et elle le couvait d'un regard aguicheur.

— En ce qui concerne les vétérinaires, enchaîna Pierre, il faut peut-être un peu de force physique avec les vaches, lors de certaines naissances diffi- ciles par exemple, mais il y a toujours du monde pour aider. Quelle est la spécialité de madame Ferrière ?

— Les chats persans, les caniches toys et parfois les canaris ! jeta Laurent rageusement. Je ne crois pas qu'elle veuille quitter Paris, ni qu'elle souhaite s'occuper de bovins. Elle vous en parlera elle-même, ce sera plus simple. Excusez-moi…

Ramassant sa pile de revues, il se leva et quitta la table sans regarder personne. Ni son père, avec lequel il se sentait en désaccord, ni Carole dont l'air béat l'exaspérait. Tandis qu'il descendait la rue à grandes enjambées, Ivan le suivit des yeux, perplexe.

— N'y faites pas attention, vous savez comment sont les jeunes…, soupira Clément.

— Ne nous mets pas tous dans le même sac ! protesta Louise. Mon frère est un… citadin convaincu. Mais moi, je ferais bien le grand saut.

Pierre éclata d'un rire tonitruant, autant pour détendre l'atmosphère que parce que la jeune fille avait parlé avec un naturel désarmant.

— Il faut que je file à Annecy, annonça Clément en consultant sa montre. Le TGV arrive dans une heure.

Il sortit un billet de sa poche et le coinça sous l'une des soucoupes.

— J'aurais bien aimé qu'on puisse bavarder davantage, j'ai une foule de questions à poser et… croyez-vous qu'il serait possible de se retrouver ici en fin de journée, autour d'un apéritif ? C'est un peu cavalier, comme invitation, mais…

— Avec plaisir, trancha Pierre. Vers sept heures, si vous voulez.

— C'est très gentil à vous, monsieur le maire ! répliqua Clément d'un ton ravi.

Vingt ans d'immobilier lui avaient donné une grande aisance dans ses rapports avec les gens et il ne se forçait pas pour être sympathique ou chaleureux.

— Je compte sur vous aussi, ajouta-t-il à l'intention d'Ivan. À moins que vous n'ayez d'autres projets... Mais je vais avoir besoin d'aide pour convaincre ma femme, sans parler de mon fils !

— Je serai des vôtres, répondit simplement Ivan. Autant le regard insistant de Carole l'avait laissé indifférent, autant il était curieux de revoir Bénédicte, intrigué d'avance par ce qu'elle allait faire et décider.

Dès que les deux hommes furent partis, Clément adressa un clin d'œil complice à Louise.

— En tout cas, ce ne sera pas difficile de se faire des amis, chuchota-t-il. Bon, je me dépêche, achète donc de quoi déjeuner pendant que je récupère ta mère à la gare.

Il s'éloigna à son tour, et Louise se tourna vers Carole.

— Tu as maté ce type comme un chien regarde un os ! Et je n'ai sûrement pas été la seule à le remarquer...

— La jalousie est le sel de l'amour, persifla l'autre.

— Laurent doit se morfondre.

— C'est malheureusement un état d'esprit chronique chez ton frère. Il prend tout au tragique. S'il se retournait sur un top-model, je n'en ferais pas une jaunisse. Sérieusement, Louise, est-ce que tu as vu ce mec ? Vraiment *vu* ? Le bronzage du siècle, une couleur d'yeux à croire qu'il a mis des lentilles, une allure de lévrier, la...

— Il doit avoir l'âge d'être ton père.

— Possible, mais il est tellement craquant ! Ne tire pas cette tête, ça ne signifie pas que je veuille consommer !

— Peut-être que lui non plus, d'ailleurs.

— La question n'est pas là. Allons faire les courses, j'ai repéré des commerces dans cette rue.

Carole était déjà debout et Louise la suivit. Jamais elle ne parviendrait à une semblable désinvolture, elle en était certaine. Quelques années plus tôt, à l'époque du collège, elle avait été un vrai cœur d'artichaut, se pâmant en secret devant presque tous les garçons de sa classe. Mais ensuite, elle n'avait été amoureuse pour de bon qu'une seule fois, le temps de constater que la jalousie n'était pas un sel mais plutôt un poison. D'un caractère entier, passionné, elle rêvait de rencontrer l'homme idéal au lieu de séduire n'importe qui. Pourtant elle l'aurait pu, car elle était jolie. Menue, un peu petite, avec des traits finement dessinés et de grands yeux bruns en amande sous sa frange de cheveux acajou, elle attirait irrésistiblement la sympathie. Elle n'était passée par aucune crise d'adolescence, n'avait pas éprouvé le besoin de se heurter à sa mère avec laquelle elle s'entendait bien et qui avait su l'aider à surmonter sa timidité naturelle. Bourrée d'humour et de tendresse, elle avait désormais toute une bande de copains qui l'appelaient à longueur de soirées pour le plaisir de discuter avec elle ou de partager un fou rire. Son unique problème était que, en attendant le coup de foudre que provoquerait le prince charmant, elle ne se sentait motivée par aucune étude, aucun diplôme, aucune des professions dont son père lui brandissait l'éventail.

— Ici, dit-elle en s'arrêtant net sur le trottoir, je me sens pousser des ailes.

— Des ailes ? répéta Carole, interloquée.

— Oui. Tout me plaît, c'est très stimulant. À Paris je suis en veilleuse, parce que tout m'emmerde.

— Je vois… Au fond, pourquoi pas ? Si ça te branche…, marmonna Carole.

— Le hic, ce sera maman.

— Si vous décidez de rester, on viendra passer tous nos week-ends pour vous tenir compagnie, je te le promets.

— Je ne crois pas que Laurent apprécierait beaucoup. Surtout si tu t'évanouis chaque fois que tu croises un beau blond.

— Oh, ton frère ! soupira Carole en levant les yeux au ciel.

— Ben oui, il a quand même son mot à dire, riposta Louise.

Elles étaient arrêtées devant une minuscule épicerie qu'elles n'avaient pas remarquée en venant.

— On va acheter des spécialités régionales, décida Carole d'un ton péremptoire.

Haussant les épaules, résignée, Louise la suivit à l'intérieur de la boutique qui sentait le fromage frais.

Danièle Battandier présidait la longue table en souriant, attentive au bien-être de chaque convive. Quand son mari lui avait raconté sa rencontre matinale avec la famille Ferrière, elle n'avait pas hésité un instant à inviter tout le monde pour dîner. Dans l'après-midi, elle avait préparé des ravioles d'écrevisses puis une matelote de poissons du lac en se procurant des truites, un sandre et un brochet qu'elle avait fait cuire sans ménager la crème, la ciboulette et le crépy. Pierre l'avait aidée, comme chaque fois qu'ils recevaient, en mettant le couvert et en choisissant les vins. Leur hospitalité était si chaleureuse que, dès le début du repas, la conversation s'était animée. Tandis que Pierre tentait de satisfaire l'insatiable curiosité de Clément, Danièle s'était beaucoup occupée de Bénédicte qu'elle devinait sur la défensive.

L'atmosphère de la grande salle qui tenait lieu de cuisine et de salle à manger était délicieusement tiède et parfumée, alors qu'au-dehors la nuit avait apporté une fraîcheur surprenante qui couvrait de buée les carreaux. Au milieu du brouhaha et des exclamations, seul Ivan restait silencieux, se contentant d'écouter les Parisiens avec un sourire indulgent. Placé en face de Bénédicte, il avait eu le loisir de l'observer et, à plusieurs reprises, elle avait été gênée par l'insistance de son regard. Profitant d'un moment où Danièle s'était levée de table pour aller chercher le gratin de poires, elle s'adressa à lui d'un ton moqueur.

— Vous n'êtes pas très bavard et vous nous détaillez comme des singes au zoo, monsieur Charlet. Nous ne sommes pourtant pas les premiers touristes que vous rencontrez, j'imagine…

— Je m'appelle Ivan. Vous n'êtes pas des touristes puisque vous aviez de la famille ici.

— Je me suis même promenée sur le dos d'une des vaches de Pierre !

— C'est ce qui a déclenché votre vocation ?

Comme il s'était mis à sourire, des tas de petites rides apparurent au coin de ses yeux clairs. Il se moquait d'elle gentiment et elle se détendit un peu. Depuis son arrivée à Annecy, elle avait eu l'impression d'un véritable traquenard. Le déjeuner improvisé dans le jardin de Mathilde, où les jeunes gens avaient sorti une table et des bancs, la sieste au soleil d'automne, la balade en forêt au bras d'un Clément dithyrambique et rajeuni de dix ans qui lui

avait cueilli des cyclamens sauvages en lui appre-
nant que cette fleur était l'emblème de la Savoie,
enfin cette invitation à dîner dans la ferme des
Battandier. Tout avait été mis en œuvre pour qu'elle
succombe au charme de la vallée et elle ne savait
plus comment réagir pour ne pas décevoir sa
famille.

— Je n'avais pas la vocation, répondit-elle.
J'étais très bonne en math et en physique, alors j'ai
tenté une prépa véto parce que c'était un beau
challenge.

— Et aujourd'hui ?

— J'aime ce métier.

La réponse était si spontanée que le sourire d'Ivan
s'accentua.

— Vous avez un chien ? demanda-t-il.

— Non. À Paris, c'est de la folie, on ne peut...

Elle s'interrompit net, consciente d'avoir été
piégée, et elle finit par rire.

— Que faites-vous dans la vie... Ivan ?

— Je m'occupe d'une cristallerie.

Elle avoua son ignorance totale du sujet mais il
éluda d'un geste, se penchant soudain en avant pour
chuchoter :

— Ne vous installez pas ici si vous n'en avez pas
envie.

Le retour de Danièle empêcha Bénédicte de
trouver une réponse appropriée. Décontenancée, elle
se tourna vers son mari qui était lancé dans une
discussion animée avec Pierre.

— Servez-vous, je vous en prie, ça se mange très
chaud, lui dit Danièle en posant le plat devant elle.

L'odeur de cannelle mêlée au vin d'Ayze était
irrésistible et elle obtempéra, étonnée d'avoir encore
faim après un tel festin.

— Vous me donnerez la recette ? demanda-t-elle dès la première bouchée.

— C'est tout simple, il suffit d'acheter de bonnes poires. Mais vous ne devez pas avoir beaucoup de temps pour faire la cuisine ?

— Non. C'est ça qui est terrible, nous n'avons jamais le temps de rien.

Elle regretta sa phrase aussitôt prononcée. Elle avait l'air de donner raison à Clément, de reprendre à son compte les arguments qu'il martelait depuis quinze jours.

« Je préfère mourir à la tâche que crever d'ennui ! » songea-t-elle, exaspérée.

Bien entendu, Clément l'avait emmenée au grenier, dans la maison forte, pour lui expliquer comment il imaginait son bureau. Ensuite il l'avait conduite jusqu'à un petit bâtiment de pierre, situé au-delà de la grange et de l'étable, où d'après lui on pouvait aménager sans grands frais un cabinet vétérinaire.

« Pour soigner quoi ? Ici, c'est le vétérinaire qui doit se déplacer, pas les bovins ! »

Même Louise, sa petite Lou, s'y était mise en énumérant toutes les *merveilleuses* possibilités qu'offraient les dépendances, tout le *fric* qu'il y avait à faire, et la vie *fabuleuse* qu'ils auraient. Si Bénédicte acceptait. Si elle les écoutait. Si elle partageait l'aventure avec eux. Si elle n'était ni trouble-fête ni rabat-joie.

Elle vida son verre d'un trait, pour surmonter sa nervosité. Laurent, peu concerné par cette folie, s'était exclu du débat familial. Pour le moment, il jouait avec les doigts de Carole, sur la nappe, et affichait un air morose. Danièle et Pierre parlaient de leur fils, qui s'appelait Max et qui était à la fois guide de haute montagne et moniteur de ski.

« Mon Dieu, le pauvre, mais qu'est-ce qu'on peut faire d'autre dans cette région ? Et nous, que faisons-nous chez ces gens-là ? »

D'un geste discret, elle consulta sa montre. Elle n'avait pas vraiment envie de partir, pourtant il était tard et elle se sentait gagnée par la fatigue. Lorsqu'elle releva la tête, elle croisa le regard d'Ivan toujours posé sur elle. Ni bleu, ni vert, mais évidemment triste.

— Oui, je sais, le zoo... Excusez-moi, dit-il en ébauchant un sourire.

— Je n'y pensais plus.

— Je m'en doute. Vous hésitez encore ou vous avez pris une décision ? Franchement, la vie n'est pas très facile en montagne.

— Pourquoi dites-vous ça ? Vous voulez me décourager ? Me stimuler ?

Ils avaient parlé bas, très vite, sans se concerter. Pour la première fois de la soirée, Bénédicte eut envie de rire. L'attitude d'Ivan était insolite mais pourtant amicale, comme s'il était le seul dans la pièce à pouvoir la comprendre.

— Maman, je crois qu'il est temps de rentrer.

Debout à côté d'elle, Laurent toisait Ivan avec une antipathie qu'il ne cherchait pas à dissimuler. Au lieu de répondre à son fils, Bénédicte s'adressa à Danièle.

— Voulez-vous un coup de main pour tout ranger ?

— Sûrement pas ! En cinq minutes, ce sera dans le lave-vaisselle, ne vous faites aucun souci et allez tranquillement vous coucher.

— Elle m'a bien dressé, c'est moi qui l'aide ! ajouta gaiement Pierre.

Il vint prendre sa femme par la taille pour raccompagner les invités jusqu'à la porte. Bénédicte pensa qu'ils étaient vraiment gentils, très différents de ce qu'elle avait sottement supposé, et en aucun cas arriérés.

Dans la cour, éclairée par deux lanternes de fer forgé, ils échangèrent des adieux et des remerciements. Louise désigna les étoiles qui se détachaient sur le ciel sombre, et Pierre lui nomma certaines constellations. Bénédicte fut la seule à remarquer que, lorsque Ivan tendit la main à Laurent, celui-ci se détourna en l'ignorant délibérément. Contrariée, elle rejoignit son fils qui était déjà installé au volant de leur voiture.

— Qu'est-ce qui te prend ? Je t'ai mal élevé à ce point-là ? murmura-t-elle.

— Je ne supporte pas ce type ! Ni les regards que Carole lui lance, ni la façon dont il t'a draguée à table, voilà.

— Draguée ? Moi ?

L'idée était si stupide qu'elle se sentit tout attendrie.

— Laurent…

— Excuse-moi, dit-il d'un air contrit.

— Tu es trop exclusif, mon chéri. Avec moi, ce n'est pas grave, mais ça te jouera des tours avec Carole ou avec les autres.

— Quelles autres ? C'est celle-là que j'aime, maman.

Clément et les deux jeunes filles ouvrirent les portières et se tassèrent sur la banquette arrière. Laurent démarra tandis que son père lui lançait :

— C'est toi qui conduis, mon grand ? Alors, chauffeur, à la maison !

Il avait sans doute un peu trop bu mais sa bonne humeur n'était pas feinte. La soirée avait été meilleure que tout ce qu'il avait pu espérer comme entrée en matière.

— Adorables, non, ces Battandier ? Comme quoi on vit sur des idées reçues. Si tous les fermiers sont comme eux, vive la France profonde !

Bénédicte étouffa un soupir. La fin de la nuit s'annonçait rude. Clément allait pousser ses pions inlassablement jusqu'à ce qu'elle cède. Ou jusqu'à la querelle.

« Je veux rentrer chez moi. Chez moi... », songea-t-elle en fermant les yeux.

Mais ce serait très difficile à présent, elle venait de le comprendre.

3

Clément dut mettre la main à la pâte pour ne pas dépasser le budget qu'il s'était fixé, ce qu'il fit avec une certaine jubilation. D'ailleurs la maison de Mathilde était presque habitable en l'état. Au premier étage, dans la grande salle d'eau hors d'âge située au-dessus de la cuisine, il commença par expliquer au plombier et au maçon qu'il voulait créer deux petites salles de bains distinctes dont l'une donnerait sur le palier et l'autre sur le couloir. Ensuite il dessina lui-même le plan d'aménagement intérieur du bâtiment destiné au cabinet vétérinaire.

Il arrivait à Annecy le mardi ou le mercredi soir et repartait dans la journée du samedi, épuisé mais heureux. Obligeamment, Pierre lui avait prêté pour tout le mois d'octobre une vieille camionnette qu'il laissait à la gare et qui lui servait à transporter son matériel de bricoleur. Il s'astreignit à repeindre lui-même la cuisine et les chambres, à grands coups de rouleaux hâtifs, et le résultat s'avéra assez gai à défaut d'être impeccable. Le tri des meubles lui posa davantage de problèmes et il finit par dresser des listes qu'il soumettait à Bénédicte et aux enfants durant les week-ends. En revanche, dans la semaine, pour occuper ses soirées solitaires, il jetait tous les vieux papiers et vêtements de Mathilde sans rien demander à personne.

Sa femme n'avait lutté que huit jours, dans un silence obstiné qu'il n'avait pas cherché à vaincre, sachant bien qu'il ne servait à rien de la harceler. Un beau matin, au petit déjeuner, elle avait annoncé qu'elle acceptait sans donner aucune explication. Il la connaissait suffisamment pour comprendre qu'elle s'inclinait à contrecœur mais qu'elle ne reviendrait pas sur sa décision. C'était l'une de ses grandes qualités, elle n'avait qu'une parole et elle ne l'utilisait jamais à la légère. Il espéra qu'elle avait réalisé l'importance de ce nouveau départ, pour lui, pour leur fille, et aussi pour elle-même. Se remettre en question à quarante ans, en pleine réussite sociale et professionnelle, était après tout une preuve de sa force de caractère. Le jour même, il avait appelé quelques-uns de ses anciens collègues pour leur confier la vente de l'appartement de Levallois.

Retrouvant un entrain qu'il n'avait pas éprouvé depuis bien longtemps, il s'était arrangé pour tout planifier. S'il voulait être opérationnel au début de l'année, il avait moins d'un trimestre devant lui. Il commença par aller revoir le notaire d'Annecy pour régler la succession. Comme prévu, le petit pécule de Mathilde couvrait à peu près les droits d'héritage, la maison ayant été heureusement sous-évaluée. Ensuite il se concentra sur son projet de télétravail et établit tout un planning de rendez-vous avec les principales fédérations d'agents immobiliers. Son plan de fichier central était bon et rencontrait un excellent accueil mais serait long à mettre en place. Aussi, en attendant, il comptait exploiter une autre idée qui lui trottait dans la tête et qui concernait le délicat passage à l'an 2000 des ordinateurs. Il avait déjà beaucoup travaillé la question, depuis des mois, d'abord pour occuper ses journées, puis parce qu'il s'était pris au jeu. Même en sachant qu'une foule d'ingénieurs informaticiens planchaient activement sur ce casse-tête, il espérait être parmi les premiers à pouvoir proposer une solution aux entreprises de la région. Chaque PME allait devoir restructurer son système informatique et Clément comptait bien en profiter.

Selon ses prévisions, la vente de l'appartement devait assurer, une fois l'emprunt bancaire remboursé, une certaine tranquillité. Le temps, pour Bénédicte, de se faire une nouvelle clientèle, et pour lui de réussir.

Ce jeudi de novembre était assez sinistre, avec un ciel plombé et une température en chute libre. En équilibre sur un échafaudage, il nettoyait les caissons du plafond de la grande salle. Hormis le grenier, c'était vraiment la pièce qu'il préférait et il tenait à la rendre aussi agréable que possible pour toute sa famille. Il sursauta et faillit tomber lorsque la porte s'ouvrit.

— Je t'ai fait peur ? Qu'est-ce que tu trafiques là-haut ? demanda Pierre en entrant.

Il avait pris l'habitude de passer à l'improviste, apportant parfois un plat chaud préparé par Danièle.

— C'était plein de toiles d'araignées… C'est dommage, les motifs sont superbes. Je vais lessiver tout ça demain. Tu veux boire quelque chose ?

— J'ai ce qu'il faut, répondit Pierre en brandissant une bouteille de roussette. Descends, c'est l'heure de la pause.

Clément s'aperçut qu'il était fatigué, les muscles douloureux et la nuque raide.

— Je ne suis décidément pas un manuel...,
maugréa-t-il en rejoignant Pierre. Mais j'aimerais
tellement que Bénédicte et Louise se plaisent ici !
Le cabinet prend bonne tournure, tu l'as vu ?

— J'ai jeté un coup d'œil en arrivant. Ça avance.

Ils traversèrent l'entrée pour gagner la cuisine où
Clément sortit deux verres.

— Il y a encore plein de trucs à faire, je me sens
débordé.

— C'est pour quand, l'emménagement ?

— Le mois prochain.

— Arrange-toi pour que ce soit avant les chutes
de neige. Sinon ton camion aura du mal à monter
jusqu'ici.

— Ah oui, la neige..., murmura Clément d'une
voix rêveuse.

Ce serait merveilleux de passer ce premier hiver
au coin de l'immense cheminée, de se réveiller dans
un paysage de coton blanc, de se mijoter des recettes
savoyardes dans les grands faitouts de cuivre découverts au fond des placards, d'aller couper soi-
même en forêt le sapin de Noël. Clément se sentait
formidablement rajeuni à l'idée de cet avenir neuf
qu'il était en train d'organiser. Bénédicte finirait par
adorer la maison et la région, il en était certain.

— Viens dîner à la maison ce soir, proposa
Pierre. Tu as l'air crevé.

— Non, c'est moi qui vous invite. Allons au
restaurant, ça distraira ta femme. Je téléphonerai à
Ivan pour savoir s'il veut se joindre à nous. Il a
été formidable, il est venu avec deux de ses
employés pour m'aider à débarrasser toutes les salo-
peries qu'on a descendues chez le brocanteur dans
un camion de la cristallerie. Je n'y serais jamais
arrivé seul.

La solidarité qu'il rencontrait chez ses nouveaux amis stupéfiait Clément.

— C'est drôle, ajouta-t-il, à Paris les gens se foutent éperdument de leur voisin de palier. Tu peux crever dans l'indifférence générale, ça ne gêne personne.

— Tu exagères.

— Non, crois-moi.

— Nous ne sommes pas plus gentils ici qu'ailleurs. Tu idéalises.

Pierre souriait, amusé par l'enthousiasme excessif de Clément. En tant que maire du village, il était heureux de l'arrivée d'une famille, d'autant plus qu'il les trouvait très sympathiques, et surtout il se réjouissait de l'installation d'un vétérinaire dans sa commune. Néanmoins il avait noté la réticence de Bénédicte, tout comme l'agressivité de Laurent, et il se demandait si les Ferrière sauraient s'intégrer.

— Je finis par regretter de n'avoir pas connu Mathilde, dit Clément en servant le vin blanc qu'il avait débouché. Elle avait accumulé un sacré bazar, comme toutes les personnes âgées, mais il y a une atmosphère que j'aime dans cette maison. Ivan m'a parlé d'elle avec beaucoup d'émotion. Il a même voulu garder deux ou trois souvenirs.

— Il l'adorait.

— C'est un drôle de type, Ivan... Pas bavard, mais intéressant. Il est plutôt solitaire, non ?

— Par la force des choses. Ses parents ont quitté la région.

— Pas marié, pas d'enfants ?

— Divorcé, depuis longtemps.

— Et son affaire tourne ?

— Oh, très bien ! Il ne peut pas satisfaire toutes les demandes mais il ne veut pas s'agrandir davantage.

Clément savoura deux gorgées en promenant son regard autour de lui. La cuisine était devenue très gaie depuis qu'il l'avait repeinte en jaune paille. Il avait ciré la table, les bancs et le vaisselier, passé de l'huile de lin sur le carrelage, décapé les fourneaux de fonte.

— Je te parie tout ce que tu veux que nous serons très heureux ici, déclara-t-il d'un ton réjoui.

Pierre hocha la tête sans sourire.

— Je vous le souhaite, dit-il à mi-voix.

Bénédicte regarda le sac de voyage ouvert sur son lit et elle poussa un profond soupir. Tous ces allers et retours en train l'épuisaient. Sans compter le reste. Mais, pour une fois, Louise se montrait efficace, disponible dès qu'on avait besoin d'elle, que ce soit pour faire visiter l'appartement ou pour seconder son père dans ses démarches administratives.

— Le type est vraiment intéressé, répéta-t-elle avec conviction. Il est revenu avec sa femme et ses gamins, papa dit que c'est un signe infaillible. D'autant plus que madame s'est entichée du balcon et monsieur du parking. Je crois qu'ils vont craquer.

Même si personne dans la famille n'était attaché à cet appartement trop anonyme, Bénédicte fut un peu choquée par la manière dont sa fille se réjouissait sans scrupule.

— Quand nous l'avons acheté, on avait l'impression que c'était très beau, très grand, rappela-t-elle.

— Je m'en souviens, oui. Mais c'est parce que nous arrivions d'encore plus petit ! Vous allez réaliser une chouette plus-value, papa et toi.

— C'est déjà ça…

— Maman, arrête, on dirait Laurent.

— Désolée. Je ne voulais pas te contrarier. En réalité, je ne suis pas mécontente de partir. Maintenant que la décision est prise…

Elle faisait front, comme toujours, mais Louise ne fut pas dupe.

— Tu le fais pour papa, non ?

— Oui. C'est normal. Je suppose qu'il en aurait fait autant pour moi.

Ce qui était faux, elle s'en rendit compte en l'énonçant et ajouta aussitôt :

— Il ne peut plus se supporter ici. On finit toujours par associer les lieux aux événements.

— Tu crois qu'il réussira, là-bas ?

— Je n'en sais rien.

— Et toi ?

— Oh, je me débrouillerai.

— C'est tout ?

Le regard de Louise ne la lâchait pas et Bénédicte se sentit attendrie.

— Ton père se donne du mal pour rendre la maison confortable à moindres frais, or il a toujours détesté le bricolage. C'est te dire s'il est motivé ! Je n'ai pas voulu le décevoir, ni lui donner des raisons supplémentaires de s'apitoyer sur lui-même. Il était mûr pour l'aventure, je la partage volontiers avec lui.

Soulagée, Louise laissa échapper un petit soupir. La franchise de sa mère balayait toujours toutes les ombres.

— Est-ce qu'il vous restera un peu d'argent à... m'avancer ? Pour mes projets ? Je vous le rendrai dès que ça marchera.

— De quoi parles-tu ?

— Eh bien, je ne vais pas me croiser les bras en vous regardant vous échiner, tu sais !

Bénédicte s'assit au bord du lit, dévisageant sa fille avec curiosité.

— Tu as fait des plans sur la comète, toi aussi ?

Mais sans attendre la réponse, elle se releva aussitôt.

— Nous sommes en retard ! Tu me raconteras ça dans le train.

Elle jeta un jean et un pull dans le sac qu'elle ferma d'un coup sec, puis elle poussa sa fille hors de la chambre. Une demi-heure plus tard, elles attrapèrent au vol le TGV, gare de Lyon, après avoir couru comme des folles dans les couloirs du métro.

— Quelle vie ! soupira Bénédicte en s'écroulant sur son siège.

Le wagon de première était presque vide et elles allaient pouvoir prendre leurs aises. Au-dehors, les lumières des banlieues défilaient de plus en plus vite.

— J'aime voyager la nuit, dit Louise d'un air réjoui.

Dans quelques heures, devant la gare d'Annecy, Clément les attendrait au volant de la camionnette prêtée par Pierre. D'ici là, elles allaient pouvoir bavarder tout leur saoul.

— Va nous chercher des sandwiches et quelque chose à boire, je suis morte de faim, demanda Bénédicte.

Elle donna son portefeuille à Louise et la regarda s'éloigner dans l'allée centrale. C'était décidément une très jolie jeune fille, gracieuse, spontanée, agréable à vivre. Alors pourquoi rêvait-elle de s'isoler dans un village perdu de Haute-Savoie ? Et comment réagirait-elle sans ses copains, ses interminables conversations au téléphone, ses sorties ? Laurent ne s'y était pas trompé, lui, et avait déjà trouvé un studio dans le quartier du Panthéon, à deux pas de la fac d'Assas.

« Il va pouvoir jouer à la dînette avec Carole, c'est très bien. Et il ne perdra plus des heures en bus. »

De toute façon, il était temps pour son fils de s'émanciper, de vivre seul. Elle allait devoir calculer le montant de la somme dont il aurait besoin désormais chaque mois, lui assurer un virement bancaire et le laisser se débrouiller. C'était ce qui pouvait lui arriver de mieux. Il apprendrait à gérer son budget, sa vie quotidienne, y compris le ménage, les courses ou le repassage, et s'il avait envie de s'offrir des suppléments, il lui faudrait trouver des petits boulots. En ce qui concernait Louise, la situation était beaucoup moins simple. Elle avait été la première à soutenir son père dans son désir de partir, comme si elle éprouvait la même envie de changement. Elle avait dû y réfléchir sérieusement puisqu'elle avait concocté des projets personnels. Donc elle ne se contentait pas de les suivre en se laissant porter, elle s'impliquait.

« Et Clément ne la harcèle plus avec les études parce que soudain ça l'arrange. Mais est-ce que je ne devrais pas m'en mêler, insister pour qu'elle obtienne un diplôme, n'importe lequel ? Est-ce qu'elle ne m'en voudra pas, plus tard, si elle n'arrive à rien ? »

Louise s'insurgeait depuis longtemps contre l'obligation d'entamer un cycle universitaire. Sa mère vétérinaire, son père ingénieur, et son frère futur avocat ne l'impressionnaient pas. Le chômage non plus. Elle n'avait pas peur de la vie et ne comptait pas rester sur le bord de la route sous prétexte qu'elle n'était pas bac plus quelque chose. Bac tout seul, et ce n'avait pas été facile.

— Je t'ai pris du bordeaux, ça te va ?

Bénédicte regarda la petite bouteille de vin, le Coca et les sandwiches sous plastique que sa fille disposait sur la tablette devant elles.

— Raconte-moi ce que tu veux faire chez Mathilde, demanda-t-elle en souriant.

— Ce n'est plus « chez Mathilde », maman. La maison des Aravis, c'est chez nous.

Sérieuse, Louise s'était assise en face de sa mère. Derrière les vitres, la nuit était complètement noire et ne permettait pas de mesurer la vitesse du train qui fonçait vers Dijon.

— D'accord, admit Bénédicte. Chez nous.

L'idée ne lui était pas désagréable, au fond. Elle eut la vision fugitive de la petite fille qu'elle avait été, celle qui écoutait les piverts dans le jardin de la maison forte, pendant les vacances de Pâques, et son sourire s'accentua tandis qu'elle se calait contre le dossier de son siège.

Ivan avait encore les cheveux mouillés lorsqu'il sortit du chalet pour rejoindre Clément dans la camionnette.

— Désolé d'être en retard, s'excusa-t-il, j'étais sous la douche quand vous avez klaxonné.

Il enfila un pull bleu sur sa sempiternelle chemise blanche tandis que Clément démarrait.

— Nous allons à Sévrier, à l'auberge de Letraz. C'est un peu loin mais je veux goûter les poissons du lac. Surtout l'omble chevalier. J'ai bien choisi ?

— Vous auriez pu trouver pire, répondit Ivan en souriant.

— On devrait se tutoyer, non ?

Après une très légère hésitation, Ivan acquiesça. Clément lui jeta un bref regard puis ajouta :

— Les Battandier nous attendent là-bas. Ils pourront te ramener après le dîner, comme ça j'irai directement à Annecy chercher ma femme et ma fille.

— Ton fils ne vient pas ?

— Pour le moment, il boude un peu. De toute façon, il a du travail.

— Où en est-il dans ses études ?

— Quatrième année de droit. Il est brillant.

— Tu as de la chance, murmura Ivan d'un ton étrange.

Laurent avait à peu près l'âge qu'aurait eu son propre fils. Il réprima un frisson mais Clément dut le remarquer car il tendit la main vers la manette du chauffage en marmonnant :

— Tu connais le dicton : grands enfants, grands soucis !

Il éprouvait une réelle sympathie pour Ivan et, égoïstement, il pensait qu'il ferait un ami très agréable. Après tout, il ne devait pas y avoir beaucoup d'hommes de leur génération et de leur milieu dans le village. En plus, celui-là était célibataire, donc disponible, et assez réservé pour ne pas être envahissant.

— Est-ce que ça se vend bien, le cristal, de nos jours ?

— Très mal. Enfin, ça dépend. Mais je n'ai pas de problème.

— Et qui sont tes clients ?

— C'est assez compliqué. Nous travaillons au coup par coup. Comme on ne peut pas lutter contre l'industrie, il faut valoriser le côté artisanal, travailler pour un exemplaire unique ou des séries limitées. Un atelier coûte très cher et il y a peu de souffleurs de verre.

— Alors pourquoi as-tu choisi un truc aussi casse-gueule ?

Cette fois Ivan éclata d'un rire franc, très communicatif.

— Je t'expliquerai les détails un jour où nous aurons le temps. Viens me voir là-haut, ce sera plus facile à comprendre.

Comme d'habitude, il esquivait les questions, mais Clément avait envie de forcer ses réticences.

— Et ta formation, c'est quoi ?

— Atypique. Une boîte de gestion, à Lyon, dont je garde un mauvais souvenir parce que j'y étais pensionnaire, puis une école supérieure de commerce. Ensuite deux ans aux Beaux-Arts. J'étais doué pour le dessin mais mon père était assez… conventionnel. Il m'a offert quelques stages en Europe pour que je revienne bilingue. C'était plus important à ses yeux que le graphisme.

— Et puis ?

— Rien. J'avais un don pour les langues, je lui ai donné satisfaction de ce côté-là. Pour tout le reste, je crois que je l'ai déçu.

Ils étaient arrivés devant l'auberge et, malgré l'obscurité, ils devinèrent les miroitements du lac sur leur droite.

— Dis-moi, Ivan…, commença Clément. Ça ne te pèse pas de vivre seul ?

— Non.

Surpris par la dureté du ton, il comprit qu'il valait mieux ne pas insister pour l'instant. Ils auraient le temps de mieux faire connaissance durant l'hiver. Sans s'attarder au-dehors à cause du froid, ils pénétrèrent dans la salle du restaurant où Pierre et Danièle les attendaient.

— Je suis content d'avoir l'occasion de vous remercier un peu de votre gentillesse à tous les trois ! lança Clément en s'attablant. Et puis, le mois prochain, on se fera une pendaison de crémaillère à la maison…

— Est-ce que les travaux seront finis à temps ? demanda Danièle qui s'inquiétait pour Bénédicte.

— Les ouvriers terminent le cabinet la semaine prochaine. Le carrelage et les sanitaires sont déjà posés. De toute façon, il n'y aura pas foule le premier jour !

— J'ai fait passer le mot à travers la vallée et les gens sont plutôt contents de cette installation, dit Pierre. S'ils ont besoin d'un vétérinaire, ils viendront.

— Ils viendront de toute façon, par curiosité, affirma Danièle en souriant.

Ensuite, il faudrait que Bénédicte fasse ses preuves, bien sûr. Clément espéra qu'elle saurait s'en sortir avec le bétail. Jusqu'ici, il ne s'était pas senti inquiet pour elle, mais il ne s'était guère posé de questions.

— Ma femme est très volontaire, déclara-t-il, et très consciencieuse.

Ivan et Pierre échangèrent un regard, un peu surpris par la façon dont Clément vantait les mérites professionnels de son épouse.

— Et dans la maison, vous avez pu faire le nécessaire ?

— Danièle, j'aimerais qu'on se tutoie, répliqua Clément en souriant. Oui, j'en vois le bout, heureusement ! Je me suis contenté de donner un coup de propre mais le résultat me plaît. La semaine prochaine, je m'occuperai du grenier.

— Tu vas y faire ton bureau, mettre tes ordinateurs ?

— Un seul suffit !

Assez satisfait de lui, Clément gardait un ton enjoué. Dans quelques mois, il serait enfin en mesure d'épater les autres. À ce moment-là, il leur expliquerait en quoi consistait son travail, et comment un homme de son âge pouvait retomber sur ses pieds à condition d'avoir des idées.

— Ta cristallerie est informatisée, je suppose ? demanda-t-il en se tournant vers Ivan.

— Oui. Depuis quelques années.

— Décidément, tu es très évolué !

— Est-ce que par hasard tu nous imaginais tous comme un groupe de petits ramoneurs ? Tu sais, les hérissons avec l'échelle sur le dos ? Cliché traditionnel du Savoyard...

Ivan souriait mais Clément comprit qu'il s'était montré maladroit. Il devait se surveiller, se défaire de son stupide parisianisme.

— Excuse-moi, dit-il gentiment, je plaisantais.

Le regard clair d'Ivan l'effleura sans indulgence, une seconde, et Clément s'aperçut qu'il avait vraiment envie d'être l'ami de ce type-là. Une sensation qu'il n'avait pas éprouvée depuis l'université. Dans le monde de l'immobilier, les confrères étaient plutôt des rivaux.

— Étudions le menu, proposa-t-il. J'ai une faim de loup.

Il lui restait trois heures avant l'arrivée du train, de quoi passer une très agréable soirée. Lorsqu'il eut arrêté son choix, de l'entrée au dessert, il releva la tête pour regarder le décor autour de lui. Du feu brûlait dans la grande cheminée, et il se promit d'en allumer un pour Bénédicte au retour de la gare. Une fois Louise couchée, ils pourraient savourer un moment de paix tous les deux, se raconter leur semaine respective, peut-être même finir dans les bras l'un de l'autre devant les flammes… Pourquoi pas ? La dernière fois qu'ils s'étaient comportés comme de vrais amoureux remontait bien trop loin. Autant profiter du changement de vie et modifier leurs habitudes. Tout ragaillardi par cette idée, il fit un signe pour attirer l'attention du maître d'hôtel.

Ivan prononça le nom des chiens à mi-voix avant d'ouvrir la porte de la cuisine. Il signalait toujours son arrivée de la même manière afin de ne pas les surprendre. Ce n'était pas précisément de bons gardiens, mais ils pouvaient avoir des réactions dangereuses s'ils se sentaient en danger. Roméo se dressa devant lui dès qu'il franchit le seuil et renifla sa main, alors que Diva restait un peu en retrait.

Le signal lumineux du répondeur téléphonique clignotait, ce qui était plutôt mauvais signe. Hormis ses parents, personne ne l'appelait ici tard le soir. Il rembobina la bande pour écouter le message pendant que les chiens redescendaient au sous-sol où ils passaient la nuit l'un contre l'autre sur une vieille couverture.

« C'est moi » annonça la voix plaintive d'Élisabeth dans le haut-parleur. « J'avais besoin de te parler, où es-tu passé ? Ça ne répond pas chez Danièle non plus... Dis-leur que je serai là après-demain. Salut. »

Il resta immobile quelques instants puis se décida à aller allumer. Élisabeth... Elle allait donc séjourner quelque temps chez les Battandier. Une semaine, davantage ? Et chaque jour, sous un prétexte ou un autre, elle viendrait au chalet. Il faudrait qu'il enferme les chiens puisqu'elle était assez folle pour entrer avec la clef qu'elle n'avait jamais voulu lui rendre. Même s'il décidait de dormir à la cristallerie, elle monterait jusque-là pour le harceler. Inutile de mêler les ouvriers à leur histoire. Il finirait par lui donner de l'argent, mais ce n'était qu'un des motifs de sa présence. Il devrait aussi l'écouter, ça faisait partie du jeu. Tout comme Mathilde, son père lui avait lancé un jour : « Débarrasse-toi de cette femme. » Plus facile à dire qu'à faire. Pourtant il ne restait rien de l'amour fou qu'il avait éprouvé pour elle vingt ans plus tôt. Dieu sait qu'il avait payé cher cette passion de jeunesse. Elle aussi, sans doute.

Danièle ne pouvait pas faire autrement que recevoir Élisabeth. C'était sa cousine germaine et l'esprit de famille passait avant tout, mais même elle, dont la patience était inépuisable, finissait par s'exaspérer. Et si Pierre ne disait rien quand Élisabeth était chez eux, il se trouvait toutefois d'excellentes raisons pour traîner tard à la mairie ou dans l'étable.

D'un geste nerveux, Ivan repoussa une mèche qui tombait devant ses yeux. Inutile de rester planté au milieu de la cuisine, autant aller se coucher. Il éteignit, traversa la salle dans l'obscurité et ouvrit la porte de sa chambre. Lorsqu'il était adolescent, c'était une pièce où il entrait rarement, devant laquelle il passait sur la pointe des pieds pour monter au premier. Il avait beaucoup d'affection pour ses parents mais ils n'avaient jamais été très proches de lui. Quand il avait commencé à sortir le soir, il s'était aperçu que sa mère lisait tard car ses fenêtres étaient toujours éclairées. Au moment du déménagement, elle avait emporté plusieurs caisses de livres, mais il restait encore une centaine de volumes dans la petite bibliothèque de la mezzanine. Ivan n'y avait pas touché, laissant ses propres livres dans son ancienne chambre, à l'étage. Il avait pensé qu'une femme, un jour, serait peut-être heureuse de fouiller parmi les romans et les albums. Une illusion ridicule. Il était incapable d'entretenir une relation suivie avec une femme, quelle qu'elle fût. Élisabeth l'avait rendu trop méfiant pour ça.

Il commença de se déshabiller, laissant tomber ses vêtements sur le fauteuil club. Il était mince, athlétique, vraiment séduisant, et toutes les filles avec lesquelles il lui arrivait de passer une nuit s'accrochaient à lui ensuite. C'était une des choses qui agaçaient Élisabeth. Consciente du charme qu'il exerçait toujours sur les gens, elle l'aurait voulu grossi, enlaidi, vieilli, détruit. Pourtant, de son côté, elle prenait soin d'elle. Moins belle qu'à vingt ans, oui, mais belle quand même. Le drame qu'ils avaient vécu ne les avait marqués, physiquement, ni l'un ni l'autre, et elle considérait que c'était une injustice.

Un coup d'œil au thermomètre lui arracha une grimace. La température devait plonger, dehors, et il faisait froid dans la chambre. Il sortit un édredon du placard, le jeta sur le lit, puis il enfila un tee-shirt. La soirée avait été agréable. Clément Ferrière faisait des efforts inouïs pour être sympathique. C'était sans doute sa façon d'être. Un vrai commercial ! Mais il faisait le nécessaire pour que la maison de Mathilde revive, il avait eu l'intelligence de conserver les plus beaux meubles, et la restauration du petit bâtiment qui devait servir de cabinet vétérinaire était de bon goût. Que demander de plus à ce Parisien ? Sa femme était plus intéressante que lui, peut-être parce que Ivan la connaissait déjà à travers les confidences de Mathilde. C'était la nièce vétérinaire, parée de toutes les qualités, mais « mariée à un abruti d'agent immobilier ». La vieille dame ne mâchait pas ses mots. D'après elle, c'était à cause de lui que Bénédicte ne venait jamais en Haute-Savoie. Quant à leurs enfants, ils étaient exactement tels qu'on pouvait souhaiter des jeunes gens de cet âge. Beaux et bien élevés, brillants, à l'aise… De quoi aviver tous les regrets. Sauf qu'Élisabeth n'aurait jamais été une mère idéale, ce que semblait être le docteur Bénédicte Ferrière. Une femme sûrement très attachante. Et plutôt jolie.

Sourire aux lèvres, Ivan se glissa dans les draps. Au moment où il tendait la main vers l'interrupteur, un hurlement s'éleva. D'abord sourd, modulé, puis montant dans les aigus pour devenir peu à peu une plainte déchirante. Il n'y avait pas d'explication à ces cris et aucune fréquence particulière, pas plus souvent en automne qu'au printemps, ou à la pleine lune qu'au premier quartier. C'était Roméo qui avait commencé – Ivan différenciait très bien leurs deux voix – mais Diva ne tarderait pas à s'y mettre. Avaient-ils entendu ou senti quelque chose ? Quoi qu'il en soit, il n'y avait rien à faire, ils hurleraient tant qu'ils en auraient envie. Les premières fois, il leur avait ouvert la porte vers l'extérieur, décidé à les suivre et à comprendre. Mais ils s'étaient assis à quelques mètres du chalet pour recommencer leurs vocalises. L'endroit avait beau être isolé, on devait les entendre dans toute la vallée. Pour couper court aux commérages, Ivan s'était plaint lui-même, chez les commerçants du village, de la vilaine habitude qu'avaient pris ses chiens de hurler à la mort. Nostalgie de leur Sibérie natale, avait-il avancé en guise d'excuse.

Durant quelques minutes, il écouta le chant sinistre avec attention. Des huskies, vraiment ? Quel vétérinaire pourrait s'y tromper ? Si Bénédicte Ferrière entendait ça, qu'en déduirait-elle ? Il espéra que les murs de la maison forte l'isoleraient suffisamment. Mais pour peu qu'elle dorme la fenêtre ouverte, elle saurait faire la différence. À moins que, ainsi que le prétendait son fils, elle n'ait jamais approché autre chose que des chiens de poche et des chats d'appartement. Ce qui était peu probable.

Sur le point de s'endormir, malgré les cris lugubres qui montaient toujours du sous-sol, il se demanda si Bénédicte avait l'habitude de porter un pyjama, la nuit, une chemisette ou rien du tout. Cette idée absurde le tint encore un moment éveillé. Pourquoi se posait-il ce genre de question ?

Prenant une attitude très étudiée, Carole ajusta son jean sur ses hanches et remonta la fermeture Éclair. Laurent avait fait chauffer de l'eau dans la bouilloire, bougonnant parce qu'il n'était que six heures du matin, mais elle voulait absolument repasser chez elle pour se changer et récupérer ses notes de cours. S'il avait espéré qu'elle viendrait habiter le studio avec lui, il allait devoir déchanter.

— Je passerai Noël avec toi, mes parents sont d'accord, annonça-t-elle d'un ton enjoué. J'espère qu'il y aura de la neige et qu'on pourra skier…

Elle enfila sa veste de velours, se recoiffa du bout des doigts. Laurent ne pouvait pas s'empêcher de la regarder, fasciné par chacun de ses gestes. Il la trouvait extraordinairement sensuelle mais il n'était pas le seul. À la fac, elle provoquait des ravages et il vivait dans un état d'inquiétude permanent.

— Qu'est-ce qui te ferait plaisir pour dîner, ce soir ? demanda-t-il en déposant sa tasse dans l'évier.

— J'ai un repas d'anniversaire, je ne peux pas y échapper, je te l'ai dit la semaine dernière.

Il se souvint en effet qu'elle lui en avait parlé. Elle jalonnait ainsi son emploi du temps d'obligations familiales contre lesquelles il ne pouvait pas protester mais qui constituaient un rempart pour se préserver et lui échapper.

— Il faut que je file ! s'exclama-t-elle. Je te verrai dans l'amphi…

La porte claqua, un peu trop fort au goût de Laurent. Découragé, il inspecta le petit placard où il rangeait ses provisions. Il n'y avait qu'un paquet de biscuits bretons et un pot de confiture. Les petits déjeuners gourmands de sa mère n'étaient plus qu'un souvenir. Désormais, il faudrait qu'il pense chaque jour à acheter du pain. Entre autres. Pourtant il avait été heureux comme un gosse d'emménager dans ce studio clair, au dernier étage d'un immeuble ancien. Même s'il n'y avait pas d'ascenseur, même sans baignoire. C'était son père qui l'avait déniché, bien entendu, grâce à d'anciennes relations. Le locataire précédent avait soigné la décoration et n'était resté que six mois. Une véritable aubaine. Quand Laurent avait pris possession des lieux, dix jours plus tôt, il s'était imaginé que Carole finirait par rester. Or elle n'en prenait pas le chemin, au contraire. Elle dînait et dormait quelques heures avec lui, mais elle n'avait pas laissé un seul vêtement, pas le moindre produit de maquillage, rien qui évoque sa présence.

La main sur le téléphone, Laurent hésita puis finit par composer le numéro de ses parents. Bénédicte répondit à la deuxième sonnerie.

— Je te réveille ?

— Non, mon chéri. J'en suis à ma troisième tasse. Quelque chose ne va pas ?

— Juste envie de te dire bonjour.

— Tu es un amour, je suis ravie de t'entendre. Louise dort encore et ton père n'est pas là, j'ai tout mon temps pour un long bonjour…

Il réalisa que sa mère lui manquait et s'en voulut aussitôt.

— C'est sinistre, ces petits matins de novembre, déclara-t-il d'une voix mal assurée.

Elle ne répondit rien, attendant qu'il dise ce qu'il avait sur le cœur.

— Maman… Tu es sûre de vouloir quitter Paris ?

— On ne peut plus faire marche arrière, répondit-elle calmement.

— Tu t'es laissé embarquer sans lutter, ça ne te ressemble pas.

— Je n'ai pas à lutter contre mon mari. Je suis censée l'aider.

— Ne sois pas si conventionnelle ! Pas avec moi...

— Ton père a traversé une sale période, Laurent, même s'il a fait bonne figure devant vous. Essaie de ne pas être égoïste. Il n'a que quarante-sept ans, il a droit à un nouveau départ. Ce n'est pas seulement une question d'argent.

Il y eut un silence puis Laurent soupira.

— Je n'ai pas envie de te savoir si loin, dit-il dans un souffle.

— Ce n'est pas loin. Et tu n'as pas besoin de moi, sauf en cas de blues, et pour ça il y a le téléphone. Comment va Carole ?

— Comme un papillon. Elle entre et elle sort d'ici au gré du vent.

— Tant mieux pour toi, ce sont les meilleurs moments !

Ce cri du cœur l'étonna un peu mais le fit sourire.

— Pendant ce temps-là, je me consume, ironisa-t-il.

— Profites-en bien, continue à mourir d'amour, attends-la avec angoisse, tu verras, ça ne dure jamais, hélas...

— Maman !

— Je plaisante, mon chéri. Enfin... À moitié.

— Et papa, quelles nouvelles ? Tu l'attends avec angoisse aussi ? Il fait toujours le pitre sur ses échelles ?

— Il nous prépare un nid douillet pour l'hiver, répliqua-t-elle en riant. Tu seras bien content à Noël. Tu viens, j'espère ?

— Oui. Et Carole aussi.

— Magnifique !

Un autre silence se prolongea.

— Je peux venir dîner, ce soir ? finit-il par demander.

— Tu es chez toi. Tu seras toujours chez toi, chez moi. Je demanderai à Louise de nous préparer son gâteau.

— Qu'elle ne fasse pas d'économies sur le chocolat ! À ce soir.

Il raccrocha avant qu'elle ait eu le temps de lui dire au revoir. Il devait être honteux de sa faiblesse, d'avoir appelé maman comme un gamin perdu. Les yeux encore fixés sur le téléphone, Bénédicte restait immobile. Son petit garçon était devenu grand, ce serait bientôt un étranger malgré toutes ces années passées à le surveiller, le conseiller, le pousser ou le freiner, à le soigner, à lui lire des histoires... Une vie de famille qui semble établie pour toujours et qui se déchire immanquablement. Cette habitude d'aller dire bonsoir, de vérifier la couverture et la fenêtre, puis plus tard les premiers cahiers de textes, et bien après encore les mégots mal éteints des cigarettes fumées en cachette. Des rituels rythmant presque deux décennies, brutalement arrêtés par l'absence.

« Tu as toujours su qu'il partirait un jour, se reprocha Bénédicte. Et Louise aussi. »

Mais, à cause de Clément, tout se bouclait en catastrophe.

« C'est moins douloureux comme ça. »

Au lieu d'errer dans un appartement devenu silencieux, Bénédicte allait devoir assumer elle aussi une nouvelle existence. Ailleurs et autrement, elle tentait l'aventure et n'aurait pas le loisir de pleurer sur son sort.

« Avec Louise dans les bagages, pour quelque temps encore, Dieu merci... »

Ensuite, ce serait le face-à-face inévitable avec Clément, la solitude à deux.

« J'espère que tu en as encore envie ? »

Elle ne connaissait pas la réponse à cette question. Ils vivaient à quatre depuis trop longtemps pour savoir si, à deux, ils retrouveraient les bonheurs de leur jeunesse. Leur mode d'existence avait fini par les rendre farouchement indépendants et assez peu bavards, en somme. Trop occupés à construire leur avenir, ils n'avaient pas vraiment profité du présent. L'heure de vérité allait sonner pour leur couple durant les longs hivers alpins, sans restau, sans ciné. Rien qu'eux-mêmes et ce qui restait de leur capacité à s'aimer, à s'intéresser l'un à l'autre.

Mal à l'aise, elle s'écarta du comptoir sur lequel elle était restée accoudée. Une longue journée l'attendait, et ses deux associés faisaient grise mine depuis qu'elle avait annoncé son départ. Ils avaient récusé deux candidats avant d'accepter, de guerre lasse, une jeune femme fraîchement sortie de Maisons-Alfort et que ses parents voulaient installer. Bénédicte avait promis de la mettre au courant durant les trois dernières semaines de son exercice.

« Et c'est ce matin qu'elle arrive, ne lui fais pas l'affront d'être en retard le premier jour, elle va se sentir complètement perdue. »

Sa jeune consœur, avec son diplôme tout neuf et ses illusions multiples, lui rappelait un peu ses propres débuts. Mais, à l'époque, personne de sa famille n'avait pu l'aider financièrement et elle s'était débrouillée seule. Ce qu'elle avait réussi, dans son métier, elle ne le devait qu'à un travail acharné, une volonté quotidienne. Elle se promit d'être vigilante avec la somme qu'elle allait recevoir pour ses parts du cabinet vétérinaire.

Tout en se savonnant vigoureusement sous la douche, elle fit un rapide calcul mental pour évaluer leur patrimoine tel qu'il était recomposé. Lors de leurs premières années de crédit sur l'appartement, ils avaient remboursé davantage d'intérêts que de capital. Néanmoins, une fois la vente réalisée et l'emprunt bancaire soldé, il allait leur rester de l'argent. Que Clément se chargerait de gérer au mieux après avoir prélevé leurs frais d'emménagement et d'installation. La succession de Mathilde ne coûtait rien et les laissait propriétaires des *Aravis*, leur unique bien immobilier désormais.

« Il va falloir que j'achète un peu de matériel pour mon cabinet… »

Son cabinet. Jusqu'ici, elle avait pensé en termes d'association, de pluralité, mais désormais, elle serait seule à prendre des décisions. Elle devait d'ailleurs contacter au plus vite les laboratoires de produits vétérinaires pour obtenir son stock de pharmacopée. Cette idée lui procura un plaisir inattendu, une sensation de liberté.

Elle enfila un jean noir, des mocassins, un pull à col roulé bleu pâle, puis rédigea un mot à l'attention de Louise lorsqu'elle se réveillerait. Cinq minutes plus tard, en émergeant de la rampe du parking, elle constata qu'il pleuvait. Les matins d'hiver, elle ne prenait conscience du temps qu'une fois à l'extérieur de l'immeuble.

« Eh bien, ce ne sera plus le cas d'ici peu ! »

Avec un peu d'appréhension, elle se demanda si elle saurait conduire sur la neige ou la glace. Il faudrait sans doute qu'elle équipe sa voiture de pneus à clous. Ou plutôt qu'elle change de voiture.

Elle pensa au Range Rover d'Ivan Charlet et se mit à sourire. Au besoin, elle pourrait lui demander conseil, elle en était certaine. Le mieux serait de dresser toute une liste de questions précises à lui poser la prochaine fois qu'elle le verrait. Lui ou Pierre Battandier. Mais Pierre était accaparé par sa ferme, sa mairie, sa famille. En tout cas pas Clément, qui n'avait rien d'un montagnard, mais qui se croirait obligé de lui répondre de façon péremptoire. Non, décidément Ivan, qu'elle avait trouvé vraiment chaleureux, serait sans doute l'interlocuteur idéal.

Le hall d'entrée et la salle d'attente étaient déjà allumés lorsqu'elle arriva à la clinique. Serge, debout près de la machine à café, lui adressait un large sourire.

— Voilà la future exilée ! Tu n'as pas encore mis tes bottes fourrées de paille ?

Il riait mais elle haussa les épaules, agacée.

— Ne fais pas la tête, on ne peut plus plaisanter ? Viens donc boire une tasse, il est tout frais... La jeune fille de bonne famille n'est pas encore arrivée. L'idée de travailler avec cette mijaurée ne m'enchante pas. Je suis sûr qu'elle se mettra à hurler si je passe la main sous sa jupe.

— Et pourquoi ferais-tu une chose pareille ?

— Parce qu'elle est mignonne, tiens !

— Peut-être qu'elle est également compétente ?

— Un peu jeune pour ça. Mais on l'aidera.

Il versa le café puis ajouta, d'une voix différente :

— Je suis navré que tu partes. Vraiment.

— Est-ce que tu viendras me voir ?

— Mais bien sûr ! Au moins une fois. Et puis... tu sais ce que c'est. Tu n'as pas choisi la porte à côté.

— Je n'ai rien choisi du tout, je crois bien.

— Oh ! c'est vrai, c'est ton mec qui a tout manigancé. Seulement tu ne me feras jamais avaler que tu n'étais pas d'accord au fond de ta petite tête, parce que tu es têtue comme une mule ! Je me trompe ?

— Non.

— Tu en as envie mais tu as la trouille. Finalement, c'est plutôt une bonne chose qu'il t'ait forcé la main.

— Peut-être.

Serge hésita, tripotant sa cuillère, puis il déclara :

— Je ne sais pas si les Savoyards t'apprécieront à ta juste mesure, en tout cas au début. Alors j'ai pensé à un truc… Tu devrais écrire à la direction du parc naturel des Bauges. C'est dans ton coin, à quelques kilomètres. Et ça représente quatre-vingt mille hectares, dont cinq mille de réserve.

— Dans la haute vallée du Chéran, oui. Comment sais-tu ça ?

— Et toi ? Tu t'es renseignée aussi ?

Désarmée, elle lui adressa un sourire franc qui le fit fondre.

— Serge, murmura-t-elle, sous tes airs de tombeur, tu es un vrai chic type. Raconte-moi ce que tu as appris.

— Des chamois, des mouflons, des chevreuils, quantité d'oiseaux rares, un tas de petits mammifères… et des gestionnaires qui veulent des professionnels pour étudier cette faune sauvage. Pose donc ta candidature, si tu obtenais un temps partiel ça te ferait un centre d'intérêt et un petit revenu complémentaire.

— J'y avais déjà pensé… Mais qui contacter ?

— Je peux te trouver les adresses. J'ai sûrement plus de temps libre que toi en ce moment. C'est un syndicat mixte qui gère le parc, avec les départements, la Région et l'État.

Sincèrement attendrie par la gentillesse inattendue dont il faisait preuve, elle le dévisagea quelques instants avec curiosité. Ni lui, ni l'autre associé de la clinique n'avaient jamais été particulièrement attentionnés à son égard. Ils s'étaient limités tous les trois à des rapports courtois et un peu impersonnels.

— Pourquoi fais-tu ça ? demanda-t-elle.

— J'aimais bien travailler avec toi. C'est vrai ! Tu n'en as pas conscience mais tu es assez calée.

Elle réalisa qu'il prenait souvent son avis, ce qu'elle avait considéré jusque-là comme une simple habitude.

— J'espère que tu réussiras, dans ton trou, parce que tu le mérites. Seulement ça risque de te prendre du temps, et tout dépendra de l'état d'esprit des éleveurs du coin. Ne rate pas tes premiers patients !

— Compte sur moi.

— Il y a comme un parfum de défi dans ce que tu entreprends, ça me ferait presque envie.

— Bien sûr ! Et quand je serai le vétérinaire le plus célèbre des Alpes, qu'on m'amènera du bétail d'Italie et de Suisse, tu viendras t'associer avec moi ?

Le bruit de la sonnette empêcha Serge de répondre par une quelconque plaisanterie et il leva les yeux au ciel.

— Voilà la débutante… Ne bouge pas, j'y vais. Il faut quand même qu'on fasse un peu connaissance, elle et moi…

Bénédicte resta près de la machine à café tandis qu'il se précipitait dans le hall. Leur discussion la laissait très songeuse. Était-il tellement évident qu'elle allait au-devant d'un échec pour que Serge, qui ne s'était jamais prétendu son ami, lui suggère déjà des solutions de rechange ? Elle avait songé d'elle-même au parc régional du massif des Bauges, mais on ne l'attendait pas là-bas non plus et les candidatures devaient s'accumuler par douzaines. Un vétérinaire parisien, sans aucune connaissance du terrain, avait peu de chance d'être pris en considération. Elle n'était même pas certaine de pouvoir reconnaître un aigle royal si par bonheur elle en apercevait un.

— On verra bien, marmonna-t-elle en se décidant à bouger.

Dans trois semaines, elle guetterait peut-être désespérément son premier client, mais d'ici là elle devait s'occuper de la jeune femme qui allait prendre sa suite et qui ne manquerait pas de travail, elle.

Danièle Battandier s'efforça de sourire en embrassant Élisabeth. Elle lui prit des mains son sac de voyage et la conduisit jusqu'à la chambre qu'elle avait préparée à son intention.

— Comment va ton fils ?

Rituellement, c'était la première question d'Élisabeth à chacune de ses visites. Non qu'elle s'intéressât beaucoup à lui mais parce que l'existence même de Max était une preuve supplémentaire de son propre malheur. Le fils de Pierre et Danièle était bien vivant, lui, éclatant de santé même, et d'après elle les Battandier auraient dû remercier le ciel tous les jours.

— En pleine forme, tu le verras demain. À Chamonix, la saison est finie et il vient se reposer ici quelques jours en attendant que la station ouvre.

En réalité, Max avait avancé son retour lorsqu'il avait appris l'arrivée d'Élisabeth. Pas question pour lui de laisser sa mère en tête à tête avec la redoutable cousine.

— Quel temps affreux, soupira Élisabeth en s'asseyant au bord du lit.

Elle rejeta en arrière ses longs cheveux blonds avant d'adresser un petit sourire résigné à Danièle. Cette expression triste et détachée mettait en valeur ses yeux bleus, ses pommettes saillantes et ses joues creuses, elle le savait trop bien. Lorsqu'elle était jeune, elle affectionnait déjà les airs mélancoliques et Danièle s'en voulut d'y penser.

— Qu'est-ce que tu deviens ? demanda-t-elle le plus gentiment possible.

— Eh bien... Je ne vois plus Philippe.

— Philippe ?

— Je t'en avais parlé la dernière fois. Enfin, bref, ce n'était pas un homme pour moi. Mais je suis devenue tellement méfiante, tu me connais... Je t'assure, à cause d'Ivan, je ne peux plus faire confiance à personne, c'est plus fort que moi.

La mise en accusation de son ex-mari était son refrain préféré. D'après elle, Ivan était responsable de tout ce qui lui était arrivé depuis l'accident de leur fils. Jamais elle ne le laisserait oublier. L'idée qu'il puisse vivre en paix lui était odieuse, il devait payer son erreur jusqu'au bout. Elle regrettait même d'avoir fait enterrer Guillaume à Chambéry. Si sa tombe avait été au cimetière du village, elle y aurait traîné Ivan sans remords.

— J'irai le voir demain, déclara-t-elle, nous avons des choses à régler... Mais, pour le moment, parle-moi de toi et de la famille.

À contrecœur, Danièle donna quelques nouvelles de leur entourage, constatant que l'autre n'écoutait guère, comme d'habitude. Elle était devenue très égoïste mais quand on lui en faisait le reproche, elle prétendait que le chagrin l'avait rendue indifférente au reste du monde. Et tout le monde s'inclinait devant sa douleur de mère. Alors qu'Ivan, lui, n'avait droit à aucune considération.

Au bout de dix minutes, Danièle abandonna Élisabeth sous prétexte du dîner à préparer. Elle bouillait d'une rage intérieure qu'elle se reprochait. Les mains appuyées sur l'évier, elle scruta par la fenêtre le ciel sombre de la fin d'après-midi. Si la neige se mettait à tomber, l'indésirable repartirait à Chambéry.

« Mais arrête, arrête ! Elle est à plaindre, voyons... Quelle pauvre vie... »

Depuis toujours, Danièle éprouvait des sentiments contradictoires pour sa cousine. Elle avait d'abord été une ravissante petite fille, très capricieuse, puis une superbe adolescente boudeuse. Tous les garçons lui tournaient autour, séduits par cette jolie blonde aux allures alanguies, et ils se battaient pour s'asseoir à côté d'elle dans le car qui les conduisait au lycée. Mais elle ne les regardait pas, c'était Ivan Charlet qu'elle voulait. Elle avait jeté son dévolu sur lui, malgré leurs cinq ans d'écart, parce qu'à ce moment-là il faisait ses études supérieures à Lyon et voyageait en Europe pendant les vacances, ce qui en faisait le parti le plus intéressant du village. Quelqu'un qui serait capable de l'emmener un jour loin de cette vallée qu'elle jugeait trop petite pour elle. Danièle était déjà mariée à Pierre, à l'époque, et elle avait observé avec indulgence toutes les manœuvres de la jeune fille pour se faire remarquer d'Ivan. Qui avait fini par la voir, bien sûr, qui en était même devenu éperdument amoureux. Il l'avait épousée, puis avait accepté de quitter le village parce qu'elle l'exigeait. Le père d'Ivan s'était montré discret, ravalant sa déception, certain que son fils reviendrait un jour. Malheureusement, le retour avait été plutôt tragique.

Les mains de Pierre s'abattirent sur ses épaules, la faisant crier de surprise.

— Oh, je ne voulais pas t'effrayer ! s'exclamat-il, navré. Tu ne m'as pas entendu ? Dans quelle rêverie étais-tu partie ?

Il la serra contre lui et elle laissa échapper un petit soupir.

— L'emmerdeuse est arrivée, j'ai vu sa voiture, ajouta-t-il.

— Elle est dans sa chambre, elle se repose.

— De quoi ? Ne me dis pas qu'elle s'est décidée à travailler ! C'est tellement plus facile de laisser banquer son ex…

Ne pouvant pas lui donner tort, elle ne répondit rien. Il la fit pivoter et la regarda droit dans les yeux.

— Ne te mets pas en quatre pour elle, hein ? D'ailleurs Max sera là demain, il te prêtera mainforte. Je vais donner le fourrage, à tout à l'heure.

Elle le suivit des yeux tandis qu'il retraversait la salle, émue par sa démarche volontaire et sa silhouette massive. Jamais il ne l'avait déçue, depuis trente ans, jamais sa tendresse bourrue ne s'était démentie. Elle avait beaucoup de chance, ce qui n'était pas le cas d'Élisabeth. Max escaladait les sommets et dévalait les pistes alors que le petit Guillaume était mort dans sa baignoire, électrocuté, le lendemain de ses six ans. C'était une raison suffisante pour respecter Élisabeth à défaut de l'aimer.

« C'est une malheureuse… »

Le mot s'appliquait mal à sa cousine, pourtant. Malheureuse mais perverse, Mathilde avait été la première à le clamer haut et fort. Brave Mathilde. Sans elle, Ivan se serait probablement flanqué une balle dans la tête. Mais elle avait su le raisonner et il avait pris l'habitude de passer la voir chaque jour en redescendant de la cristallerie. Lorsqu'il arrivait à Danièle de porter un morceau de gâteau à la vieille dame, elle les trouvait souvent assis côte à côte, l'hiver devant la cheminée et l'été sur le banc de pierre.

« Les Ferrière vont emménager dans la maison forte la semaine prochaine, c'est une excellente chose. »

Elle se réjouissait de leur arrivée, de cette bouffée d'oxygène qu'ils apporteraient au village, sans savoir à quel point sa vie allait en être effectivement transformée.

4

Bénédicte referma l'armoire vitrée et recula de deux pas pour vérifier l'alignement des boîtes de médicaments sur les étagères. Ces produits-là seraient destinés à ses consultations, mais le gros du stock était rangé dans la pièce mitoyenne qu'elle avait baptisée laboratoire. Derrière son bureau, des tiroirs métalliques s'empilaient, remplis de fiches vierges et de tous les formulaires nécessaires à l'administration sanitaire. À l'autre bout du cabinet trônait la table d'examen qu'elle venait de déballer.

Avec un soupir de satisfaction, elle s'assit sur le tabouret à roulettes qu'elle propulsa d'un coup de talon jusqu'à la fenêtre. Elle n'apercevait que le toit de la maison forte, au-dessus du petit groupe de sapins argentés. Clément et Louise devaient s'agiter, là-bas, pressés de trouver une place pour chaque chose. Depuis le début de la semaine, ils avaient abattu à eux deux un travail considérable. Louise s'était chargée de ranger la vaisselle, les vêtements et le linge, tandis que Clément accrochait les glaces et les tableaux, déplaçait les meubles, branchait les appareils électroménagers. Le père et la fille avaient, d'un commun accord, poussé Bénédicte à ne s'occuper que de son cabinet. Elle avait donc sorti des cartons son matériel flambant neuf, disposé les chaises dans la salle d'attente, fixé elle-même l'enseigne et la plaque sur la façade du petit bâtiment.

Abandonnant son poste d'observation, elle traversa le bureau et passa dans le laboratoire. Un grand évier à double bac, un plan de travail en faïence, un stérilisateur et deux chariots couverts de boîtes à instruments occupaient l'un des murs. En face, des appareils sophistiqués étaient encore dans leurs plastiques de protection. Derrière eux, du sol au plafond, le mur était équipé d'étagères supportant des centaines de produits pouvant traiter toutes les affections courantes. Elle avait prévu large, sur les conseils de ses confrères, chaque éleveur venant se ravitailler chez le vétérinaire comme chez un pharmacien. Coincé dans un angle, un grand réfrigérateur était déjà rempli de vaccins. Entre les deux fenêtres, une console disparaissait sous de grandes bouteilles de désinfectant, une poubelle à seringues et une pile de sachets de gants stériles. Le milieu de la pièce était occupé par une imposante table d'aluminium réglable en hauteur, surmontée d'un Scialytique. Elle pourrait pratiquer ici des opérations sous anesthésie, des prélèvements et des radios. De quoi faire face à toutes les situations, en théorie.

Elle entendit une porte s'ouvrir et supposa que Clément venait encore lui demander quelque chose. Mais ce fut la silhouette d'Ivan qu'elle aperçut dans l'entrée.

— Je suis là ! lui cria-t-elle en lui adressant un signe amical.

Il traversa le cabinet et s'arrêta pour regarder autour de lui tandis qu'elle ajoutait, avec une certaine fierté :

— Il y a du changement, non ?

— C'est le moins qu'on puisse dire, admit-il avec un sourire.

Rien ne rappelait plus la maison de gardien laissée à l'abandon par Mathilde.

— Vous allez avoir besoin de tout ça ?

— J'espère bien ! Ou alors je n'aurai plus qu'à plier bagage.

— Ce serait dommage…

Il termina son inspection avant de lui adresser un nouveau sourire, tout à fait désarmant.

— À votre avis, lui demanda-t-elle, quels ont été les derniers habitants de cet endroit ?

— Je ne les ai pas connus. C'étaient des fermiers qui travaillaient pour le propriétaire des lieux, je suppose. Pierre doit le savoir…

— Des fermiers ?

— Ce serait logique, venez voir… D'ici, on peut surveiller l'étable et la grange.

Il s'était approché d'une fenêtre donnant au nord et il désigna les grands bâtiments et la cour aux pavés irréguliers.

— En revanche, à cause des sapins, on est complètement isolé de la maison. Une disposition idéale pour vous, si vous tenez à préserver votre vie privée.

— Oh, je ne m'attends pas à une foule de clients !

— Peut-être pas au début, non. Mais enfin, c'est très réussi, le maçon a bien travaillé.

La dernière fois qu'il était entré là, l'année précédente, c'était pour ranger la tondeuse de Mathilde. Il détailla encore une fois les murs, fraîchement recrépis, le carrelage gris clair qui avait remplacé le sol de ciment, puis il parut se souvenir de quelque chose et il tendit à Bénédicte une petite boîte qu'il avait gardée à la main depuis qu'il était entré.

— Un cadeau de bienvenue, précisa-t-il. J'espère qu'il vous portera chance.

Intriguée, elle arracha le scotch qui retenait le couvercle. Posé sur un feutre noir, elle découvrit un presse-papiers de cristal, admirablement ciselé en forme de fer à cheval.

— Superbe… Il est superbe…

Elle alla droit à son bureau pour poser l'objet sous la lampe. La réfraction de la lumière sur les facettes et les angles projeta aussitôt des reflets de couleur.

— C'est très beau, vraiment !

Sa sincérité ne faisait aucun doute et Ivan parut touché.

— Si les esprits existent, celui de Mathilde va veiller sur vous, j'en suis sûr.

Elle se jucha sur la table d'examen, lui désignant l'unique fauteuil.

— Asseyez-vous deux minutes, proposa-t-elle. Et expliquez-moi pourquoi vous aimiez tellement Mathilde.

— Parce que c'était une forte personnalité. En plus, elle était seule.

— C'est si admirable, la solitude ?

— Non, mais ça la rendait disponible. Elle avait vu passer beaucoup de générations sur les bancs de son école, ce qui lui donnait une philosophie de la vie que je n'ai rencontrée chez personne d'autre. Elle s'intéressait à beaucoup de choses, se tenait au courant de trucs insensés…

— Par exemple ?

Il pencha un peu la tête de côté pour réfléchir mais répondit presque tout de suite :

— Quelques mois avant son décès, elle est montée jusqu'à la cristallerie pour que je lui explique en détail le fonctionnement d'Internet. À quatre-vingt-un ans, c'est merveilleux, non ?

— Et si nous avions mis sa maison en vente, vous l'auriez réellement achetée ?

— Sans doute.

— Pour l'habiter ?

— Peut-être pas…

— Tant mieux, sinon vous nous verriez comme des usurpateurs !

Elle avait fini par descendre de son perchoir pour s'asseoir en tailleur, sur le carrelage, et elle esquissa une grimace.

— J'ai le dos en capilotade à force de soulever des poids. C'est épuisant, un déménagement.

— Si vous avez besoin d'aide, n'hésitez pas. J'ai proposé la même chose à votre mari mais, pour l'instant, il branche son ordinateur et préfère sûrement s'en occuper tout seul.

Ivan avait sorti un paquet de cigarettes de sa poche et cherchait des yeux un cendrier.

— Dans le premier tiroir, lui dit Bénédicte. Vous m'en offrez une ?

— D'accord, mais venez donc vous asseoir ici, vous serez mieux.

Sans se perdre en vaines politesses, elle alla s'installer dans le fauteuil confortable qui serait le sien désormais. Penché au-dessus d'elle, il lui offrit du feu, puis il s'éloigna vers la fenêtre pour récupérer le tabouret à roulettes.

— La nuit tombe tôt, maintenant. On sera bientôt en hiver, vous n'avez pas choisi la période la plus facile pour démarrer.

Il observa quelques instants la masse sombre des sapins argentés qui se distinguait à peine au-dehors.

— Justement, enchaîna-t-elle, je voulais vous demander quelques conseils. Avec quoi équiper ma voiture quand il se mettra à neiger, et…

— Le plus simple serait de vous en débarrasser, ou vous finirez dans un ravin. Achetez donc un 4 × 4, avec des pneus de tracteur et un treuil, ça sert toujours. Il y a d'excellentes occasions au garage qui se trouve juste à l'entrée de Doussard.

Quand il se retourna, elle vit son expression amusée, comme s'il se moquait de sa naïveté, et elle se leva.

— Je suis trop fatiguée pour continuer à travailler ici, allons boire un verre à la maison.

— C'est très gentil mais il faut que je rentre, mes chiens doivent tourner en rond.

— Qu'est-ce que c'est, comme race ?

La question était inévitable, il l'avait prévue et répondit sans hésiter :

— Des sibériens. Des chiens de traîneaux, si vous préférez.

— J'espère que vous leur faites faire beaucoup d'exercice ?

— Au moins vingt kilomètres par jour.

— Alors les vôtres ont de la chance ! Vous savez, les citadins se sont toqués des huskies, à cause de leurs yeux bleus, et cela a provoqué le malheur de bon nombre d'animaux cloîtrés dans un deux pièces surchauffé…

— Ce n'est pas le cas des miens ! Ils ont toute la forêt et la montagne pour s'ébattre.

Elle baissa le thermostat, éteignit les lumières et sortit devant lui, surprise par l'obscurité quasi totale. Le dernier réverbère du village se trouvait deux cents mètres plus bas, sur la route, dissimulé par les tournants. La main d'Ivan se posa sur son bras puis glissa jusqu'à son poignet pour la guider à travers les arbres. Quelques instants plus tard, ils se retrouvèrent devant la maison dont une fenêtre était éclairée.

— Installez des lanternes sur le sentier, conseilla-t-il.

Malgré la pénombre, elle distingua l'éclat de ses yeux clairs.

— Merci pour le cadeau, Ivan.

— Je vous en prie. Au revoir…

Il s'éloigna aussitôt tandis qu'elle restait immobile devant la porte de la cuisine. Elle leva la tête mais ne vit aucune étoile dans le ciel, rien qu'un voile d'encre qui pesait sur toute la vallée. Réprimant un frisson désagréable, elle entra chez elle sans plus attendre et faillit heurter Clément qui traversait le hall, des outils plein les mains.

— Ah, te voilà ma chérie ! Il y a des courants d'air partout et la chaudière tourne à plein régime… Je colmate l'essentiel mais dès demain il faudra que j'achète des rouleaux de mousse. Tu t'en sors, dans ton cabinet ? Je t'ai envoyé Ivan, tout à l'heure, tu l'as vu ?

— Oui, il est venu me porter un petit cadeau.

— C'est un type adorable, tu aurais dû le garder à dîner car nous avons droit à un repas de gala ! Imagine-toi que ta fille nous prépare une tartiflette !

Avec un sourire attendri, Bénédicte gagna la cuisine où elle trouva Louise occupée à ôter la croûte d'un reblochon.

— Est-ce que ça t'ennuie si je mets un peu d'ail ? demanda-t-elle à sa mère sans lever la tête du plan de travail. C'est le fils des Battandier qui m'a donné la recette…

Quelque chose dans sa voix alerta Bénédicte.

— Le *fils* ? Il n'a pas de prénom ?

— Max.

— Et à quoi ressemble ce Max ?

— À un géant. Et à un nounours…

— Un grizzli, alors ?

Louise se mit à rire, soudain très gaie.

— Il est hyper sympa ! Mais il s'en va dans quelques jours. Pendant la saison, il est moniteur à La Clusaz, et si je vais le voir là-bas, il m'a promis des cours particuliers.

— Ce n'est jamais qu'à une trentaine de kilomètres d'Annecy, déclara Bénédicte qui avait passé toute la soirée de la veille à étudier des cartes de la région.

Elle alla prendre une bière dans le réfrigérateur puis vint s'asseoir sur l'une des chaises de paille qui entouraient la grande table. Il faisait bon dans la cuisine, elle enleva le blouson qu'elle avait conservé jusque-là. Louise allait et venait, repoussant un tiroir, vérifiant la température du four, comme si elle avait toujours vécu dans cette maison. Bénédicte lui envia un instant cette jeunesse qui lui permettait de s'adapter avec tant de facilité, alors qu'elle-même devait lutter pour changer ses habitudes. En bonne Parisienne, elle avait toujours trouvé normal d'être au chaud dans son appartement et de s'y promener en chemisier quelle que soit la saison, de faire ses courses au dernier moment ou de décider d'aller dîner ailleurs. La voiture au parking, les ascenseurs, le vide-ordures de l'immeuble, la secrétaire au cabinet, un coiffeur à chaque coin de rue, des tabacs ouverts jusqu'à minuit : toute une façon de vivre en hâte et sans contrainte. Ici, ce serait bien différent.

— Je n'en peux plus ! s'exclama Clément en entrant.

Il jeta son marteau sur la table et regarda attentivement ses mains.

— Incroyable... J'ai des ampoules à chaque doigt...

Se tournant vers sa femme, il lui adressa un sourire triomphant.

— La glace de la salle de bains est fixée mais elle a failli m'échapper et on a évité de justesse les fameux sept ans de malheur ! Oh, j'ai aussi remis la commode en place et j'ai branché la lampe, tu avais raison, c'est très joli comme ça.

Ainsi, lorsqu'il le voulait, il pouvait se donner du mal. Jamais il n'avait touché un outil à Levallois, ni manifesté le moindre intérêt pour le décor qui les entourait. Il attendait sa réaction et Louise avait levé la tête pour observer sa mère. Bénédicte se sentit jugée, ce qu'elle détesta d'emblée, mais elle fit front.

— Il y a une atmosphère formidable dans cette maison, dit-elle tranquillement. Vous avez bien travaillé tous les deux... Dès demain, je vais vous aider à finir, mais je voulais m'occuper du cabinet d'abord.

— Bien sûr ! s'écrièrent-ils ensemble.

Leur soulagement était visible, presque émouvant.

— Laurent aurait pu nous donner un coup de main, quand même, ajouta Louise d'un ton plein de rancune. Quand il se décidera à venir, il n'aura plus qu'à se prélasser au coin du feu ! En tout cas, qu'il ne compte pas sur moi pour arranger sa piaule !

— On ferait mieux de parler de toi, ma chérie, murmura Bénédicte.

Les projets de Louise l'inquiétaient. Rien que le mot « chambre d'hôte » avait failli la faire éclater de rire quand sa fille l'avait prononcé pour la première fois dans le TGV. Mais les explications avaient suivi, assez convaincantes. En fait, Louise voulait d'abord aménager la grande étable pour la transformer en gîte. Si elle menait ses travaux à bien, elle envisagerait alors des chambres dans la grange. Les deux bâtiments, face à face et indépendants de la maison ou du cabinet, pourraient devenir une étape pour les vacanciers en mal de nature. Au saut du lit, ils auraient la possibilité de s'élancer vers les alpages et les sommets, à pied, en VTT ou à skis selon la saison. Louise aimait recevoir, faire la cuisine, animer des soirées, organiser des randonnées : elle avait trouvé sa vocation. Elle était prête à parier sur cette forme de tourisme, de plus en plus répandue, qui mélangeait l'authentique et la convivialité pour partir à la découverte d'une région. Et la chaîne des Aravis, toute proche, était un important pôle d'attraction. Naturellement, Clément lui donnait raison.

— On a tout le temps, maman ! D'abord notre *sweet home*, Noël arrive…

Elle devait peaufiner ses plans en secret, suivant l'exemple de son père qui avait quand même fini par gagner la famille à sa cause.

— Je chiffrerai tout ça cet hiver, je ferai un vrai dossier et puis on aura une discussion sérieuse, vous et moi.

Bénédicte échangea un coup d'œil avec Clément. Leur fille était en train de changer, elle aussi.

— Une demi-heure de cuisson ! annonça Louise en déposant la tartiflette dans le four.

Quand elle se retourna vers eux, ses parents l'observaient avec intérêt, toujours assis de part et d'autre de la grande table.

— À nous trois, vous allez voir, on va faire fortune ici ! leur prédit-elle en souriant.

C'était une certitude pour elle, pas un mot d'humour, et Bénédicte en ressentit une véritable bouffée d'angoisse. Non seulement ils ne pouvaient plus reculer, mais à présent ils n'avaient pas le droit d'échouer.

— À toi, ma grande, murmura-t-elle en levant sa bière.

Dès son retour, Ivan avait préparé la pâtée de Roméo et Diva qu'il nourrissait une fois par jour, le soir. Pendant qu'ils mangeaient, loin l'un de l'autre selon l'habitude, il avait rempli leur seau d'eau fraîche, secoué leur vieille couverture au-dehors. Puis il les avait laissés s'ébattre, mais quelques minutes seulement, avant de les obliger à rentrer. Il avait pris le temps de leur parler et de les caresser, ensuite il était remonté et avait fermé à clef la porte de communication avec le sous-sol. Élisabeth avait annoncé qu'elle passerait dans la soirée, ce qui signifiait qu'elle pouvait surgir n'importe quand. Depuis son arrivée chez les Battandier, il s'était débrouillé pour la fuir, prétextant des obligations, mais il ne pouvait pas se dérober plus longtemps, il le savait pertinemment. Chaque fois qu'il avait essayé, elle l'avait poursuivi jusqu'à la cristallerie. Une fois, elle avait même débarqué en pleine nuit au chalet et Roméo, terrorisé, était devenu incontrôlable.

Dans le salon, il hésita mais finit par allumer du feu dans la cheminée. Elle ne resterait ni plus ni moins longtemps à cause d'une bonne flambée et il en avait envie. Chaque matin, il prenait soin de vider et recharger le foyer, aussi il n'eut qu'à enflammer le journal qu'il avait roulé sous un fagot. Au moment précis où les flammes s'élevaient, il entendit le bruit du moteur.

Elle entra sans frapper, en terrain conquis, comme si elle revenait chez elle après une journée de travail. Sauf qu'elle n'avait jamais eu d'emploi bien défini.

— Salut ! lança-t-elle d'une voix froide.

La porte claqua, derrière elle, tandis qu'elle venait se planter au milieu de la pièce. Elle utilisait sciemment un ton méprisant avec lui, presque hostile, ou au contraire des accents qui se voulaient plaintifs et qu'il trouvait geignards.

— Bonsoir, Élisabeth, dit-il prudemment.

Elle interprétait toujours mal ses propos et il était devenu laconique.

— Tu as l'air en forme, constata-t-elle avec une nuance de reproche, tant mieux pour toi !

Durant les premières minutes, elle évitait ostensiblement tout contact physique avec lui, aussi elle ne chercha pas à l'approcher. Elle jeta son sac sur le canapé, puis son manteau. Sa silhouette, impeccable, était moulée dans un pantalon et un pull noirs.

— Je viens de passer des mois affreux. Je sais que tu t'en fous, mais…

Après avoir attendu en vain une quelconque protestation, elle enchaîna :

— Karen a fermé la boutique, elle ne s'en sortait pas, et je me retrouve sur le carreau. C'est bien ma veine…

Il s'agissait d'une boutique de cadeaux, à Chambéry, tenue par une de ses amies qu'elle aidait à l'occasion.

— Et Philippe ? s'enquit-il avec bonne volonté.

— Oh, ne me parle pas de ce type ! Quel con… Enfin, je suis injuste, c'est peut-être moi qui suis incapable de m'attacher à quelqu'un maintenant. Dieu sait que j'ai essayé, mais vous, les hommes, vous êtes tellement… Bref, on ne peut pas compter sur vous et ça me fait peur, voilà.

Elle avait dit la même chose de tous les autres, il connaissait son refrain et s'obligea à rester silencieux. Il la soupçonnait d'aimer les rencontres, le changement.

— Ivan… si tout ça n'était pas arrivé, je n'en serais pas là, soupira-t-elle comme si elle avait deviné ses pensées.

Hélas, c'était exact. En l'épousant, en lui donnant un fils, elle avait rêvé d'une autre vie et il s'y était engagé solennellement.

— Je n'ai plus un sou vaillant, il va falloir que tu me dépannes, poursuivit-elle.

Une fois pour toutes, elle lui avait assené qu'il était responsable d'elle, de ce qu'elle était devenue, et qu'il lui devrait assistance jusqu'à la fin de ses jours. Après tout, elle ne l'avait pas trahi, n'avait pas failli à son devoir, *elle*.

— Veux-tu boire quelque chose ? proposa-t-il.

C'était lui qui avait besoin d'alcool mais il ne voulait pas se montrer désagréable en ne lui offrant rien.

— Oh, pourquoi pas ? Est-ce que tu as du champagne dans ta cave ? Il y a si longtemps que je n'en ai pas bu !

Il quitta le salon sans lui avoir répondu, déverrouilla la porte du sous-sol et trébucha sur Roméo qui était assis en haut de l'escalier.

— Tu montes la garde ? chuchota-t-il en caressant la tête de l'animal.

Le contact du pelage épais, un peu rugueux, lui fit du bien.

— Viens te coucher, viens mon beau, l'encouragea-t-il.

Diva les observait, allongée sur la vieille couverture. Ivan s'arrêta près d'elle une seconde, s'agenouillant pour lui flatter les flancs du plat de la main. Elle ferma les yeux et bâilla, les babines relevées sur des crocs impressionnants. Rien de comparable avec la mâchoire d'un chien.

Il se redressa et alla ouvrir l'un des casiers réfrigérés où il conservait ses bonnes bouteilles. Il choisit un Laurent Perrier qu'il se dépêcha de remonter.

— J'ai cru que tu ne reviendrais jamais ! lui lança Élisabeth.

Elle avait sorti deux verres, avait dû fouiller tous les placards pour dénicher des allumettes au fromage qu'elle grignotait du bout des dents. À présent elle était installée dans un fauteuil, devant la cheminée, et le regardait servir.

— Tes affaires marchent, à la cristallerie ?

La question n'était pas fortuite. La réussite d'Ivan justifiait toutes ses exigences et, surtout, les autorisait.

— Oui...

— Tu as au moins ça, toi. Tandis que moi, je n'ai rien. Rien du tout.

Mais elle avait trop souvent abusé de la situation pour qu'il puisse encore s'apitoyer. Devinant son indifférence, elle changea aussitôt de tactique.

— J'ai décidé de m'en sortir, tu sais. Pour de bon ! Et j'ai peut-être une opportunité. Karen veut remonter une affaire, dès qu'elle aura liquidé la boutique. Elle serait d'accord pour m'accepter comme associée. C'est normal, nous avons l'habitude de travailler ensemble toutes les deux et on s'entend bien.

C'était donc ça le motif essentiel de sa visite. Obtenir de quoi subventionner une nouvelle chimère. Toutes les tentatives précédentes s'étaient soldées par des échecs, cependant elle avait toujours des excuses.

— Et ce sera quoi, cette fois ?

— Des vêtements pour enfants. C'est un bon créneau, il n'y a plus grand-chose à Chambéry. Évidemment, ce sera difficile pour moi de subir le défilé des gamins et des mères à longueur de journée, mais je n'ai pas le choix.

Son menton s'était mis à trembler. Elle pleurait sur commande, il le savait, pourtant il eut quand même la vision fugitive de la jeune maman resplendissante qu'elle avait été, et qu'il avait aimée comme un fou.

— Il n'y a que toi qui puisses m'aider, Ivan. Parce que je n'ai que toi, malgré tout. Tu comprends ?

— Danièle t'aime beaucoup, dit-il d'une voix lasse.

— Bien sûr, Danièle ! Et tu ne te demandes pas quel effet ça me fait de voir Max ? Ou Danièle et

Pierre en extase devant Max ? Eh bien, si tu veux le savoir, à eux trois ils me crucifient ! C'est tout ce que je n'aurai jamais, jamais !

D'un bond, elle jaillit du fauteuil, vint le prendre par les épaules pour le secouer.

— Tu as peut-être réussi à oublier mais pas moi !

Sa violence le glaçait et il ne bougea pas, attendant qu'elle se calme. Elle le haïssait, il en était douloureusement conscient. Depuis longtemps, il n'éprouvait plus rien pour elle, mais il supportait mal d'être détesté à ce point. Il sentit les ongles, à travers le tissu de sa chemise, qui le griffaient et s'accrochaient à lui.

— J'avais une famille, moi aussi, j'avais un avenir et tu m'as tout volé parce que tu as été incapable de surveiller Guillaume cinq minutes ! Qu'est-ce que c'est, cinq minutes d'une vie ? Hein ?

Elle allait rarement aussi loin, il fallait vraiment qu'elle soit aux abois. Il la prit par les poignets, l'éloigna de lui, la ramena vers la cheminée et la força à se rasseoir.

— S'il te plaît…, dit-il seulement.

Hormis les Battandier, elle n'avait effectivement plus de famille. Mais, après le drame, elle s'était acharnée à détruire ce qui restait de leur couple. Elle s'était mise à regarder Ivan avec horreur, comme s'il était un criminel pervers et non pas un père effondré. Ils avaient traversé côte à côte des semaines de cauchemar. À la douleur insupportable du deuil de leur enfant, elle avait ajouté la rancune, le culpabilisant jusqu'à l'écœurement. Il l'avait suppliée sans honte, avait tout accepté d'elle pour tenter de se racheter. En vain. Finalement, elle avait choisi le divorce pour l'achever.

— Tu t'en es si bien sorti que je n'en reviens pas... Mais pour une mère, c'est impossible. Tu ne peux pas comprendre... Tu vas dire que je rabâche si...

— Dis-moi seulement combien tu veux, coupa-t-il.

Stupéfaite par son cynisme, elle le dévisagea. Et elle n'eut pas besoin de se forcer pour éclater en sanglots convulsifs.

— Et toi ? réussit-elle à articuler. Qu'est-ce que tu veux que je fasse ? Que je disparaisse ? Tu serais débarrassé ?

Avec un soupir, il s'assit sur l'accoudoir du fauteuil et tendit la main vers les cheveux blonds qu'il frôla. C'était un geste de compassion mais elle se recula aussitôt, le regard brûlant de rage.

— Ne me touche pas, Ivan. S'il faut que je te donne quelque chose en échange, ce ne sera pas ça.

Il pensa qu'elle devenait folle. Non seulement méchante, mais détraquée.

— Je ne te demande rien, précisa-t-il, sauf le montant du chèque.

C'était devenu un système. Elle parvenait à l'émouvoir, à le blesser en remuant un passé qu'il avait enterré, et dès qu'il relâchait sa vigilance elle trouvait un endroit où frapper. Mathilde, qui l'avait eue comme élève, affirmait que c'était déjà une petite fille cruelle et dénuée de tout sens moral. La vieille dame reprochait à Ivan son aveuglement, l'accusait de s'être laissé séduire sans se poser de question. Le jour du mariage, elle lui avait même prédit : « Elle va te rendre chèvre ! » Pourtant la lune de miel s'était prolongée plusieurs mois, à Chambéry. Il y avait trouvé un poste – inespéré – de directeur du marketing dans une entreprise de porcelaine. Élisabeth l'attendait avec impatience, le soir, avide d'étreintes, mais elle s'était rarement préoccupée du dîner. Elle aimait sortir, exhiber ses robes neuves et son mari, danser jusqu'à l'aube. C'était une femme-enfant, et la naissance de Guillaume n'y avait rien changé. Il se souvenait encore de ces baby-sitters qu'elle recrutait au dernier moment et qui leur permettaient de se rendre chez les gens assommants qui composaient sa bande d'amis. Il était arrivé à Ivan de prétexter la fatigue pour rester seul avec son fils. C'était à ce moment-là qu'ils avaient commencé à ne plus se comprendre. Elle adorait son petit garçon mais elle était trop gamine pour pouvoir être maternelle. Elle disait qu'elle s'était mariée trop jeune – alors que c'était bien elle qui s'était jetée à la tête d'Ivan – et qu'elle avait besoin de vivre. Il la laissait faire, toujours sous le charme, lui trouvait des excuses, palliait ses déficiences. Lorsqu'il rendait visite à ses parents, elle refusait de l'accompagner parce qu'elle avait juré de ne plus remettre les pieds au village. Alors il emmenait leur fils avec lui, racontait que tout allait pour le mieux. Peut-être y croyait-il encore, d'ailleurs, en attendant d'autres enfants qu'elle ne voulait pas lui donner, trop occupée à s'amuser. Ensuite, il y avait eu l'accident. Et, bien plus tard, lorsqu'il était revenu définitivement, seule la patience de Mathilde avait réussi à lui ouvrir les yeux sur Élisabeth. À la vieille dame, il avait tout raconté sans rien enjoliver. Et c'est sur son épaule qu'il avait enfin pu pleurer. Elle n'avait pas cherché à le consoler de la mort de Guillaume, ni à minimiser la réelle responsabilité qu'il avait dans ce décès, mais elle l'avait aidé à regarder la vérité en face, jour après jour. La perte de son fils était irréparable, en revanche la séparation d'avec Élisabeth était une bénédiction, pas une punition supplémentaire. « Elle a voulu divorcer, remercie le ciel au lieu de te lamenter, elle t'aurait torturé jusqu'à ta mort, pauvre imbécile ! Qu'elle soit perverse, c'est évident, mais tu n'es pas masochiste, que je sache. » Avec des jugements comme celui-là, il avait fini par trouver le courage de remonter la pente.

Debout, dos à la cheminée, il croisa le regard d'Élisabeth. Qu'est-ce qui le liait encore à cette femme ?

— Il paraît que des gens se sont installés ici, dans la maison de la vieille chouette ?

— Chez Mathilde, corrigea-t-il sans s'énerver. Des Parisiens, oui.

— Les pauvres !

Il connaissait sa hargne pour le village comme pour ses habitants et, une nouvelle fois, il s'abstint de répondre. Elle vida son verre, agacée par l'attitude détachée qu'il lui opposait. Désignant l'assiette vide, elle demanda :

— Tu n'as rien d'autre à grignoter ? Mais je te dérange, peut-être… Tu avais quelque chose de prévu, ce soir ?

La curiosité était un autre de ses défauts. Elle ne croyait pas à la solitude d'Ivan et rageait de ne pas savoir ce qu'il faisait de son existence. Elle l'observa sans aucune indulgence durant quelques instants. Les rides qui marquaient les coins de sa bouche et de ses yeux ne le rendaient pas moins séduisant, au contraire. Ses pommettes saillantes au-dessus de ses joues creuses et son regard très clair sur lequel retombaient des mèches de cheveux blonds devaient forcément attirer des femmes. Elle aurait voulu les connaître pour les mettre en garde.

— Rien de prévu, non, mais je suis crevé, dit-il d'une voix ferme.

Au lieu d'aller vers la cuisine, il ramassa son blouson sur le dos d'un fauteuil et il sortit son carnet de chèques d'une des poches.

— Pas maintenant ! protesta-t-elle. Je dois d'abord téléphoner à Karen, pour chiffrer le montant exact de l'investissement. Et puis, je n'ai pas pu payer mon loyer ce mois-ci, sans parler des impôts locaux dont je n'ai même pas ouvert l'enveloppe... Je passerai te voir demain ou après-demain.

Exaspéré, il faillit se mettre en colère mais parvint de justesse à se dominer. Puisqu'elle avait décidé de revenir, rien ne l'en empêcherait. Il se demanda si elle n'éprouvait pas une sorte de satisfaction à le pousser à bout, à se venger sur lui. Mathilde, clairvoyante, avait eu raison.

— Bon, je te laisse, tu n'es pas très accueillant, tu sais...

D'un mouvement d'épaules, elle enfila son manteau qu'elle prit le temps de boutonner jusqu'au col. Puis elle le toisa une dernière fois avant de se détourner pour traverser la pièce à grands pas. La porte claqua de nouveau et il attendit que le bruit du moteur se soit évanoui pour laisser échapper un long soupir. Face à la cheminée, il appuya ses mains sur le linteau et s'absorba un moment dans la vision des flammes. Quand il se sentit un peu mieux, il alla ouvrir la porte du sous-sol, siffla doucement pour prévenir puis dévala l'escalier. Couchés l'un contre l'autre, Roméo et Diva s'étaient contentés de lever la tête.

— Est-ce qu'une petite balade vous tenterait ?

Un impérieux besoin de marcher le tenaillait à présent. Parmi les vêtements suspendus aux patères, il choisit une parka de haute montagne et une paire de gants fourrés. Une minute plus tard, il était dehors, les animaux sur ses talons. Au bout de cent mètres, Roméo le dépassa sur le sentier puis ralentit l'allure pour ne pas le distancer. Il préférait trotter en tête, Ivan le savait, pour conserver une attitude de chef de meute. Car malgré l'adoration qu'il portait à son maître, il restait quand même le dominant de leur étrange trio. Des nuages passaient à intervalles réguliers sur la lune mais l'obscurité n'était pas totale et Ivan pouvait distinguer la tache claire de son pelage qui lui servait de repère. Derrière lui, Diva ne faisait aucun bruit. Il leur faudrait moins d'une heure pour émerger de la forêt au pied des grands pâturages escarpés. C'était un de leurs parcours favoris, l'hiver, une fois que les chèvres et les vaches avaient regagné leurs étables. Roméo et Diva, très bien nourris, n'avaient aucune raison de s'attaquer au bétail, pourtant c'était un risque qu'Ivan n'avait jamais voulu courir. Depuis qu'il les avait trouvés, à peine âgés de quelques jours, il s'était procuré toute la littérature possible sur les loups. Mais il en avait déjà vus de près et en savait assez long sur eux pour comprendre tout de suite à qui il avait affaire lorsqu'il les avait découverts, petites boules de poils serrées l'une contre l'autre. Le cadavre efflanqué de leur mère gisait à quelques pas, sans doute morte de faim ou d'épuisement. Il avait cherché alentour mais les deux louveteaux semblaient seuls au monde. Il s'agissait probablement d'une première portée où la femelle ne met bas que deux ou trois petits. Où était passé le mâle ? Tué ailleurs par des chasseurs ou des bergers furieux ? Il était dans une partie de la forêt qu'il connaissait mal, très loin du village, à près de deux mille mètres d'altitude, là où les aulnes et les pins à crochets commençaient à s'espacer. Les deux nouveau-nés aux yeux à peine ouverts n'avaient aucune chance de s'en sortir et ils étaient à la merci de n'importe quel prédateur. Il n'avait hésité que quelques secondes avant de prendre sa décision puis il avait fourré les deux petites choses tièdes sous son pull. Même s'ils avaient encore un père quelque part, celui-ci serait incapable de les allaiter et ils étaient condamnés. De retour chez lui, il les avait installés dans une caisse bourrée de chiffons, au sous-sol, puis il avait essayé de leur donner un peu de lait. Dès le lendemain, il était allé à Annecy pour se procurer discrètement un biberon. Pas question de mettre le village au courant de sa découverte. Les loups faisaient peur à tout le monde depuis qu'ils avaient commencé à franchir la frontière italienne et qu'on les avait déclarés espèce protégée. Protégée par qui ? Aucun fermier de la vallée n'aurait hésité à tirer sur eux. Durant quelques semaines, Ivan était resté indécis. L'un après l'autre, les louveteaux étaient tombés malades et il les avait soignés avec les moyens du bord, refusant de mettre un vétérinaire dans la confidence. Au bout de deux mois, il s'était rendu compte qu'il ne pourrait jamais s'en séparer. Il avait reporté sur eux un immense besoin d'affection et, en les sauvant, il s'était enchaîné lui-même. Le mensonge avait suivi aisément, à la faveur d'un voyage à Chambéry d'où il avait prétendu ramener les deux « chiots ». Roméo était gris et beige, tandis que Diva avait un pelage noir – qui provenait d'un excès de mélanine dans le sang, il l'apprit plus tard –, mais ils possédaient les mêmes yeux jaunes, étirés vers le haut, et les mêmes redoutables mâchoires. Personne n'aurait dû s'y tromper et cependant les choses s'étaient réglées très simplement, chacun acceptant comme une évidence les chiens sibériens d'Ivan. Les hurlements nocturnes n'y avaient rien changé.

Essoufflé, il marqua une pause pour récupérer, ce qui fit revenir Roméo sur ses pas.

— Tu vas trop vite pour moi, mon beau…

Malgré le froid vif de la nuit, il avait chaud et il entrouvrit le col de sa parka. Élisabeth ne parviendrait jamais à le détruire tant qu'il pourrait parcourir la montagne en compagnie de ses deux loups. Il sentit Diva contre sa hanche, puis elle se dressa dans une attitude qu'il redoutait depuis qu'ils avaient atteint leur taille adulte.

— Non, je ne veux pas jouer !

Mais elle le bousculait déjà, le poussant de sa tête solide, puis elle passa entre ses jambes avant de s'aplatir devant lui.

— Je n'y vois rien, protesta-t-il. Toi, évidemment, ça ne te gêne pas…

Roméo s'était assis pour les regarder, mais dans deux minutes il allait se mettre de la partie car il était aussi chahuteur qu'elle. Ils l'attaqueraient sans bruit, l'un après l'autre, comme d'habitude. Le rire d'Ivan se répercuta à travers la forêt silencieuse lorsque Diva lui posa les pattes sur les épaules et le fit tomber.

L'air buté, Pierre secoua la tête.

— Ce n'est pas une faveur, non, ça tombait bien, c'est tout.

Bénédicte ôta ses gants de caoutchouc et les jeta dans le seau qui servait de poubelle.

— Et avant moi, lança-t-elle, comment faisiez-vous ?

L'odeur de l'étable était assez agréable, ce qui l'avait beaucoup étonnée lorsqu'elle y était entrée une heure plus tôt. Avec une appréhension qu'elle avait dissimulée de son mieux, elle avait dû se glisser entre deux croupes larges pour pratiquer le premier test tuberculinique, tandis que Pierre l'observait de l'allée centrale, un pied de chaque côté de la rigole. Il n'avait pas cherché à l'aider ou à la mettre à l'aise, la laissant faire son travail sans la troubler. À la troisième vache, elle s'était sentie un peu mieux, presque en confiance.

— Le vétérinaire venait de loin, répondit-il tranquillement, et jamais à l'heure prévue. En tant que maire de cette commune, je suis censé donner l'exemple. Je ne tiens pas à ce que vous fermiez boutique dans trois mois, c'est bien trop pratique de vous avoir sous la main. Et puis c'était la date, pour les tests...

Ensuite elle devrait revenir pour les vaccins et remplir tous les formulaires destinés à l'administration. Une paperasserie inévitable à laquelle le moindre élevage était soumis. En lui confiant ainsi son cheptel, Pierre venait de changer délibérément de praticien. Bien sûr, il avait noté sa tension du début, ses maladresses avec le gros bétail, mais comme il avait également remarqué la précision de ses gestes, il en profita pour lui demander d'ausculter la plus âgée de ses tarines [1].

1. La race tarine, originaire de Tarentaise, ainsi que la race d'Abondance sont connues pour leur robustesse dans les climats rudes. Elles produisent un lait de grande qualité.

Elle promena un moment son stéthoscope sur les flancs alezans bien lustrés, ne décelant rien d'autre qu'un cœur fatigué. Quand elle voulut examiner les yeux et la bouche, elle hésita devant les cornes effilées et cette fois il vint l'aider.

— Elles sont moins commodes que les abondances, dit-il en désignant l'autre travée. Vous devrez vous y faire parce que ces deux races-là sont la base de tous les élevages de la vallée.

Venant d'un autre, la réflexion l'aurait vexée, mais Pierre était si gentil qu'au contraire elle lui demanda :

— À quoi les reconnaît-on ?

Sans pouvoir retenir un sourire, il la prit familièrement par le coude pour la pousser vers l'allée.

— Regardez vous-même, il n'y a pas besoin d'explication !

Presque aussitôt, elle se mit à rire.

— D'accord, c'est tout simple, admit-elle. Les robes, les cornes, les taches, on ne peut vraiment pas confondre ! Je me coucherai moins bête, ce soir.

Indulgent, il la détailla quelques instants. Elle avait au moins choisi la bonne tenue. Un jean, des boots à talons plats, un blouson fourré. Elle n'avait pas l'air fragile et il eut la certitude qu'elle s'adapterait vite.

— Écoutez…, commença-t-il d'un ton embarrassé, je vous proposerais bien quelque chose, seulement il ne faut pas vous vexer.

Elle était en train de refermer sa sacoche et elle tourna la tête vers lui, intriguée.

— Venez donc passer un moment avec Danièle, un jour où vous aurez du temps, dit-il très vite. Rien que pour voir fonctionner une trayeuse, et aussi pour essayer de le faire vous-même, à la main, au moins une fois. Ma femme vous montrera comment éviter le coup de sabot ou, pire, le coup de queue. Elle vous donnera des tuyaux pour les apprivoiser. Quand on est à l'aise avec les animaux, ça se voit tout de suite.

De sa démarche énergique, elle franchit les trois mètres qui les séparaient pour venir se planter devant lui, bras croisés dans un geste de défi.

— J'ai vraiment été ridicule, en arrivant ?

— Non, répondit-il fermement.

Elle était presque aussi grande que lui et elle le regardait droit dans les yeux.

— J'accepte votre offre avec plaisir. Avec soulagement, même ! Si Danièle est d'accord, je peux rester ici tout l'après-midi. Le plus tôt sera le mieux, n'est-ce pas ?

Sa franchise était si désarmante qu'il se sentit stupide.

— Je n'ai peut-être pas présenté les choses avec beaucoup de tact, marmonna-t-il. Je ne voudrais pas que vous...

— Pierre, coupa-t-elle en lui posant la main sur le bras, vous me rendez service, nous le savons tous les deux. Les éleveurs représentent une clientèle dont je ne peux pas me passer, et l'idée qu'ils se moquent de la Parisienne effarouchée, dès que j'aurai le dos tourné, m'est très désagréable. Alors on va régler ça comme vous l'avez proposé, vous verrez, j'apprends très vite.

Peu de femmes impressionnaient Pierre, qui d'ailleurs ne regardait que la sienne, mais il éprouva un élan d'admiration pour celle-là. Ne s'embarrassant d'aucune coquetterie, n'affichant ni morgue ni honte, son attitude restait parfaitement naturelle. Il se souvint que la première fois où il l'avait revue, au cimetière, il l'avait trouvée belle, et décidément elle l'était, mais il le constatait sans attirance particulière, juste comme quelque chose d'agréable, une sorte de prime.

— On va boire un café d'abord, décida-t-il. Danièle en a toujours de prêt. Seulement, il faut que je vous prévienne, nous avons une emmerdeuse de première à la maison !

Ils avaient quitté l'étable, marchant côte à côte vers la ferme, et Pierre se sentit obligé d'expliquer :

— C'est une parente qui nous tombe dessus de temps à autre. Mais elle ne vient pas pour nous et elle se sauvera aux premiers flocons. De toute façon, elle ne vous encombrera pas aujourd'hui, elle ne s'approche pas des vaches à moins de cinq mètres.

Amusée par le ton outré de sa voix, Bénédicte lui jeta un regard en coin, sans poser de question. Lorsqu'ils pénétrèrent dans la cuisine, l'odeur d'un gâteau qui cuisait se mêlait aux effluves d'un parfum capiteux. Danièle épluchait des pommes de terre tandis que, assise en face d'elle, une jeune femme sirotait un café en silence.

— Le docteur Ferrière, Élisabeth Charlet, annonça Pierre sans enthousiasme.

Un peu surprise, Bénédicte serra la main languissante qu'Élisabeth lui tendait. Elles échangèrent un regard de curiosité. Bénédicte se souvenait vaguement d'avoir entendu dire qu'Ivan était divorcé. S'il s'agissait bien de son ex-femme, celle-ci était plutôt belle malgré son air renfrogné.

— Mais bien sûr ! s'exclama Danièle à qui Pierre venait de chuchoter quelques mots.

Déjà, elle était debout, heureuse d'échapper à la compagnie de sa cousine, et elle poussait Bénédicte vers la porte. Juste avant de sortir, elle décrocha un anorak qu'elle enfila en hâte. Dans la cour, elle désigna un abreuvoir sur lequel une pellicule de glace se formait.

— Il va geler cette nuit, annonça-t-elle.

Elle marchait d'un pas vif et, une fois qu'elles furent à l'abri dans l'étable, elle laissa échapper un petit rire très gai.

— Je suis ravie de pouvoir vous être utile !

— Mais je vous dérange, vous n'étiez pas seule.

— Oh, ne vous inquiétez pas d'Élisabeth, Pierre lui tiendra compagnie. Même si ça ne l'amuse pas !

— Elle est donc si terrible ?

— Mon Dieu, la pauvre, ce n'est pas sa faute. Quand on a vécu un drame pareil… Elle a perdu son fils unique et elle ne s'en est jamais remise.

— Quelle horreur…, murmura Bénédicte.

— Oui, c'est le pire qui puisse arriver à une mère. Je la plains de tout mon cœur mais… comment vous dire ? Eh bien, c'était quand même il y a plus de dix ans maintenant.

Bénédicte la regardait sans comprendre et Danièle ajouta, d'une voix douce :

— Bien sûr, il n'est pas possible d'oublier, seulement il faut bien vivre, n'est-ce pas ? Et c'est ce qu'elle fait à Chambéry, elle a mille fois raison, sauf que quand elle vient ici elle se croit obligée d'avoir l'air en deuil. Vis-à-vis de la famille, elle joue un peu un rôle. Vous me trouvez méchante, peut-être ?

Secouant la tête, Bénédicte répliqua :

— Vous êtes incapable de méchanceté, j'en mettrais ma main à couper.

Elles se sourirent en même temps puis Danièle désigna la rangée de croupes rondes et fauves des tarines.

— Allez, on va faire connaissance, vous verrez, c'est tout bête.

Durant plus d'une heure, elles passèrent d'une bête à l'autre, Bénédicte imitant les gestes de Danièle avec précision pour prévenir, approcher, au besoin déplacer la vache, et surtout la mettre en confiance. Ensuite il fut question d'alimentation, de maladies, de vêlage. Puis, tout naturellement, Danièle évoqua les problèmes de production laitière et les nouveaux débouchés offerts par la récente explosion commerciale du reblochon et de la tomme.

Lorsqu'il fit presque nuit dans l'étable et qu'elles commencèrent d'avoir froid, Bénédicte prit conscience de l'heure tardive. Elle se dépêcha de ramasser sa sacoche avant d'embrasser Danièle d'un mouvement spontané. Tout le long de la route jusqu'à la maison forte, elle se répéta avec satisfaction l'essentiel de ce qu'elle avait appris. Soigner du bétail serait peut-être moins difficile que ce qu'elle avait pu craindre. Les bovins n'étaient pas si effrayants, vus de près, et elle n'aurait sans doute pas de gros problèmes avec les moutons. Comme il n'était pas concevable de compter uniquement sur la clientèle des animaux de compagnie, traités ici avec beaucoup moins d'attention que dans les villes, elle n'avait pas le choix, elle devait y arriver. Et sans faux pas, en tout cas durant les premiers mois. Les rendez-vous qu'elle avait pris avec ses confrères de la région s'étaient avérés plutôt décevants jusque-là car ils l'avaient traitée en rivale sans chercher à l'aider. Si son installation avait été moins bousculée, elle aurait pu faire un stage, ou un remplacement en milieu rural, n'importe quoi qui rafraîchisse ses connaissances et lui donne de l'assurance sur le terrain. Mais Clément avait voulu aller vite, sans doute beaucoup trop vite. À tel point qu'elle avait même envisagé, quelques jours avant le déménagement, de changer ses plans et d'ouvrir plutôt un cabinet à Annecy. Les frais supplémentaires et le trajet quotidien, l'hiver, l'en avaient finalement dissuadée. Non, c'était bien dans cette vallée des Aravis qu'elle devait réussir, à elle de se débrouiller. Après tout, elle avait déjà connu cette sensation d'incompétence, durant ses études, lorsqu'elle avait été obligée de pratiquer des césariennes devant ses professeurs. Et elle s'en était toujours bien sortie. Même s'il s'agissait de souvenirs déjà anciens, elle était certaine de pouvoir refaire ces gestes en cas d'urgence.

En se garant devant la maison, elle eut pour la première fois l'impression de rentrer chez elle. Les lumières du rez-de-chaussée lui parurent la chose la plus réconfortante qu'elle ait vue depuis bien longtemps. Elle s'élança vers la porte de la cuisine, glissa sur la marche de pierre qui était gelée et n'eut que le temps de se raccrocher à la poignée. Son entrée mouvementée fit sursauter Louise ainsi qu'un grand jeune homme qui trinquait avec elle.

— Vous êtes Max, c'est ça ? s'exclama gaiement Bénédicte.

— Oui, dit-il en se levant précipitamment. Euh… Maxime Battandier, bonsoir madame.

Le regard de Louise pétillait de malice et, derrière le dos du garçon, elle adressa un clin d'œil à sa mère qui enchaîna :

— J'arrive de chez vos parents. Ils sont d'une gentillesse extraordinaire.

Il esquissa un sourire timide, hésitant à se rasseoir, puis lui demanda si elle voulait goûter le vin pétillant qu'il avait apporté. Pendant qu'il remplissait son verre, elle l'observa discrètement. La ressemblance avec Danièle était frappante. Même regard brun très doux, même sourire chaleureux. Il devait mesurer plus d'un mètre quatre-vingt-dix, ce qui faisait paraître Louise minuscule à côté de lui.

— Papa est enfermé dans son bureau depuis des heures, dit la jeune fille. Je crois qu'il est très content.

Si Clément réussissait, Louise en ferait sans doute une victoire personnelle puisqu'elle avait été la première à le soutenir.

— La saison commence bientôt, à La Clusaz ? demanda Bénédicte à Maxime pour essayer de le mettre à l'aise.

— Oui, je vais partir demain ou après-demain. Il y a déjà pas mal de neige sur les pistes les plus élevées.

Hormis sa carrure athlétique, il n'avait rien de l'image convenue d'un moniteur de ski, ni le côté play-boy, ni le bronzage. Encore une autre idée reçue à réviser.

— Je monte voir ton père, décida Bénédicte après quelques minutes de conversation.

Sa fille avait sûrement envie de rester seule avec le garçon et, pour sa part, elle avait hâte de raconter à Clément sa visite chez les Battandier. Elle le trouva devant l'écran de son ordinateur qu'il contemplait d'un air morose. Il avait enfilé un gros gilet sur son pull à col roulé, pourtant ses premiers mots furent pour se plaindre du froid.

— Ce grenier est impossible à chauffer ! Trop grand, et sans doute très mal isolé. À rester sans bouger, je suis gelé.

C'est lui qui avait voulu s'installer là, mais elle n'en fit pas la remarque.

— Pourquoi ne vas-tu pas dans le petit bureau, près de la cuisine ?

— Petit, comme tu dis ! ricana-t-il.

C'était une pièce de trois mètres sur quatre, située à l'angle de la maison, qui avait dû servir autrefois d'office ou de buanderie. Mathilde en avait changé l'usage en habillant la fenêtre d'une tringle en cuivre et de lourds rideaux de velours destinés à la protéger des courants d'air. Elle avait mis là un drôle de bureau en pin huilé, assombri par les années, sur lequel elle avait dû corriger des milliers de cahiers d'écoliers. À l'âge de la retraite, elle avait sans doute un peu délaissé l'endroit pour se cantonner à la grande salle, mais toute sa comptabilité et ses factures avaient été retrouvées dans les tiroirs. Après avoir jeté les papiers inutiles, ainsi que le vieux tapis, Clément n'y avait plus remis les pieds.

— Non, je préfère rester ici. En bas, j'entendrai tous les bruits de la maison, je serai dérangé tout le temps !

Sa mauvaise humeur ne tenait pas à la température du grenier, c'était évident. Bénédicte supposa qu'il rencontrait quelques difficultés dans la mise en route de son travail, toutefois elle s'était promis de ne pas le questionner à ce sujet.

— J'ai plein de rendez-vous à Annecy, demain, et à Chambéry la semaine prochaine, annonça-t-il. Il faut que je fasse le tour des agences immobilières, au moins les grosses.

Enfin il tourna son visage vers elle, la regarda pour de bon. La fatigue des dernières semaines avait marqué ses traits, ce qui le vieillissait un peu. Elle remarqua davantage de cheveux blancs, des joues mal rasées, un sourire forcé.

— Est-ce que tu vas bien, mon chéri ? murmurat-elle en avançant vers lui.

D'un geste presque maternel, elle passa un bras autour de ses épaules. Ils restèrent silencieux quelques instants avant qu'il se décide à répondre.

— Oui. Mais c'est une sacrée aventure, hein ? On a intérêt à croiser les doigts !

Il appuyait lourdement sa tête contre elle, à présent, sans s'apercevoir qu'elle s'était raidie.

— Ne t'en fais pas, dit-elle au bout d'un moment.

À force de se le répéter mutuellement sur tous les tons, ils allaient devenir idiots. Les choses pouvaient mal tourner, bien sûr. Elle songea avec amertume qu'elle ne voulait plus s'apitoyer sur lui, que la compassion allait finir par tout détruire entre eux. Il avait donné le change à Louise, aujourd'hui, mais en réalité il recommençait à douter. L'ordinateur se mit en veille et des formes géométriques mouvantes envahirent l'écran. Fascinée, Bénédicte suivait des yeux leur ballet de couleurs lorsqu'elle sentit les mains de Clément, toutes froides, qui se glissaient sous son pull, remontaient dans son dos. Il trouva l'agrafe du soutien-gorge qu'il défit.

— J'ai une idée pour nous réchauffer, chuchotat-il en l'attirant contre lui.

Depuis vingt ans qu'ils se connaissaient, ils avaient acquis une habitude de l'autre qui banalisait leurs rapports, et le geste imprévu de Clément les reporta soudain quelques années en arrière. Elle s'assit sur ses genoux, faisant craquer le fauteuil sous leur poids.

— Ce ne sera pas très confortable…, dit-elle à mi-voix.

Pourtant elle l'embrassa, étonnée de s'apercevoir qu'ils ne flirtaient plus depuis longtemps.

— Où est Louise ? demanda-t-il enfin, un peu essoufflé.

— Occupée… Très occupée.

Les caresses de Clément étaient douces, inattendues, mais lorsqu'il lui enleva son pull, elle fut secouée d'un long frisson. Il supposa qu'elle avait froid, ce qui le fit rire sans le détourner de son but. Sa femme était belle, bien faite, il avait envie d'elle, et aussi de prouver que l'âge ou les soucis ne changeaient rien à sa virilité. Il avait parfois besoin de ces petites victoires-là, dans lesquelles la place de l'amour restait indéterminée, mais il ne voulait pas y penser. Ni aux rares infidélités qu'il lui était arrivé de commettre. Une occasion par-ci par-là lorsqu'il dirigeait l'agence de Port-Royal. Des tentations auxquelles il n'avait pas su résister, rien d'important, pas de coup de cœur. Une parenthèse dans une vie bien réglée à l'époque, avec sa famille d'un côté et ses responsabilités professionnelles de l'autre, où la fantaisie ne faisait que renforcer l'impression de sécurité. Quand on est le patron, avait-il pris l'habitude d'affirmer en riant, il y a toujours des jeunes filles pour vous faire les yeux doux. Or il n'était pas plus héroïque qu'un autre. Par la suite, il s'était demandé si le fait d'être chômeur ne lui avait pas ôté toute séduction. Parce que, chômeur, ça signifiait battu, perdant, sans la moindre miette de pouvoir à monter en épingle. Il s'était persuadé que les femmes ne le regardaient plus de la même manière. Y compris Bénédicte. La reconquérir pouvait constituer un premier pas, mais trop facile parce qu'elle était d'accord pour tout ce qui pouvait lui rendre sa dignité. À cet instant précis, il aurait préféré tenir entre ses bras une étrangère, quelqu'un qui l'aurait choisi lui, pas la femme avec qui il avait partagé deux décennies de vie et à qui il avait fait deux enfants. Car celle-là était suspecte de complaisance.

Par défi, il la fit lever, acheva de la déshabiller, la contempla avec plaisir. Son désir était intact, c'était déjà ça. Il la prit par la main pour la conduire jusqu'au canapé de cuir, rescapé de l'appartement de Levallois qui n'avait trouvé sa place nulle part sauf dans ce grenier. Comme lui.

— Est-ce que tu m'aimes ? demanda-t-il d'un ton brusque.

La question était truquée, il en fut conscient sur-le-champ. Ce qu'il voulait savoir était juste le contraire.

— Et toi ? dit-elle, comme si elle avait deviné.

Est-ce qu'il pouvait répondre sans mentir ? Éprouvait-il le même affolement que devant l'adorable étudiante de vingt ans qu'il avait épousée ? À qui il avait juré fidélité et protection ? Alors qu'il l'avait trompée sans scrupules, sans passion, et que c'était elle désormais qui le préservait.

— Viens, souffla-t-elle, arrête de te torturer...

Oui, il fallait qu'il cesse de penser à ses échecs, à son âge, à l'incertitude des mois à venir ou à l'usure de leur couple. Le sourire de Bénédicte était rassurant, complice. Vaincu par la tendresse de sa femme, il s'allongea sur elle, referma ses mains sur les épaules rondes. Il aimait sa peau satinée, son odeur familière, ses courts cheveux bouclés si doux à caresser. Mais il lui en voulait quand même et il ne savait pas de quoi.

5

Alors que les sommets des Aravis étaient déjà blancs, la neige n'arriva dans la vallée que le dix-huit décembre. Le sol gelé fit tenir les premiers flocons, puis les chutes successives habillèrent tout le paysage de la même blancheur monotone, des sapins aux toits des chalets. À tour de rôle, les agriculteurs du village sablaient ou salaient la rue principale chaque matin, au volant de leur tracteur. Un peu plus bas dans la vallée, là où on rejoignait la route, les chasse-neige prenaient le relais.

Dans la soirée du vingt-trois, Bénédicte reçut l'appel d'un fermier pour une génisse qui semblait au plus mal. Elle trouva difficilement l'adresse mais diagnostiqua sans problème une douve qui lui donna du fil à retordre.

Il était presque neuf heures quand elle reprit le chemin du village. À l'embranchement de la départementale, elle faillit faire un tête-à-queue et se maudit de n'avoir pas encore changé de voiture. La neige tombait en tourbillons dans la lumière de ses phares, s'écrasait doucement sur son pare-brise, lui procurant une étrange sensation d'allégresse. Elle s'en était très bien sortie, elle l'avait lu dans les yeux du fermier lorsqu'il l'avait payée. En voilà un qui la rappellerait, elle en était certaine. Il faudrait qu'elle raconte cette visite à Pierre, pour le plaisir de lui donner raison. Les Battandier avaient invité toute la famille à un repas de fête, le vingt-cinq, dont elle se faisait une joie. Tout comme elle se réjouissait de l'arrivée de Laurent et de Carole, que Clément devait attendre à la gare d'Annecy en ce moment même. D'autant plus qu'elle imaginait leur excitation de gamins en découvrant ce paysage de conte de fées. Louise ne tenait plus en place depuis quelques jours, survoltée par la neige dont elle raffolait.

— Et par le retour de Maxime pour le réveillon…, marmonna Bénédicte.

En négociant très lentement un virage difficile, elle se mit à fredonner un chant de Noël. Celui que son père sifflait à tue-tête en décorant le sapin, chaque année. Ce souvenir un peu mélancolique suffit à la distraire un instant, et quand son pare-chocs entra mollement dans une congère, elle ne comprit pas tout de suite ce qui arrivait. Le moteur cala dans un hoquet. Un véritable mur de neige obstruait toute visibilité.

— Merde ! jura-t-elle en tapant du poing sur le volant.

La suite n'était pas difficile à prévoir mais elle essaya quand même. Elle remit le contact, passa la marche arrière, sentit les roues patiner en vain. Sans s'énerver, elle finit par couper les lumières et retirer la clef. Elle prit le portable, dans son sac, composa son numéro. Louise était seule, n'attendant pas son père avant une bonne heure.

— Où es-tu exactement, maman ?

— Oh, à deux kilomètres environ, rien d'insurmontable si je dois rentrer à pied, seulement ça m'embête de laisser la voiture là, c'est dangereux, et puis si jamais j'ai un autre appel urgent… En plus, il y a ma sacoche, qui est plutôt lourde.

— Tu es sur la petite route du torrent ? Alors tu es tout près de chez Ivan, lui apprit sa fille.

Comme elle partait sur ses skis de fond, chaque après-midi, pour d'interminables promenades, elle devait connaître par cœur les environs. Bénédicte ouvrit sa portière et jeta un coup d'œil mais il faisait nuit.

— Si tu veux, je l'appelle et il viendra te chercher ? proposa Louise.

— Non, attends, je crois que je viens de repérer son chalet.

Une lumière se distinguait assez nettement au milieu d'une masse sombre, sans doute proche.

— Tu ne peux pas le rater, il n'y a rien d'autre autour, affirma sa fille.

— En principe, je suis sauvée ! admit Bénédicte. Je te donne de mes nouvelles dans cinq minutes.

Elle coupa la communication, ferma son blouson puis fouilla dans la boîte à gants pour prendre une lampe électrique. Si elle avait eu la sagesse d'écouter les conseils et de changer sa voiture, elle aurait pu s'épargner le ridicule de la situation. Bon praticien, peut-être, mais aussi tête de linotte, c'est comme ça que les gens du village allaient finir par la cataloguer. La torche d'une main et sa sacoche de l'autre, elle se risqua prudemment sur la route verglacée.

— Casse-toi une jambe, ce sera complet, maugréa-t-elle.

Progressant à pas comptés, elle se dirigea vers la lumière qu'elle n'apercevait que par intermittence, à cause des arbres, mais qui était bien celle d'une fenêtre à petits carreaux. Trois minutes plus tard, elle se retrouva au pied d'un escalier de bois. Avec un soupir de soulagement, elle empoigna la rampe et, au moment précis où elle posait le pied sur la première marche, un hurlement épouvantable la cloua sur place. Le cri s'élevait, sanglotait dans les aigus, tenait interminablement la dernière note. Immobile, toujours en équilibre sur un pied, Bénédicte eut besoin de plusieurs secondes pour surmonter la terreur qui s'était emparée d'elle. Elle avait rarement eu l'occasion d'entendre un chien hurler à la mort, pourtant elle comprit que c'était ce qu'elle écoutait. Pourquoi « à la mort », d'ailleurs ? Peut-être justement pour la résonance sinistre et l'infinie tristesse de l'appel ? En tout cas, c'était un cri très désagréable.

Le souffle court, elle grimpa les dernières marches sans lâcher la rampe. La fenêtre qui l'avait guidée était celle d'une cuisine. Juste à côté, il y avait une porte pleine sur laquelle elle se mit à tambouriner, un peu trop fort. Le chien se tut immédiatement puis Ivan ouvrit quelques instants plus tard, stupéfait de la découvrir sur le seuil. Elle était pâle et serrait toujours sa torche allumée.

— Désolée de vous déranger à cette heure, bredouilla-t-elle, je suis rentrée dans un mur de neige, pas loin d'ici…

— Ne restez pas dehors, dit-il en la prenant par le bras pour l'attirer à l'intérieur.

Il la débarrassa de sa sacoche, la poussa vers une chaise.

— Vous avez eu froid ou vous avez eu peur ? demanda-t-il très gentiment.

— Les deux, je crois bien...

Agenouillé devant elle, il lui ôta des mains la torche qu'il éteignit avant de la poser sur la table.

— Je descendais de chez les Ravet, expliqua-t-elle. J'ai voulu joindre Clément pour qu'il vienne à mon secours mais il est à Annecy.

Le sourire d'Ivan était aussi apaisant que la chaleur de la pièce. Elle jeta un coup d'œil autour d'elle et discerna la silhouette d'un chien qui se tenait dans l'ombre, contre le mur du fond.

— C'est lui qui m'a effrayée, je suis stupide. Comment s'appelle-t-il ? Viens, mon beau !

Au moment où elle tendait la main dans la direction de l'animal, Ivan se redressa, s'interposant entre eux.

— Roméo, répondit-il. Il est un peu sauvage. Restez assise et il finira par s'approcher.

Il avait dit ça d'un ton presque résigné. Étonnée, elle leva la tête vers lui, croisa son regard clair.

— Est-ce qu'un petit alcool vous ferait plaisir ? J'ai une formidable vieille poire.

Sans attendre la réponse, il se dirigea vers un meuble d'angle d'où il sortit une bouteille. Elle entendit le bruit des verres qui s'entrechoquaient mais elle avait reporté son attention sur le chien. Celui-ci venait de quitter son coin obscur pour avancer prudemment de deux pas. Bénédicte l'observait, fascinée par la lenteur de sa progression, et surtout par ce que la lumière révélait peu à peu. Les yeux obliques, jaune d'or, restaient rivés à elle, particulièrement fascinants. Elle détailla le pelage gris et fauve, plus clair sur le ventre, la queue tombante et les oreilles caractéristiques. Il ne se laissa pas distraire lorsqu'une seconde silhouette, semblable à la sienne, s'encadra dans une porte entrouverte qui devait mener au sous-sol.

Ivan jeta un rapide coup d'œil au nouvel arrivant mais ne chercha pas à intervenir. L'attitude de Bénédicte indiquait plus de curiosité que de frayeur et Roméo était maintenant à quelques centimètres de ses genoux.

— Bonjour, dit-elle à voix basse. Tu es mignon comme tout, mon gros...

Elle présenta ses doigts sans hâte, très en dessous de la gueule, pour qu'il puisse les renifler. L'examen dut le satisfaire parce que ensuite il se laissa caresser. Diva surveillait la scène avec intérêt, allant et venant nerveusement le long du mur, à l'autre bout de la pièce.

— Vous vous souvenez du *Miracle des loups*, ce vieux film de Hunnebelle, avec Jean Marais ? demanda-t-elle au bout d'un moment.

— Et Jean-Louis Barrault...

— Oui. Et aussi des bergers allemands pas trop bien maquillés.

Profitant du silence qui suivit, Diva finit par approcher à son tour, mais elle s'assit à distance. Dans son pelage noir, les yeux jaunes étaient plus impressionnants encore que ceux du mâle.

— Vous l'avez vu tout de suite ? finit par murmurer Ivan.

Il semblait navré, comme un gamin pris en faute.

— Que ce sont des loups ? Évidemment ! En fin de compte, Roméo est assez sociable.

Un peu interloqué, Ivan posa un verre devant elle.

— La femelle s'appelle Diva, précisa-t-il. Elle est aussi gentille que lui, même si elle est plus trouillarde. Comment avez-vous fait la différence ?

Personne ne m'a jamais posé de question sur eux. Je ne les exhibe pas mais je ne les cache pas non plus.

— C'est mon métier, Ivan. Les oreilles, par exemple… Elles sont arrondies et courtes. La tête est massive. La musculature faciale est beaucoup plus puissante que chez le chien, mais le crâne est plus étroit. La queue est plus longue, plus basse, le poil bien plus épais. Et puis les yeux, vraiment…

Roméo avait appuyé sa tête sur la cuisse de Bénédicte, très occupé à renifler les odeurs d'étable qu'elle traînait avec elle.

— Vous lui plaisez, dit Ivan.

— Non, c'est la génisse que j'ai soignée tout à l'heure qui doit l'intéresser.

Pour ne pas rendre Diva jalouse, il était resté près d'elle et la caressait distraitement. Il prit une profonde inspiration avant de débiter, d'une traite :

— J'ai prétendu que c'étaient des chiens pour ne pas mettre Pierre dans une situation impossible. C'est un ami, mais il est aussi maire de la commune et il s'occupe du groupement d'éleveurs… Ceux qui ont des moutons haïssent vraiment les loups. Au premier incident, on aurait accusé les miens… Je les surveille d'assez près pour qu'ils ne fassent pas de bêtises.

Si Ivan, jusque-là, lui avait semblé un homme assez sûr de lui, elle le découvrait soudain mal à l'aise, intimidé, prêt à se justifier. Il devait beaucoup tenir à ses animaux, sa manière d'en parler et de les toucher le prouvait.

— Rien ne vous interdit d'avoir des loups chez vous, affirma-t-elle. Tant que vous n'en faites pas l'élevage et qu'ils ne vagabondent pas, vous ne tombez pas sous le coup de la loi. Mais vous connaissez aussi bien que moi les risques que vous prenez en gardant des animaux sauvages. Il n'y a pas beaucoup d'exemples de domestication du loup réussie. Je crois qu'ils ne sont pas faits pour ça.

— Et pour quoi, d'après vous ? Ces deux-là seraient morts, de toute façon ! Ils n'ont pas connu la vie en meute, la faim, ce n'est pas une louve qui les a élevés, c'est moi. Je sais ce que vous devez penser à propos de l'instinct, de l'atavisme, mais leur cas est vraiment particulier. Ne me dites pas que vous croyez à toutes ces balivernes, au sujet des loups ? Il n'y a pas de cruauté chez eux, ils ne sont pas sanguinaires. Ils ont une peur affreuse de l'homme et le bétail les laisse indifférents tant qu'ils ont le ventre plein !

Il avait élevé la voix, avec une certaine brutalité, comme s'il se sentait menacé.

— J'ai lu tout ce qu'a publié Ménatory, répliqua-t-elle, impassible. Il ne mésestime pas le danger, justement parce qu'il veut les réhabiliter. Mais je suppose qu'il tient à décourager les acquéreurs potentiels. Vous n'êtes pas un inconscient, j'en suis persuadée. Sinon je serais tombée dans les pommes, tout à l'heure ! Ne vous mettez donc pas en colère…

Ivan contourna la table pour venir s'asseoir en face d'elle.

— Excusez-moi, dit-il simplement.

Il leva son verre et ils burent en silence. Comme il gardait la tête basse, des mèches de cheveux blonds cachaient son regard. Elle trouva plutôt surprenant cet air angélique et pitoyable qu'il affichait soudain. Le contraire de ce qu'elle imaginait de lui, si toutefois elle avait imaginé quelque chose. Mathilde l'avait eu comme élève, elle s'en souvint, et elle supposa qu'il avait été ce genre de petit garçon à qui on donnerait le bon Dieu sans confession.

— Pour moi, jusqu'à nouvel ordre, vous avez deux *chiens*. Quitte à mentir, je parlerai plutôt d'alaskan malamutes, ils sont plus grands que les sibériens mais avec des oreilles plus petites, et ils peuvent être de n'importe quelle couleur. Quoi qu'il en soit, je dirai que j'ai à peine entrevu les vôtres, dans votre cuisine…

— C'est vrai que je vous reçois mal, s'exclamat-il, j'aurais pu vous faire asseoir ailleurs ! Mais pour le moment, on devrait plutôt s'occuper de votre voiture.

En une seconde, il avait retrouvé un sourire charmant. Et charmeur, elle en prit conscience en réalisant leur isolement dans cette pièce douillette. Louise devait commencer à s'inquiéter. Elle se leva en même temps que lui, provoquant un bond en arrière de Roméo.

— Si vous voulez, je vous dépose chez vous d'abord, proposa-t-il.

— Non, je ne vais pas vous laisser faire le travail tout seul. Il n'y a pas de raison. D'ailleurs j'ai besoin de ma voiture.

Elle s'en voulait de s'être sentie troublée, se trouvait ridicule. Tandis qu'il enfilait un gros blouson, elle but debout la dernière gorgée de poire. Dehors, le froid était devenu mordant avec un vent vif qui s'était mis à souffler au ras du sol. Il l'obligea à rester dans le Range Rover pendant qu'il attachait un câble puis mettait le treuil en route. Deux minutes plus tard, sa petite voiture se trouva dégagée de la neige et elle le rejoignit sur la route.

— Je vous escorte jusqu'à chez vous, on ne sait jamais, c'est de plus en plus verglacé, décida-t-il. Passez devant...

Avant de lui tendre la main, elle voulut ôter son gant mais il l'en empêcha.

— Montez vite, dit-il en lui ouvrant la portière.

Elle n'eut pas le temps de le remercier, il était déjà reparti vers le 4 × 4. Dès qu'elle mit le contact, le moteur démarra et elle passa la première. Dans son rétroviseur, elle vit l'appel de phares qu'il lui adressait comme un clin d'œil complice.

Le lendemain matin, Laurent et Carole s'éveillèrent l'un contre l'autre, bien serrés sous l'édredon de plumes. Leur chambre, dont personne n'avait eu le temps de s'occuper, n'était meublée que d'un grand lit haut sur pieds, de deux chaises rondes aux dossiers percés d'un cœur, et d'un coffre décoré de nœuds de Savoie. Les vitres étaient couvertes de buée, ce fut la première chose que vit Carole. Elle se dégagea des bras de Laurent, s'enroula dans les draps en grognant. Plus courageux qu'elle, il se leva pour aller jeter un coup d'œil au-dehors.

— C'est superbe, tu devrais venir voir...

Fasciné, il examina un moment les abords de la maison où tout était uniformément blanc. La neige de la veille s'était transformée en glace jusque sur les aiguilles des sapins. Le long de la route, les talus paraissaient gonflés et irisés.

— Tu veux que je t'apporte le petit déjeuner ici ? proposa-t-il.

N'obtenant aucune réponse, il décida de s'habiller sans plus attendre. Avant de quitter la pièce, il remonta l'édredon sur elle, d'un geste tendre qu'elle ne vit pas parce qu'elle s'était rendormie.

Sur le palier, il croisa sa sœur qui sortait de la salle de bains et qui se jeta à son cou. Main dans la main, comme lorsqu'ils étaient petits, ils descendirent à la cuisine où régnait déjà une ambiance de fête. Clément avait sorti la dinde du congélateur pour l'envelopper dans un torchon.

— Salut les jeunes ! leur lança-t-il avec entrain. Si vous voulez du café, il va falloir en refaire parce que nous avons tout bu, votre mère et moi !

La veille, Laurent avait eu le temps de remarquer un certain nombre de changements à l'intérieur de la maison qui était devenue très accueillante. Carole n'avait pas cessé de s'extasier, aussi sincère qu'enthousiaste, et sa bonne humeur s'était prolongée au lit.

— Il y a pas mal de corvées qui vous attendent, mes chéris… D'abord j'ai besoin d'aide pour aller couper un sapin, qu'il faudra ramener, installer et décorer. À condition de retrouver les décorations, bien entendu.

— Le carton du haut, dans le placard sous l'escalier, riposta Louise.

— Où est maman ? demanda Laurent en bâillant.

— Partie à Doussard en quête d'une voiture plus fiable que la sienne.

— Toute seule ?

— Tu la connais ! Elle s'est sentie bête, hier soir, à patiner dans sa congère.

— Et qu'est-ce qu'elle va acheter ?

— Un engin tout-terrain, je suppose. Comme ça, elle aura la panoplie complète du vétérinaire de montagne…

La phrase était ironique mais les jeunes gens ne firent aucun commentaire. Clément resta encore quelques instants à bavarder avec eux puis il déclara qu'il avait toute une liste de courses à faire et il s'éclipsa.

— Et comment se débrouille-t-il, lui ? chuchota Laurent dès que la porte fut refermée. Sa voiture n'a pas quatre roues motrices, que je sache.

— Il met des chaînes et il roule au pas, c'est pas sorcier. Maman ne peut pas se traîner, surtout en cas d'urgence, et c'est quand même elle qui va se taper le gros kilométrage.

— De toute façon, c'est elle qui se tape toujours tout !

Interloquée, Louise toisa son frère.

— Si papa t'entendait, il serait flatté…

— Mais c'est vrai, tu le sais très bien. Il n'a jamais levé le petit doigt pour l'aider à la maison, chômage ou pas. Aujourd'hui, il se sent un peu obligé parce qu'il vous a embarquées dans sa galère, et ça lui reste en travers de la gorge. Moi, quand je prépare à dîner pour Carole, ou quand je refais le lit derrière elle, je ne me sens pas brimé.

— Question de génération.

La préférence marquée de Laurent pour sa mère avait toujours semblé naturelle à Louise. Elle lui tendit un plateau.

— Pour ta dulcinée. Car je suppose que tu vas lui monter son petit déjeuner ?

— Oui, mais je redescends tout de suite. Tu as des skis pour moi ?

Les yeux brillants, elle hocha la tête.

— Je me suis débrouillée…

156

Compréhensive, Danièle Battandier lui avait volontiers prêté l'une des paires de Max quand elle lui avait annoncé l'arrivée de Laurent.

— À ski de fond, je t'ai toujours larguée ! fanfaronna-t-il, ravi.

— Tu seras peut-être surpris.

— Tu t'entraînes tous les jours, c'est ça ?

Il éclata de rire, décidément de très bonne humeur, et empoigna le plateau qu'elle avait garni.

Les doigts serrés autour du manche de la hache, Clément regarda le tronc, leva les bras et abattit la lame qui se ficha très en dessous de l'entaille faite par Ivan.

— Raté, dit-il en s'arc-boutant pour ressortir l'outil.

— Ne tire pas vers toi. Un coup en haut, un coup en bas, tu vas la dégager…

Clément changea de position pour recommencer son essai malheureux. Cette fois, la hache ne fit qu'effleurer le sapin.

— Laisse-moi faire, suggéra Ivan.

C'était lui qui avait choisi l'arbre, un bel épicéa de presque trois mètres, aux branches très fournies. Quand Clément lui avait téléphoné, une heure plus tôt, pour le remercier d'avoir dépanné Bénédicte la veille, il en avait profité pour lui demander conseil, ne sachant pas où se trouvaient les bois communaux ni ce qu'il avait le droit de couper. Finalement, Ivan s'était déplacé lui-même, apportant sa propre hache parce qu'il connaissait l'état de celle de Mathilde.

— Oui, vas-y, je ne fais que le massacrer, admit Clément.

Des coups bien rythmés se mirent à retentir dans la forêt silencieuse.

— Tu m'apprendras ? cria Clément.

— D'ici l'année prochaine, tu auras oublié !

Ivan s'interrompit, jugea son travail d'un coup d'œil rapide, puis fit signe à Clément de le rejoindre.

— À toi l'honneur. Appuie tes mains là et pousse doucement, tu vas le finir.

Il y eut un craquement sec, suivi d'un grincement déchirant, puis le sapin s'abattit en sifflant. Clément eut une moue admirative lorsqu'il constata que l'arbre n'avait rien touché dans sa chute et s'était couché exactement où Ivan l'avait prévu.

— Magnifique… Un grand moment ! Si le cristal traverse une crise, tu pourras toujours te reconvertir en bûcheron.

Très content de ce qu'il venait de vivre, il envoya une bourrade amicale dans l'épaule d'Ivan qu'il déséquilibra. Il voulut le retenir et ils s'affalèrent tous les deux dans la neige poudreuse du sous-bois. Clément mit un certain temps à se relever, tant il riait, et Ivan dut lui tendre la main pour l'aider.

— Qu'est-ce que vous trafiquez ? cria la voix claire de Louise. On vous entend de l'autre bout de la forêt !

Les jeunes gens étaient arrivés silencieusement, sur leurs skis de fond, d'abord guidés par le bruit de la hache, puis par les éclats de voix. Louise vint s'arrêter près d'Ivan à qui elle serra la main, tandis que son frère s'immobilisait devant le sapin coupé.

— Comment va-t-on ramener ça jusqu'à la maison ? demanda-t-il à son père.

— Dommage que vous ayez raté la chute, c'était grandiose, dit Clément en fronçant les sourcils.

D'un geste discret, il désignait Ivan que son fils n'avait pas encore salué.

— Bonjour monsieur Charlet, lança Laurent d'un ton à peine aimable. Décidément, la famille vous met à contribution… Hier, maman, ce matin, papa, il ne manque que ma sœur !

Et Carole, il ne l'ajouta pas mais c'était bien à elle qu'il pensait. Ivan lui adressa un signe de tête sans répondre, l'air plus amusé que vexé.

— Bon, on ne va pas camper là, ça pince, reprit Laurent, bougon. Vous avez besoin de nous pour le transport ? Il faut qu'on déchausse ?

Clément ne s'était pas posé la question et il se tourna vers Ivan. Celui-ci désigna une trouée entre les arbres, qui descendait en pente douce jusqu'à la route.

— On va le remorquer lentement, ça évitera d'abîmer les branches.

Soulagé, Clément hocha la tête, comme s'il y avait pensé lui-même, puis il tapa dans ses mains pour se réchauffer.

— Passez devant, les enfants, je vous retrouve à la maison.

Les jeunes gens s'éloignèrent, poussant sur leurs bâtons, tandis qu'Ivan dévidait un câble autour du tronc. Clément s'approcha pour observer ses gestes.

— C'est vrai, j'abuse de ton temps, mon fils me l'a fait remarquer…

Il n'était pas vraiment gêné, il voulait juste être rassuré, surpris d'éprouver une telle soif d'amitié. Durant une bonne partie de sa vie, il n'avait eu que des collègues, des clients, à la rigueur des copains, jamais de véritables amis. Pierre Battandier lui était très sympathique, mais avec Ivan il se sentait bien. Le personnage l'intriguait, l'épatait un peu, lui semblait le bon modèle à suivre pour s'imposer dans le village et dans la région. Ils avaient en commun des études supérieures, l'habitude de diriger une boîte, et aussi à peu près le même âge, ce qui les mettait sur un pied d'égalité.

— Ne t'en fais pas, je ne suis pas pressé ce matin, l'atelier est fermé pour trois jours.

— Tu accordes un congé à tes ouvriers pour les fêtes ?

— Non, pas exactement. Les fermetures sont planifiées longtemps à l'avance parce qu'on doit éteindre les fours qui normalement tournent jour et nuit…

— Il faut absolument que je monte voir ça, un de ces quatre.

— Quand tu voudras.

— Et j'en profiterai pour jeter un coup d'œil à ton système informatique, d'accord ?

Dans ce domaine-là, il pouvait briller, ce dont il n'allait pas se priver.

— Dis-moi, Ivan… Tu as des projets, pour le réveillon de ce soir ?

Il l'avait demandé sur une impulsion, sachant que l'autre était seul, mais c'était peut-être un peu tard pour s'en préoccuper.

— Oui, répondit Ivan de manière évasive.

Le sapin était solidement attaché, à présent, et ils retournèrent à la voiture.

— J'espère que ma femme en trouvera une aussi bien que la tienne ! dit Clément en tapant sur le capot du Range Rover.

— C'est souhaitable, répliqua Ivan en souriant. Parce que, hier soir, juste derrière la congère salvatrice, c'était quand même le ravin !

— Tu plaisantes ?

— Non. Mais je ne le lui ai pas dit, pour ne pas l'inquiéter davantage.

Décidément, c'était un type surprenant, serviable et attachant, et c'était vraiment incompréhensible qu'il reste célibataire.

« Avec la gueule qu'il a, il pourrait s'offrir un harem… », songea Clément. À moins que son divorce n'ait été particulièrement traumatisant. Il faudrait qu'il essaie de le faire parler, un jour. Et durant l'interminable hiver qui s'annonçait, les occasions ne manqueraient sans doute pas.

Une fois installé sur le siège passager, Clément se tourna vers l'arrière.

— Je surveille le sapin, démarre tranquille, dit-il.

Devant tant d'assurance, Ivan réprima un sourire indulgent et passa docilement la première.

Louise fut la seule à descendre tôt, le matin du vingt-cinq. Dans la maison endormie, elle mit d'abord de l'ordre durant plus d'une heure avant de se faire enfin un café. Le réveillon avait été réussi, intime et chaleureux, chacun s'étant donné beaucoup de mal, mais c'était aujourd'hui le vrai jour de fête pour elle. De la poche de son peignoir écossais, elle extirpa la lettre de Maxime. Elle l'avait lue cinquante fois au moins depuis l'avant-veille et jamais elle n'aurait pu imaginer que quelques phrases simples la bouleverseraient à ce point. Pourtant Maxime n'avait rien écrit de grandi-loquent ou de particulièrement romantique. Sa déclaration était directe, presque timide. Elle parcourut la feuille qu'elle connaissait par cœur, étonnée de ressentir la même émotion, encore intacte. Il était amoureux d'elle, désolé d'être loin, incapable d'attendre pour le lui faire savoir.

Le front appuyé aux carreaux de la cuisine, Louise se demanda si le bonheur pouvait être aussi simple que ça. Aussi nu. Rien ne l'avait préparée à un choc pareil. Toutes les histoires compliquées de ses copains, vécues par procuration, avaient fini par lui faire croire que l'amour n'était jamais sans détours. Mais là, au contraire, c'était bête à pleurer, elle était tombée sous le charme de Maxime dès qu'elle l'avait rencontré, et réciproquement. Pourquoi lui, pourquoi cet ours maladroit qui avait dix ans de plus qu'elle ?

— Et trente centimètres, au moins…, dit-elle à mi-voix.

Elle mit le lave-vaisselle en route, débarrassa la table de ses miettes et s'assit enfin devant un bol de café au lait. La grande question était de savoir comment elle allait s'habiller pour le déjeuner chez les Battandier. Impossible d'emprunter quelque chose à Carole ou de lui demander conseil. Fine mouche, la jeune fille finirait par lui faire avouer la raison de cette soudaine coquetterie. Or Louise n'avait aucune envie de se confier à qui que ce fût. C'était son secret, quelque chose qui n'appartenait qu'à elle.

— Déjà debout, chérie ? s'exclama Bénédicte sur le seuil de la cuisine. Oh, tu as tout rangé toute seule, c'est trop gentil…

Souriant à sa fille, elle se servit une tasse qu'elle but debout, près de l'évier.

— Il faut que je file, je viens de recevoir un appel urgent.

— Encore une vache ?

— Non, un chien de berger.

— Je croyais que les gens d'ici ne s'intéressaient pas à leurs cabots.

— Les bergers, oui. C'est leur assurance tous risques. Si je ne suis pas revenue vers midi, allez chez les Battandier, je vous y rejoindrai.

— Oh ! à propos, maman… Tu crois que c'est habillé, ce déjeuner ? demanda négligemment Louise.

— Je ne pense pas. Quoique… À vrai dire, je n'en sais rien. Mais si c'est le cas, tant pis pour moi. Fais-toi belle pour deux !

La porte s'ouvrit et se referma sur une grande bouffée d'air glacial. Par la fenêtre, Louise regarda sa mère monter dans le véhicule tout-terrain qu'elle avait triomphalement ramené la veille du garage. Une occasion, d'après le vendeur, un 4 × 4 Nissan, joliment appelé Patrol Baroud. Tout un programme.

Un peu culpabilisée de n'avoir pensé qu'à elle-même depuis son réveil, Louise se demanda si sa mère était satisfaite de se retrouver transformée en vétérinaire rural. Si s'équiper de bottes et de gants fourrés six mois de l'année, pour aller soigner du bétail dans les fermes isolées de la montagne, lui convenait vraiment. Bénédicte avait beau être grande et sportive, elle n'avait rien d'un baroudeur, contrairement à l'appellation ronflante de sa voiture. Mais elle était capable de s'adapter et elle semblait aussi heureuse que Clément d'être installée là. Peut-être même davantage.

La jeune fille quitta la cuisine pour gagner la grande salle dont elle ouvrit les volets intérieurs. Le somptueux sapin trônait près de la cheminée éteinte. Ils avaient ri comme des fous en le décorant, la veille, Carole juchée sur les épaules de Laurent pour accrocher les plus hautes boules. Et lorsqu'ils avaient branché les guirlandes lumineuses, le courant avait disjoncté, bien entendu. Un peu plus tard, au moment des cadeaux, Louise avait remarqué la bague que Laurent offrait à Carole et que celle-ci découvrait avec une expression mitigée. Tout l'argent de poche de son frère avait dû y passer, malheureusement c'était le symbole que, à l'évidence, Carole n'appréciait pas. Car le bijou ressemblait indubitablement à un anneau ! Laurent avait tort de s'obstiner dans cette voie, mais il était plus têtu qu'une mule. Elle se promit de ne jamais agir de la sorte avec Max, si toutefois ils avaient un petit bout d'avenir en commun.

Surveillée de près par l'homme qui avait refusé de quitter son chien, Bénédicte ruisselait de sueur sous la lumière du Scialytique.

— Passez-moi la grande pince, dit-elle d'une voix étouffée par son masque. Non, celle d'à côté… merci…

La perforation de l'estomac n'avait pas été longue à diagnostiquer, mais l'opération était vraiment périlleuse. Sans l'insistance du berger, elle ne l'aurait pas tentée. « Foutu pour foutu, faites-le ! » avait-il exigé. Et parce qu'il avait sorti en hâte une liasse de billets froissés de son portefeuille, elle avait cédé. C'était un geste d'amour et de désespoir qui n'avait rien à voir avec l'argent, elle l'avait compris. Il avait porté lui-même le briard jusqu'au 4 × 4 et l'avait gardé sur ses genoux pendant toute la route jusqu'au cabinet. Après avoir couché l'animal sur la table d'aluminium, il n'avait pas voulu s'éloigner malgré tout ce qu'elle avait pu dire. Au bout du compte, vaincue, elle lui avait demandé d'enfiler une paire de gants stériles.

Depuis plus d'une heure qu'elle était debout, ses bottes fourrées commençaient de la gêner.

— Le gros bocal, devant vous... des compresses...

Pourquoi s'était-elle embarquée dans cette galère ? Toute seule en plus, alors qu'à Paris ils auraient travaillé à deux, se relayant au besoin, et surtout sans témoin. L'incision saignait abondamment, mais ce n'était pas ce qui l'angoissait pour le moment. Elle inspira à fond, deux ou trois fois de suite, pour se détendre. L'animal réagissait assez bien, son rythme cardiaque restant régulier malgré l'hémorragie interne. Le morceau de fil de fer barbelé avait causé pas mal de dégâts tout le long de l'appareil digestif.

— Est-ce qu'il va s'en sortir ? dit la voix rauque du berger.

— Je n'en sais rien, je fais ce que je peux. Il y a des boîtes, sur le chariot, prenez celle du dessus, ouvrez-la et posez-la ici.

Autant qu'il se rende utile puisqu'il avait exigé de rester. Elle n'aurait jamais dû accepter. La suture était très délicate et elle se concentra, essayant d'oublier la présence de l'homme qui se tenait derrière elle, si près qu'elle pouvait sentir son odeur. La sonnerie du téléphone ne parvint pas à la troubler, pendant qu'elle changeait de porte-aiguille, et elle se mit à enchaîner mécaniquement des gestes d'une infinie précision.

Danièle avait bien fait les choses, comme toujours. Une salade d'écrevisses au chèvre des

Bauges avait été suivie de cuisses de grenouilles rôties à l'ail puis de pigeonneaux fermiers farcis de champignons et servis sur un gratin de marrons. Malgré les exhortations de Clément, elle avait attendu longtemps Bénédicte avant de se résoudre à faire asseoir ses convives autour de la grande table. Carole fut placée entre Laurent et Ivan, tandis que Louise et Max se retrouvaient côte à côte. Pierre et Danièle présidaient, chacun à un bout, pour la commodité du service.

Entre deux plats, Clément avait vainement tenté de joindre sa femme dont la place vide consternait les Battandier.

— Ne la plaignez pas trop, dit-il en riant, elle n'est jamais aussi heureuse que lorsqu'elle travaille.

— Mais c'est Noël, protesta Danièle.

— Les animaux n'en savent rien !

Les conversations allaient bon train, Louise occupée à parler de ski avec Max tandis que Carole était prise d'une soudaine curiosité pour tout ce qui se rapportait au cristal et au verre. Patient mais réservé, Ivan répondait le plus brièvement possible à ses questions, comme s'il devinait l'exaspération croissante de Laurent.

Lorsque la porte s'ouvrit enfin, ils discutaient tous avec une telle animation qu'ils ne l'entendirent pas. Bénédicte eut le temps de traverser la pièce avant que Danièle la remarque enfin et se précipite vers elle.

— Vous devez mourir de faim ! Venez là, je vais m'occuper de vous, j'ai tout gardé au chaud…

Hormis Clément, les hommes s'étaient levés, dans un réflexe de politesse. Bénédicte avait les traits tirés, elle ne s'était ni changée ni maquillée, mais ses yeux brillaient d'un éclat particulier.

— Alors ? lui demanda Ivan quand elle passa à côté de lui.

— Est-ce que vous connaissez Marcel Carpentier ? répondit-elle avec un sourire las.

— Oui. Un problème avec ses moutons ?

— Avec le briard. Je viens de l'opérer, et le pronostic n'est pas trop mauvais.

Parce qu'il avait été le seul à la questionner, c'était à lui qu'elle répondait. Elle faillit ajouter qu'elle était contente d'elle mais se reprit à temps.

— Ce chien est incroyable, déclara Pierre. Un gardien de troupeaux comme on n'en voit plus.

Gêné, il n'osait pas l'interroger davantage, se demandant si le secret médical existait aussi pour les vétérinaires.

— Où en étions-nous ? dit Carole à Ivan qui venait de se rasseoir.

Excédé, Laurent lui tourna le dos pour s'adresser à sa mère :

— Pas trop fatiguée ?

— Évidemment si, la pauvre ! Il faut la laisser souffler ! s'exclama Danièle en posant une assiette devant Bénédicte.

Vaguement agacé de l'intérêt suscité par sa femme, Clément se mêla à la discussion que Carole voulait absolument poursuivre au sujet des souffleurs de verre.

— Mais oui, raconte, insista-t-il, c'est passionnant. Personne n'a la moindre idée de la façon dont on fabrique un verre à pied. Tiens, celui-là par exemple ?

Il poussa l'objet dans la direction d'Ivan qui se résigna à expliquer :

— Un verre à boire est façonné par trois ouvriers verriers.

— Trois ? Pourquoi donc ?

— Le premier souffle le « buvant », le second cueille la jambe. Puis le premier la colle et la façonne, le second va cueillir le pied et l'apporte à un troisième qui le collera et façonnera à son tour. Sans compter le gamin qui porte le verre terminé à l'arche de recuisson.

Captivé, Clément laissa échapper un petit sifflement admiratif.

— Il faut absolument que j'aille voir ça de près...

— Moi aussi ! s'écria Carole.

— Ce service date de notre mariage, précisa Pierre. C'est du cristal de Bohême.

— Oui, admit Ivan avec un sourire. Pourtant il s'agit de verre quand même, mais avec une proportion de potasse qui fait qu'il se taille facilement, qu'il sonne bien, qu'il est particulièrement transparent. Son seul inconvénient est de se rayer.

Clément hochait la tête, attentif, et Carole avait posé sa main sur le poignet d'Ivan, d'un geste spontané. Penchée vers lui, elle s'arrangea pour le frôler et fut déçue qu'il se recule aussitôt. Clément fit semblant de ne s'apercevoir de rien, amusé qu'une jeune fille de cet âge, belle comme elle l'était, veuille séduire un homme de sa génération. Mais, de l'autre côté de la table, Louise foudroya Carole du regard, persuadée qu'elle allait finir par gâcher le déjeuner à force de provocation. Ivan paraissait embarrassé et Laurent n'allait pas tarder à faire un éclat. Quant à Max, il devait penser que si tous les Parisiens se conduisaient comme ça, Louise elle-même était à fuir.

— C'est divin, dit Bénédicte en engloutissant la dernière bouchée de pigeonneau.

— Réchauffé, c'est un peu sec, rétorqua Danièle, navrée.

Pierre s'était levé pour changer les assiettes et Ivan alla chercher le gâteau aux noisettes qu'il vint poser devant Bénédicte.

— Est-ce qu'il vous reste assez de courage pour le découper, lui ? demanda-t-il gentiment.

Comme lors du tout premier repas qu'ils avaient tous partagé chez les Battandier, elle eut l'impression étrange qu'il était le seul dans cette pièce à vraiment la comprendre. À deviner qu'elle était fatiguée mais fière d'elle, qu'elle n'avait pas envie d'évoquer son opération de la matinée mais qu'elle y pensait encore. C'était une sensation paradoxale, alors qu'elle était entourée de sa propre famille, et elle lui prit des mains le couteau sans le regarder. Lorsqu'elle releva les yeux, après avoir fait des parts impeccables, ce fut pour découvrir le geste furtif de Louise qui venait d'appuyer un instant sa tête contre l'épaule de Max. Mère et fille échangèrent discrètement un sourire complice.

— Alors, c'est décidé, on ira vous voir demain et vous nous expliquerez tout en détail, déclara Carole de sa voix acidulée.

Ivan n'eut pas le temps de répondre que déjà Clément s'enthousiasmait bruyamment. Il avait dû beaucoup boire, depuis l'apéritif, et il parlait trop fort. Laurent en profita pour chuchoter à l'oreille de sa mère :

— Mais qu'est-ce que vous avez, tous, à vous enticher de ce mec ?

— Tais-toi, s'il te plaît, répondit-elle sur le même ton.

Son fils était pâle, parfaitement sobre, lui, et furieux. Son antipathie pour Ivan s'était transformée en aversion, ce qui la désola.

— Il n'y est pour rien si Carole a décidé de lui faire son numéro de charme, plaida-t-elle.

— Tu le défends ? Je rêve !

Elle le toisa, soudain aussi en colère que lui. Elle n'avait aucune envie de défendre ou d'accuser qui que ce soit. Cette discussion stupide ne la concernait pas.

— Danièle s'est donné beaucoup de mal pour ce déjeuner, et moi j'ai bataillé pendant des heures pour un brave chien. Voilà ce qui s'est passé d'important aujourd'hui. Tu as fait quoi, toi, à part ta crise de rage ?

Stupéfait, il la dévisagea avant de baisser les yeux. Les conversations s'étaient arrêtées une seconde mais Ivan posa tout de suite une question à Pierre qui enchaîna sur les prévisions météo annonçant le redoux. Le joyeux brouhaha se réinstalla et Danièle, soulagée, décida qu'elle allait ouvrir le champagne.

Dehors, la nuit tombait déjà. Bénédicte se laissa aller contre le dossier de sa chaise puis alluma une cigarette. Son mouvement d'humeur était passé, pourtant elle ne regrettait pas d'avoir remis Laurent en place. Il n'avait pas le droit de gâcher un moment comme celui-ci par jalousie. Du coin de l'œil, elle vit Max qui se levait discrètement, suivi de Louise. Le jeune homme adressa un signe de connivence à son père avant de sortir. Sans doute allait-il s'occuper des bêtes pour éviter cette peine à ses parents. Alors que la porte se refermait sur eux, elle aperçut le bras de Max qui se posait sur les épaules de sa fille. Une émotion très douce la submergea en pensant à sa petite Louise – encore gamine il y avait si peu de temps – que ce grand garçon aux yeux tendres prétendait protéger. Max lui était très sympathique avec sa timidité, sa silhouette d'athlète, son sourire franc. Il ne reprendrait pas la ferme familiale mais ni Pierre ni Danièle ne semblaient lui en tenir rigueur. Il gagnait sa vie autrement et avait réussi à concilier sa passion de la montagne avec un métier, c'était déjà très estimable.

À travers la fumée de sa cigarette, elle observa Clément quelques instants. Il remplissait les coupes sans cesser de parler, ravi d'avoir un auditoire. S'il y avait bien un homme qui n'était pas fait pour la solitude, c'était lui. Elle ne parvenait pas à l'imaginer heureux dans son grenier, sans autre interlocuteur que son écran. Comment allait-il se débrouiller pour ne pas s'avouer vaincu tout en échappant à un isolement qu'il avait lui-même programmé ? Et, si jamais il échouait, voudrait-il rentrer à Paris ?

« Pour y faire quoi ? De toute façon, je ne reviendrai pas en arrière… »

Un peu étonnée, elle découvrit qu'elle avait déjà commencé à s'enraciner dans le village. Même si les appels n'étaient pas fréquents pour le moment, elle avait l'impression d'exercer vraiment son métier. Bien davantage que durant toutes ces dernières années. Et même si elle n'avait guère participé à l'aménagement de la maison forte, elle s'y sentait chez elle désormais, plus que partout ailleurs.

La certitude d'être épiée la tira de sa rêverie. À l'autre bout de la table, Ivan la fixait mais il se détourna dès qu'il croisa son regard. Elle pensa aux deux loups qui devaient attendre leur maître. Maître ? Est-ce qu'il pouvait en être sûr ?

Elle se promit de retourner les voir, sous n'importe quel prétexte. L'observation de ces animaux sauvages, ni domestiqués ni captifs, l'intéressait prodigieusement.

« Et le parc des Bauges ? Ils me répondent, oui ou non ? »

Grâce à son ancien associé, Serge, elle avait écrit, envoyé un dossier complet de candidature pour un poste à mi-temps. Elle n'avait effectué cette démarche qu'au cas où son cabinet mettrait des mois à démarrer, mais à présent elle avait vraiment envie d'aller sur le terrain pour y étudier la faune. Ce besoin d'espace, de silence, et peut-être de solitude, était nouveau pour elle.

« Comme beaucoup de choses ces temps-ci... »

Elle songea soudain au berger qu'elle avait raccompagné chez lui et qui n'avait pas dit un seul mot durant le trajet, rongé d'avoir abandonné son briard endormi car elle avait jugé plus prudent que le chien reste en observation au cabinet. Le brave homme ne lui avait pas dit au revoir, n'avait rien demandé en quittant sa voiture, mais il était resté debout à la regarder tandis qu'elle manœuvrait pour faire demi-tour. Ce qu'elle avait lu dans ses yeux était plus pathétique que n'importe quelle prière.

À regret, elle consulta sa montre puis adressa un signe discret à Clément. Ils avaient suffisamment abusé de l'hospitalité chaleureuse des Battandier, et elle était pressée d'aller voir si son malade était réveillé, s'il n'avait pas tout saccagé dans le laboratoire.

6

Le mois de janvier connut d'abord le redoux annoncé, avec des journées pluvieuses, puis le ciel se plomba pour apporter une véritable tempête de neige. Le thermomètre descendit brusquement jusqu'à moins dix et, en une nuit, un vent persistant gela tout le paysage.

Dans la maison forte, dont toutes les huisseries étaient désormais calfeutrées, les Ferrière vivaient leur premier hiver de montagne. Bénédicte en profita pour s'intéresser de plus près à ce qui l'entourait. Ce qui avait appartenu à Mathilde possédait un charme particulier, elle s'en aperçut vite. La vieille dame devait apprécier la qualité et l'authenticité des meubles, comme des objets, sans négliger pour autant leur aspect fonctionnel. Impossible d'imaginer autre chose que l'imposant vaisselier de la cuisine, par exemple, ou les bibliothèques d'angle de la grande salle, ou encore la causeuse de l'entrée. Dans la petite pièce du rez-de-chaussée, dédaignée par Clément mais si facile à chauffer, Bénédicte et Louise avaient descendu deux fauteuils cabriolets qui encombraient une chambre du premier étage. Les rideaux de velours avaient été nettoyés, le sol de tommettes passé à l'huile de lin, et elles s'installaient là des heures pour bavarder. Sur le vieux bureau de Mathilde, Louise dessinait ses plans d'aménagement de la grange tandis que sa mère décidait de telle ou telle modification dans la décoration de la maison. Cependant il ne s'agissait que d'améliorations, sans réels changements. Pas question de toucher aux vitres de couleur, cernées de plomb, qui ornaient la fenêtre de la cage d'escalier. Ni aux admirables volets intérieurs, même si certaines charnières méritaient d'être remplacées. Et pas davantage aux fourneaux de fonte sur lesquels Louise inventait chaque soir de nouvelles recettes.

Dès neuf heures du matin, Clément montait s'enfermer au grenier d'où il n'émergeait qu'au moment des repas. Il était parvenu à mettre au point son programme d'intercommunication immobilière, que deux grosses fédérations d'agents utilisaient déjà, mais ce qui le réjouissait bien davantage était d'avoir obtenu rendez-vous avec une société d'équipements de ski, à Annecy, qui souhaitait transformer son système informatique. Le fameux passage à l'an 2000 nécessitait les connaissances propres aux ingénieurs de la génération de Clément, ceux qui connaissaient encore les anciens langages comme le cobol. Chaque entreprise de la région représentait donc un contrat potentiel pour lui, et accessoirement un moyen de s'évader de la maison forte. Ainsi, quand il n'était pas rivé à son écran, il était pendu au téléphone, démarchant d'éventuels clients comme un vrai colporteur. Et Bénédicte savait très bien qu'il cherchait le contact, l'interlocuteur. N'importe quoi qui le sorte du silence.

Pour sa part, elle ne voyait pas passer les journées. En principe, le cabinet était ouvert sans rendez-vous l'après-midi mais, les patients n'étant pas encore très nombreux, Clément avait installé un Interphone qui permettait à Bénédicte de rester dans la maison. Elle en profitait pour bavarder avec Louise, astiquer quelque objet découvert au fond d'une armoire, rédiger du courrier ou lire des revues professionnelles. La matinée était consacrée aux visites, la plupart du temps chez des éleveurs où elle soignait parfois moins qu'elle n'apprenait. Avant de rentrer déjeuner, elle s'arrêtait volontiers chez Danièle ou chez Ivan. Ce dernier l'accueillait toujours avec une gentillesse déconcertante, flanqué de ses deux loups. Au début, c'était par curiosité pour eux qu'elle était retournée au chalet, mais petit à petit elle y avait pris ses habitudes. Selon l'heure, Ivan lui offrait un verre de vin blanc ou un café, et il riait de bon cœur devant ses efforts patients pour gagner la confiance de Roméo. S'il n'était pas là, elle repartait déçue mais ne montait pas à la cristallerie pour autant. Clément, lui, ne s'en privait pas. Quand il avait pianoté sur son clavier jusqu'à l'écœurement, il n'hésitait jamais à s'offrir un moment de détente en allant regarder le travail des souffleurs de verre. Il aimait l'atmosphère de l'atelier et voulait comprendre comment Ivan avait réussi dans une activité aussi marginale, mais avant tout il se donnait l'illusion d'une amitié dont il avait besoin. Ivan lui expliquait sa manière d'obtenir des commandes, la nécessité de savoir s'adapter, l'imagination indispensable pour résister face aux industriels. Son succès confortait Clément, lui donnait la preuve qu'un homme décidé et inventif pouvait toujours s'en sortir. Même si leurs professions n'étaient comparables en rien, même si leurs personnalités étaient diamétralement opposées,

Clément établissait volontiers un parallèle entre eux. Ivan lui plaisait parce qu'il écoutait davantage qu'il ne parlait, parce qu'il connaissait la région mieux que quiconque, parce qu'il représentait l'idéal de la quarantaine auquel Clément voulait s'identifier. Un parfait compromis entre homme d'affaires et montagnard, tradition et modernité, séduction et mystère.

Le parc naturel régional des Bauges avait fini par contacter Bénédicte. Sa participation à une étude de la faune sauvage serait envisageable, à compter du mois de mars, et le syndicat qui gérait la réserve était enfin disposé à la rencontrer, tout en insistant sur le fait que les biologistes ou les techniciens étaient plus importants pour eux que les vétérinaires. Renseignements pris, Serge était effectivement intervenu en sa faveur grâce à son inépuisable réseau de copains. Touchée par la générosité de son ancien associé, elle avait bavardé un long moment avec lui, par téléphone, jusqu'à lui extorquer la promesse d'une visite pour un week-end de février. Mais, lorsqu'elle avait voulu le remercier, il s'était mis à rire en affirmant qu'elle n'avait décidément aucune conscience de sa valeur.

Le briard opéré le jour de Noël s'était si bien remis qu'elle avait eu la surprise, un après-midi, de le voir franchir la porte du cabinet, suivi de son maître. Celui-ci n'avait pas fait tout ce chemin, à pied, pour une simple consultation. C'était un cadeau qu'il apportait et qu'il sortit de sa veste avec précaution. Bénédicte découvrit un foulard, plié dans un papier de soie, surchargé de chamois s'ébattant sur fond d'edelweiss et d'écussons savoyards. Marcel Carpentier n'attendit pas sa réaction pour s'en aller, son briard sur ses talons. Il avait dû effectuer cet achat exceptionnel dans la seule boutique du village qui vendait des souvenirs, choisissant ce qui lui avait semblé le plus beau pour elle. Depuis, elle n'oubliait pas de nouer le foulard sur son col roulé lorsqu'elle partait faire ses visites. Parce qu'elle savait qu'un jour ou l'autre elle rencontrerait le berger, et que c'était la seule façon de lui faire plaisir.

Comme prévu, une partie de ses revenus était assurée par la vente de médicaments. La plupart des gens qui entraient dans sa salle d'attente ne tenaient pas un chien en laisse ou un chat dans un panier d'osier, ils venaient simplement acheter les indispensables vermifuges, compléments minéraux ou antiparasitaires qu'ils ne pouvaient se procurer que chez elle. Transformée malgré elle en pharmacienne, elle se consolait en les faisant parler, stupéfaite de les découvrir si compétents. Parmi les moins de cinquante ans, rares étaient ceux qui ne possédaient pas un diplôme de technicien agricole, et il y avait belle lurette qu'ils avaient compris comment améliorer la gestion de leurs exploitations. Ils faisaient eux-mêmes les piqûres de calcium à leurs vaches, au début de l'hiver, et savaient reconnaître ou soigner la plupart des affections bénignes. Le vétérinaire n'était appelé que pour les cas graves et on profitait de son passage pour répertorier les bobos de tout le reste du cheptel.

Si dans certaines fermes l'accueil était chaleureux, dans d'autres on lui témoignait encore une évidente méfiance. Elle pouvait mesurer l'influence de Pierre Battandier à la manière dont on la regardait descendre de voiture. Certes, il parlait d'elle en termes élogieux, comptant sur le bouche à oreille, mais pour la plupart de ces montagnards endurcis, une femme était quand même supposée trop sensible pour se livrer à certains actes comme l'abattage du bétail. Pourtant seul le vétérinaire était habilité à le faire et elle s'en chargeait sans états d'âme. Elle comprit rapidement qu'elle devait raisonner – et parler – en termes de rentabilité. Une césarienne pratiquée sur une brebis coûtait le prix de l'animal et n'en valait donc pas la peine, surtout si l'on tenait compte des risques postopératoires, les conditions d'hygiène étant parfois trop rudimentaires. Elle informa donc les éleveurs qu'elle disposait d'un local, à son cabinet, où elle pouvait pratiquer ce type d'intervention sur les ovins sans avoir à facturer de déplacement et en limitant les conséquences ; une proposition bien accueillie par tous ceux qui possédaient des véhicules susceptibles de transporter leurs animaux.

Chaque soir, avant de dîner, elle se plongeait dans un bain brûlant et plein de mousse, mais c'était davantage pour se réchauffer ou se détendre que pour oublier les odeurs d'étable qu'elle finissait par aimer. De ses rares visites à Annecy, elle avait ramené une collection de vêtements confortables choisis avec soin. Frileuse, elle voulait pouvoir travailler à l'aise tout en conservant une certaine élégance. Ivan lui avait donné l'adresse d'un magasin de ski où elle avait découvert, soulagée, qu'il n'était plus nécessaire de ressembler à un gros bonhomme de neige affublé de couleurs criardes pour se préserver des intempéries en montagne.

Au début du mois de février, alors que moins d'un trimestre s'était écoulé depuis son installation, Bénédicte réalisa que le bouleversement de son existence – imposé par Clément – lui avait offert un épanouissement insoupçonnable. Elle se sentait bien, chez elle ou dans les fermes, sur les routes ou à son cabinet, parfaitement à sa place et heureuse de s'y trouver. La sensation de travailler pour rien, qu'elle avait parfois éprouvée à Paris, avait disparu. Le temps s'était comme ralenti, et elle profitait de chaque moment, de chaque rencontre. Elle redécouvrait l'envie d'apprendre qui l'avait tenaillée au début de sa carrière, une curiosité qu'elle croyait éteinte, et aussi la liberté d'improviser selon son instinct devant des situations délicates.

L'image de bonheur tranquille que lui renvoyait Louise compensait ses inquiétudes au sujet de Clément et contribuait largement à sa nouvelle sérénité. L'avenir de sa fille lui semblait sur le point de se résoudre, sans annoncer une nouvelle séparation. Quant à Laurent, l'obligation de vivre seul désormais allait lui permettre de mûrir, de s'émanciper. Et il arrivait à Bénédicte de croire que cette maison, dont elle avait failli se séparer, leur porterait chance à tous.

Satisfait de sa démonstration, Clément se retourna vers Ivan qui avait suivi toutes les étapes du programme.

— Voilà, c'est mieux comme ça ! Ton site Internet est beaucoup plus convivial, non ?

— Oui, admit Ivan avec un sourire amusé.

La virtuosité de Clément ne faisait aucun doute mais sa vanité non plus. Derrière la vitre du bureau, les ouvriers de l'atelier allaient et venaient au milieu des fours.

— C'est un spectacle dont je ne me lasse pas, dit Clément qui s'était levé pour s'étirer.

— Moi non plus, répondit Ivan. Si ce métier n'était pas si difficile, je les envierais presque.

Assis à son banc, la canne dans la bouche, l'un d'entre eux attaquait l'étape difficile de la bulle d'air qui allait déterminer tout le processus.

— Est-ce que tu sais le faire ?

— J'ai su. Mais pas aussi bien qu'eux. Tu veux regarder de plus près ?

Ivan ouvrit la porte de communication et laissa passer Clément. L'atelier était vaste, avec un plafond cathédrale à plus de six mètres, et des fenêtres en hauteur, commandées à distance, pour assurer une parfaite ventilation. Ivan avait expliqué à Clément les inconvénients des vapeurs de plomb et autres émanations toxiques qu'il fallait éliminer sans refroidir brutalement l'atmosphère. L'un des murs, en briques apparentes, était occupé par d'impressionnants fours et arches à recuire maintenus à une température infernale. Des bancs de verriers, des marbres, des établis et des râteliers s'alignaient selon un ordre rigoureux qui permettait aux ouvriers de ne pas perdre une seule seconde entre les diverses manipulations.

Les deux hommes restèrent quelques minutes près du souffleur et de son aide, fascinés par les rougeoiements du cylindre de verre qui, au bout de la canne, prenait lentement forme. Puis ils se dirigèrent vers une porte métallique, tout au bout de la pièce. Elle conduisait à un second local, un peu plus petit, où étaient emmagasinées les matières premières et où se travaillait le verre à froid. Un ouvrier, occupé à polir une pièce de cristal sur une meule en grès, ne leur accorda aucune attention car il avait l'habitude, comme les quatre autres employés, de la présence silencieuse d'Ivan.

— J'aimerais bien assister à une gravure, déclara Clément.

— Oh ! on devrait pouvoir t'offrir ça la semaine prochaine, il y a une commande en cours, répondit Ivan de manière évasive.

L'intérêt que Clément manifestait pour son entreprise aurait pu lui plaire, mais un vague sentiment de malaise l'en empêchait. Pourquoi n'avait-il pas envie que cet homme devienne son ami ? Un peu en retrait, il le détailla pensivement. La suffisance de Clément ou son parisianisme affecté ne le gênaient pas vraiment. Ni sa familiarité parfois excessive. Non, c'était beaucoup plus simple que ça, et l'idée s'imposa soudain d'elle-même avec une brutalité inattendue : il n'appréciait pas Clément parce qu'il était le mari de Bénédicte.

Bouleversé par cette révélation, Ivan s'éloigna de quelques pas. Il était trop tard pour continuer de s'aveugler ou d'ignorer qu'il attendait les visites de cette femme avec impatience ; que la croiser sur une route le rendait gai pour la journée et qu'il lui était déjà arrivé de s'endormir en pensant à elle.

La main de Clément qui s'abattait sur son épaule le fit sursauter.

— Tu as encore du boulot, des coups de fil à passer ? Je te dérange...

— Non, non ! protesta Ivan avec une véhémence inattendue.

Indécis, il faillit ajouter quelque chose d'absurde, proche de la vérité, mais finalement il préféra esquisser un sourire contraint.

— Ne me raconte pas d'histoires, tu es transparent, affirma Clément. Va travailler mais je reste là, ça m'intéresse énormément... On redescendra ensemble tout à l'heure.

— Ensemble ? répéta Ivan, éberlué.

— Tu dînes à la maison. Tu n'as pas oublié, quand même ?

Le piège se précisait mais Ivan ne voyait pas comment l'éviter désormais. Résigné, il secoua la tête.

— Je n'en ai pas pour longtemps, dit-il doucement.

Il regagna son bureau sans rien voir de ce qui se passait dans l'atelier que les ouvriers commençaient à ranger, nettoyant scrupuleusement la poussière, vérifiant la température des fours qui restaient allumés continuellement. Son agenda était ouvert, cependant il n'y jeta qu'un coup d'œil machinal avant de s'asseoir, loin du téléphone. Il n'avait aucune envie de s'occuper de ses affaires pour l'instant. D'ailleurs il n'était pas en état d'appeler ses clients ou de décrocher une commande. La vente des pièces uniques qu'il fabriquait ici nécessitait beaucoup de dynamisme et de force de persuasion. Et chaque nouveau débouché, sur un marché restreint qu'occupaient presque exclusivement les industriels, était une victoire de son imagination.

Exaspéré par ce dont il venait de prendre conscience, il alluma nerveusement une cigarette. Avec un peu de vigilance, il aurait pu comprendre plus tôt et se tenir à distance des Ferrière. À présent, c'était trop tard. Mathilde lui avait tellement parlé de Bénédicte qu'il avait dû commencer à l'aimer avant même de la rencontrer. La nièce mythique, le petit prodige de Maisons-Alfort, la femme idéale mais mal mariée… Et par la suite, bien en évidence dans la cuisine de la maison forte, cette photo d'une jeune mère radieuse portant ses enfants… « C'est bête, disait Mathilde, vos thèmes astraux sont en parfaite harmonie. » L'astrologie avait été l'une des dernières marottes de la vieille dame, avec humour et dérision car elle ajoutait, maligne : « Sait-on jamais ? » Ivan n'y croyait pas, pourtant il avait récupéré ces horoscopes dans les papiers négligés par Clément, ce qui n'était pas un geste anodin. Après Élisabeth, aucune femme n'avait compté, il y avait pris garde. Il s'était consacré à ses affaires avec acharnement, fuyant tout ce qui pouvait ressembler à un début d'histoire sentimentale. Le cauchemar de son divorce, ce naufrage qui avait failli l'anéantir, avait constitué jusque-là un garde-fou suffisant. Sauf pour Bénédicte Ferrière... Une étrangère, oui, mais terriblement familière, qu'il avait cru regarder avec une simple curiosité alors qu'il était en train d'en tomber amoureux.

Très mal à l'aise, il pensa qu'il avait vécu des situations bien pires que celle-là. Même s'il n'éprouvait pas de réelle sympathie pour Clément, il ne voulait pas se retrouver dans la peau d'un salaud. Et de toute façon, il n'était pas en état de supporter la moindre culpabilité supplémentaire depuis le décès de son fils. Donc il n'avait pas le choix. Mathilde lui avait appris que la fuite n'arrangeait rien, qu'il ne fallait compter que sur la seule volonté. Il s'était réinstallé dans la vallée où il était né, avec une affaire rendue prospère à la force du poignet, et il n'avait aucun autre endroit au monde où partir. Pour ce qu'il en savait, Bénédicte allait rester là elle aussi et, sans un prétexte valable, il serait obligé de la côtoyer. Pire encore, de la recevoir puisqu'elle appréciait sa compagnie, puisqu'elle s'était prise d'affection pour les loups !

« Bon, eh bien tu fais comme elle, comme son mari, rien d'équivoque et pas d'ambiguïté. »

Garder des rapports amicaux, essayer de les espacer un peu, considérer cette femme comme une mère de famille dont le fils avait exactement l'âge qu'aurait eu Guillaume s'il avait vécu. L'épouse de Clément. Qu'elle aimait sans aucun doute… L'idée était désagréable mais il s'obligea à l'évoquer crûment. « Mal mariée », ce n'était que le jugement abrupt de Mathilde, pas forcément la réalité.

— Très bien, allons-y, bonne soirée mon petit Ivan, marmonna-t-il entre ses dents.

Il récupéra Clément dans le deuxième atelier, l'arracha à sa contemplation d'une gravure à l'acide qui se terminait, et lui proposa de lui ouvrir la route jusqu'aux *Aravis*.

Max avait fait le chemin depuis La Clusaz pour venir dîner chez les Ferrière. La saison de sports d'hiver l'accaparait, cependant il se débrouillait pour rentrer au village un ou deux soirs par semaine, incapable de rester longtemps loin de Louise. Jusque-là, Clément avait prêté peu d'attention au fils Battandier, persuadé qu'il s'agissait encore d'un des coups de cœur sans lendemain de sa fille. Néanmoins, il s'étonna de la présence de Max, alors que ses parents n'étaient pas invités, et il remarqua pour la première fois, avec un certain déplaisir, la manière dont les deux jeunes gens se tenaient la main ou se regardaient.

Laurent et Carole étaient arrivés dans l'après-midi, par surprise, décidés à prendre trois jours de repos après des examens partiels particulièrement éprouvants. Bien entendu, Laurent avait fait la grimace en voyant arriver son père en compagnie d'Ivan. La présence de ce dernier lui était d'autant plus désagréable que, chaque fois qu'il avait voulu aborder le sujet avec Carole, elle s'était contentée de se moquer de lui, de sa jalousie excessive, de son comportement de petit garçon.

Concocté par Louise qui s'était donné beaucoup de mal, le repas avait été délicieux et s'était déroulé dans une ambiance très gaie. Max avait raconté des anecdotes irrésistibles sur les skieurs infatigables qui, à peine descendus de voiture après une nuit de voyage, se précipitaient sur les pistes et se retrouvaient sur une civière.

Après dîner, ils quittèrent la cuisine pour aller profiter du feu que Clément venait d'allumer dans la grande salle. Là, afin d'éviter tout incident avec Laurent, Bénédicte devança Carole et s'assit d'autorité près d'Ivan sur un canapé. Elle portait un jean de velours gris clair et un pull bleu pâle, un peu trop grand pour elle, qui devait appartenir à Clément.

— J'ai acheté de l'alcool de poire mais, honnêtement, il ne vaut pas le vôtre, lui dit-elle en souriant. Voulez-vous le goûter quand même ?

Sans attendre la réponse, elle le servit avant d'ôter ses mocassins d'un geste machinal. Elle s'installa plus confortablement au milieu des coussins, ses jambes repliées sous elle.

— Alors ?

— Il est correct, peut-être un peu jeune, apprécia-t-il en reposant son verre.

Il n'avait pas l'intention de boire ni de s'écarter de ses bonnes résolutions, surtout qu'elle était assez proche de lui pour qu'il sente son parfum.

— Comment va Roméo ? demanda-t-elle.

— C'est votre chouchou ?

— La femelle m'effraie davantage. La couleur, peut-être…

— Ils sont doux comme deux agneaux, rappela-t-il avec ironie.

Afin de ne pas la regarder, elle, il observait Clément qui s'était agenouillé devant la cheminée pour arranger les bûches et qui étouffait le feu au lieu de le ranimer.

— Est-ce que vous connaissez bien le parc naturel des Bauges ? interrogea-t-elle en lui posant la main sur le bras, comme si elle voulait récupérer son attention. Je vais sans doute travailler pour eux au printemps. Enfin, un peu…

— Tu fais bien d'en parler ! s'exclama Clément en se redressant. Serge a téléphoné ce matin, j'avais complètement oublié de te le dire, il sera là le week-end prochain.

— C'est vrai ? Oh, je suis ravie, c'est un amour ! Il arrive quand ?

— Vendredi soir. Il te rappellera d'ici là.

— C'est l'un de mes anciens associés, expliqua Bénédicte à Ivan. Un type adorable qui s'est mis en quatre pour m'aider.

— Vous aider à quoi ? demanda Ivan d'une voix neutre.

La réponse ne l'intéressait pas et il se contenta d'écouter poliment tandis qu'elle lui racontait les efforts de Serge pour la faire entrer au parc. Un homme qu'elle qualifiait d'adorable et d'amour en moins de quinze secondes lui devenait forcément suspect, mais Clément n'avait pas l'air d'en prendre ombrage, au contraire. Il les rejoignit sur le canapé, poussant Bénédicte qui se retrouva coincée entre eux.

— Cette cheminée est une merveille, déclara Clément. Elle ne refoule jamais, même avec du bois humide ! Évidemment, comparée à tes fours, c'est une flambée d'opérette.

Il rit tout seul de sa plaisanterie et resservit de la poire à Ivan.

— D'où te vient cette passion du verre ? Ton père était déjà dans le métier ?

— Non. Je ne vois d'ailleurs pas comment il aurait pu en vivre. Et nous ne sommes pas dans une région de tradition. En fait, il possédait une petite fabrique de meubles qu'il a fermée en prenant sa retraite. C'est là que j'ai fait l'atelier, avec quelques aménagements.

Sa réponse ne s'adressait à personne en particulier mais Bénédicte voulut en savoir plus.

— Comment vous en est venue l'idée ?

— Un hasard. Une rencontre avec un artisan en Italie.

Malgré lui, il leva les yeux sur elle et surprit son regard attentif, amical, presque tendre.

— Quand je suis revenu ici, poursuivit-il, j'avais une formation plutôt hétéroclite mais une bonne expérience commerciale. C'était une gageure de monter une affaire de ce genre et ça m'a... stimulé.

Bénédicte l'observait en songeant à la femme entrevue dans la ferme de Pierre Battandier, au drame de cet enfant perdu, à l'amitié étrange qu'il avait nouée avec Mathilde. Comme il fixait toujours les flammes, elle ne voyait que des mèches blondes, indisciplinées, qui projetaient des ombres sur son visage mince.

— C'est un curieux prénom, Ivan, pour l'époque et pour la région, dit-elle d'un ton léger. Est-ce que vos parents étaient d'origine slave ?

— Pas du tout, répliqua-t-il en souriant, ma mère lisait énormément et je suppose que ma naissance est sa période russe !

Cette fois, il s'était tourné carrément vers elle pour lui répondre, sans arrière-pensée. À l'autre bout de la salle, Louise était en train d'installer une table de bridge sur laquelle elle disposait des cartes et des jetons.

— On improvise un poker, vous êtes de la partie ? demanda Laurent qui s'était approché du canapé, suivi de Carole.

Il s'adressait à ses parents et Clément accepta de se joindre aux jeunes gens tandis que Bénédicte refusait de bouger.

— Laisse ta mère profiter en paix de mon feu, tu sais bien qu'elle déteste les jeux d'argent !

— Et vous, Ivan ? interrogea Carole en s'asseyant un instant à côté de lui, sur l'accoudoir, dans l'une de ces poses provocantes dont elle avait le secret.

— Non, merci, répondit-il, je ne vais pas tarder à rentrer.

Déçue, la jeune fille cherchait un prétexte pour le retenir mais Laurent la prit par le coude, un peu brutalement, et l'entraîna. Dès qu'ils se furent éloignés, Bénédicte murmura :

— Ne vous sentez pas obligé de rester pour me tenir compagnie. J'en connais deux qui doivent s'ennuyer ferme en vous attendant.

— Je ne crois pas qu'ils trouvent le temps long. Ils sont très joueurs et ils chahutent ensemble pendant des heures. En fait, ils s'amusent beaucoup plus que des chiens ne sauraient le faire.

— Sans se battre ?

— Oh non, elle finit toujours par s'incliner ! Leur société est très bien organisée…

Il l'avait dit avec une mimique d'excuse et Bénédicte se mit à rire. Il constata qu'il aimait sa gaieté, comme il aimait déjà tout d'elle, et il se sentit de nouveau mal à l'aise.

— Quand je pense que nous aurions pu vendre cette maison ! dit-elle soudain. Et passer à côté de tout ça…

— Vous n'étiez pas très enthousiaste, pourtant, rappela-t-il.

— Non, c'est vrai. Je n'imaginais pas que je m'attacherais si vite à des murs, ni à un village dont je n'avais quasiment pas de souvenir. Maintenant, c'est comme si j'étais née là.

Elle laissa errer son regard dans la pièce, avec plaisir, jusqu'au moment où elle s'aperçut que son fils la considérait d'un drôle d'air, depuis la table de bridge. Elle lui adressa un petit signe de complicité auquel il ne répondit pas.

— Quand les enfants deviennent des adultes, on a le sentiment de ne plus les comprendre, murmura-t-elle d'une voix songeuse.

À son tour, Ivan jeta un coup d'œil vers les joueurs.

— Vous avez beaucoup de chance, dit-il doucement. Laurent est exactement le fils que tous les parents espèrent.

L'intonation avait quelque chose de si sensible qu'elle se sentit émue. Indifférent à l'antipathie manifeste de Laurent à son égard, Ivan ne pouvait pas s'empêcher d'admirer en lui un jeune homme accompli. Tel qu'il avait dû rêver de voir son fils un jour.

— J'ai cru comprendre que votre…, commença-t-elle en cherchant ses mots. Enfin, que vous aviez subi un deuil. Mais je suis peut-être indiscrète ? Si vous ne souhaitez pas en parler…

Au lieu de lui répondre, il se leva mais elle l'imita aussitôt, lui barrant la route.

— Désolée, je suis très maladroite, s'excusa-t-elle. Je vous aime bien, Ivan, je ne voulais pas vous choquer.

Cette protestation d'amitié était la dernière chose qu'il avait envie d'entendre, pourtant il se força à sourire.

— Vous êtes directe, c'est plutôt une qualité. C'est vrai que je ne tiens pas à évoquer tout ça…

À la lumière des flammes, les yeux clairs d'Ivan avaient un éclat particulièrement fascinant et Bénédicte le dévisagea deux ou trois secondes avant de bouger.

— Je vous raccompagne, décida-t-elle.

— Non, restez devant la cheminée, je connais le chemin.

Il lui tendait une main qu'elle ignora, occupée à enfiler ses mocassins, puis elle le précéda jusqu'à la table de bridge.

— Je gagne ! leur annonça Carole d'une voix triomphante. Vous auriez dû vous joindre à nous, je vous aurais dévalisés !

Une masse de jetons s'entassaient devant la jeune fille qui avait ri trop fort toute la soirée. Clément soupira et fit signe qu'il ne voulait pas de cartes.

— Je ne reprends pas de cave, ce n'est pas mon jour de chance. Continuez sans moi.

Il se leva pour suivre Bénédicte et Ivan dans le hall.

— Les jeunes n'ont jamais sommeil, ils sont capables de jouer toute la nuit ! Attends deux secondes, Ivan, je voudrais te demander quelque chose...

Prenant soin de refermer la porte de la grande salle, il baissa la voix :

— Qu'est-ce que tu penses de Maxime ? Franchement ?

Un peu dérouté, l'autre eut du mal à comprendre le sens de la question.

— Max ? C'est un garçon formidable.

— D'accord mais, bon, ce n'est plus un gamin, et les choses ont l'air de devenir sérieuses avec Louise...

— Et alors ? s'exclama Bénédicte, interloquée.

— Alors tu imagines ta fille avec un moniteur de ski, toi ? répliqua-t-il de façon très méprisante.

Avant qu'elle puisse répondre, Ivan revint vers Clément, lui posa une main sur l'épaule comme s'il voulait l'apaiser.

— Max a vingt-sept ans et il ne gagne pas trop mal sa vie. Je le connais depuis toujours, c'est quelqu'un de très droit, il a été parfaitement élevé par ses parents, même si ce ne sont que des fermiers. Tu veux des détails ? Il a eu son bac à seize ans, ensuite il a été formé par l'école nationale de ski et d'alpinisme. Il n'est pas seulement moniteur, il est guide de haute montagne, pisteur-secouriste, et il assume très bien sa passion. Sauf qu'il a renoncé à l'escalade pour Danièle, qui avait trop peur de l'accident. Je ne sais pas ce qu'il compte faire de son avenir, mais a priori, je lui fais confiance. Qu'est-ce qui t'inquiète dans tout ça ?

Se sentant un peu ridicule, Clément secoua la tête.

— Rien… Sauf qu'elle n'a que dix-huit ans, et aucune expérience des bonshommes !

— Qu'en sais-tu, au juste ? intervint Bénédicte qui s'était rapprochée d'eux.

— Ah bon, admit-il, vexé. Si personne ne me tient au courant…

— N'importe quel homme, embrassant ta fille devant toi, te sera forcément antipathique, lui dit Ivan avec un sourire étrange.

— Si vous vous liguez contre moi, je ne dis plus rien ! plaisanta Clément.

Sa phrase provoqua un certain désarroi chez Ivan. Décidément, il ne voulait pas de ce rôle-là. Il engloba Bénédicte et son mari dans un même regard qu'il souhaitait amical, puis il gagna la porte et sortit.

La patience ne faisait pas partie des qualités de Carole, Laurent aurait dû s'en souvenir. Lorsqu'ils se couchèrent, vers deux heures du matin, et qu'il commença à lui reprocher son indifférence, sa façon de l'ignorer délibérément durant toute une soirée, et surtout cette brusque fatigue qu'elle prétextait pour ne pas faire l'amour avec lui, elle réagit violemment. Elle avait vingt et un ans, elle était libre comme l'air, et Laurent n'avait pas à lui imposer son désir comme une obligation de vieux couple. Tant qu'elle y était, elle ajouta qu'elle le trouvait aigri, aussi ennuyeux qu'un dimanche à Paris. Puis elle prit l'une des couvertures de leur lit et annonça qu'elle préférait passer la nuit seule sur le canapé de la grande salle. Avant de s'endormir, elle rajouta deux bûches dans la cheminée et ranima les braises soigneusement tassées par Clément. Aucun remords ne la troublait, bien au contraire. Elle s'était contentée de saisir l'occasion offerte par Laurent pour mettre les choses au point, mais elle n'avait pas provoqué la querelle. Elle l'aimait bien, parfois même elle l'aimait beaucoup, mais elle n'en était plus amoureuse. À plusieurs reprises, elle avait tenté en vain de mettre un peu de distance entre eux. Laurent ne comprenait pas, il se mettait à bouder ou l'accablait de déclarations. Deux ans plus tôt, lorsqu'ils avaient commencé à sortir ensemble, elle avait fait pâlir d'envie toutes les filles parce qu'à ce moment-là il était la coqueluche de la fac de droit. Le bel indifférent au regard sombre, l'étudiant surdoué qui se mêlait rarement aux autres l'avait séduite par son mystère. Hélas ! au bout du compte elle n'avait découvert qu'un petit-bourgeois. Séduisant mais déjà casanier, brillant mais beaucoup trop jaloux, planifiant l'avenir avec une inquiétante minutie. De quoi la faire fuir, elle qui voulait voyager au bout du monde et multiplier les expériences.

Elle se réveilla avant le lever du jour et se demanda d'abord comment échapper aux questions que Bénédicte ou Louise, irréductibles lève-tôt, ne manqueraient pas de lui poser en la trouvant là. Après avoir replié la couverture, elle s'aventura dans le hall où elle décida de s'équiper pour sortir. Elle descendit jusqu'au village par la route, ravie d'entendre crisser la neige sous ses snow-boots, savourant l'impression de solitude que procurait le silence de la vallée. Sur la place, le bistrot était éclairé et elle s'y réfugia aussitôt. Devant un bol de café et des tartines, elle eut enfin une pensée indulgente pour Laurent. À son réveil, il allait la chercher dans toute la maison. S'il se montrait malin, il suivrait sans peine ses traces dans la neige. Mais peut-être resterait-il au coin du feu, drapé dans sa dignité, ou proposerait-il à sa sœur une balade à ski ?

Attablée près de la vitre, elle vit le Range Rover gris métallisé d'Ivan se garer devant le bar. Retenant son souffle, elle l'observa tandis qu'il descendait, claquait sa portière, puis se dirigeait vers elle sans la voir. C'était mille fois mieux que tout ce qu'elle avait pu espérer comme aventure matinale. Et comme revanche sur les bouderies ou les reproches de Laurent.

Ivan secoua ses bottes avant d'entrer. La neige avait dû se remettre à tomber car quelques flocons étaient accrochés dans ses cheveux et sur le col de sa parka. Il salua gaiement le patron avant de remarquer Carole, l'unique cliente de la salle. Elle lui fit signe d'approcher, recula même une chaise d'un geste autoritaire pour qu'il prenne place à côté d'elle.

— Vous vous levez tôt ! fit-elle remarquer, les yeux brillants.

— Je ne suis pas en vacances, répondit-il d'un ton neutre.

Il n'avait aucune envie de s'asseoir à sa table mais il ne voulait pas se montrer désagréable. Le patron du café trancha pour lui en apportant sa tasse et il fut obligé de céder.

— Puisque nous sommes seuls, lui dit Carole, je vais vous faire un aveu, vous me plaisez beaucoup.

C'était une déclaration tellement incongrue qu'il leva les yeux au ciel.

— Vous ne parlez pas sérieusement. Dans cinq minutes, vous regretterez d'avoir proféré une bêtise pareille.

Le sourire qu'elle lui adressa aurait charmé n'importe quel homme. Elle était vraiment ravissante, mais elle le savait et en abusait sans scrupule.

— Pourquoi une bêtise ? demanda-t-elle à mi-voix. Et pourquoi n'irions-nous pas prendre un autre café chez vous ?

Cette fois, elle passait les bornes, il le lui fit comprendre en posant de la monnaie sur la table. Il tourna un peu la tête pour regarder au-dehors où le ciel plombé commençait de s'éclairer. La neige tombait plus dru, à présent, et s'écrasait sur la vitre devant eux. Elle continuait de l'observer, un peu surprise du désir aigu qu'il lui inspirait. Jusqu'ici, les hommes de quarante ans ne l'avaient pas particulièrement attirée, cependant celui-là était différent. La première fois qu'elle l'avait vu, à la terrasse de ce même bistrot, l'été précédent, il lui avait semblé environné de tout le mystère qui manquait à Laurent. Elle avait été troublée par la couleur étrange de ses yeux, le son de sa voix, et elle s'était promis de le séduire. Par la suite, l'indifférence qu'il avait manifestée à son égard n'avait fait qu'attiser son envie, au lieu de la décourager. Et elle était assez sûre d'elle pour ne pas laisser passer l'occasion unique de ce tête-à-tête imprévu.

— Je pars travailler, dit-il en se levant. Si vous voulez, je vous dépose chez les Ferrière.

— Pas tout de suite ! protesta-t-elle. Vous n'êtes pas à une seconde près, quand même ?

Elle le provoquait du regard avec une insolence qui amusa Ivan. Il aurait dû se sentir flatté ou même, pourquoi pas, profiter de l'aubaine. Il avait suffisamment d'expérience pour comprendre qu'elle ne jouait pas la comédie. S'il la ramenait chez lui, elle ne lui laisserait pas le loisir de reprendre son souffle. Élisabeth s'était comportée de la même façon avec lui, autrefois. Lorsqu'il avait vingt ans de moins. Et peut-être continuait-elle encore aujourd'hui à subjuguer d'autres hommes de cette façon.

— Venez, insista-t-il, ou vous devrez remonter à pied. Je suis pressé.

Déçue, elle le suivit à contrecœur. Elle n'avait pas l'habitude de l'échec et elle se sentait vexée. Dehors, la neige tombait toujours et ils se hâtèrent de monter en voiture. Elle ne lui adressa pas la parole jusqu'à la maison mais, au moment où il arrêtait la voiture, elle lui posa la main sur le bras.

— Est-ce que vous me trouvez moche ? demanda-t-elle d'une petite voix d'enfant gâtée.

— Vous êtes superbe, répondit-il en souriant, mais beaucoup trop jeune pour moi, c'est tout.

Sa réponse lui plut et elle se pencha pour l'embrasser sur la joue, exactement au moment où la portière s'ouvrait avec violence. La tête hirsute et furieuse de Laurent apparut tandis que la neige s'engouffrait dans l'habitacle.

— Ne vous gênez pas, faites ça devant la porte ! hurla-t-il.

D'un geste calme, Ivan le repoussa pour pouvoir descendre.

— J'ai rencontré Carole au bistrot de la place et je vous l'ai ramenée, rien de plus, dit-il en faisant face, serein.

— Vous espérez que je vais croire ça ? lui lança rageusement Laurent.

196

Carole en avait profité pour faire le tour de la voiture et elle apostropha le jeune homme.

— Ne sois pas ridicule ! Rentre…

— Tu te comportes comme une vraie garce !

— Je ne suis pas ta femme, pas ta chose ! J'ai le droit de boire un café avec qui je veux.

— Bien sûr ! Avec ce mec, comme par hasard ! Ne me prends pas pour un con, en plus !

Poussé à bout par la nuit passée à ressasser sa colère, frustré de ne pas l'avoir trouvée au petit matin pour la réconciliation qu'il était prêt à lui offrir, ensuite inquiet, puis jaloux, et de nouveau malade de rage lorsqu'il avait aperçu par la fenêtre de la cuisine le 4 × 4 d'Ivan, il eut beaucoup de mal à ne pas lever la main sur elle. D'autant plus qu'elle affichait un petit sourire narquois, décidée à ne pas perdre la face.

— Tu vas attraper la crève, laissa-t-elle tomber.

Elle s'était appuyée au capot, comme si elle avait tout son temps pour cette scène dont elle était l'enjeu. Impuissant devant sa désinvolture, Laurent reporta sa colère sur Ivan.

— Foutez le camp ! Laissez-nous tranquilles !

— Calmez-vous un peu, lui dit gentiment Ivan, c'est vraiment un malentendu.

— Et pour ma mère aussi, c'est un malentendu ? Il faut être aveugle comme papa pour ne pas vous casser la gueule !

Il avait crié si fort que Clément, qui venait de sortir à son tour, entendit parfaitement la phrase.

— Laurent !

Étonnée par le tour que prenait la querelle, Carole s'écarta pour laisser passer Clément qui paraissait aussi furieux que son fils. Il le saisit par le bras, s'interposant entre Ivan et lui.

— Qu'est-ce qui te prend ? C'est quoi, ce scandale ?

— J'en ai marre de tes prétendus amis ! lui jeta Laurent. Je trouve Carole en train d'embrasser ce type, et tu voudrais que ça me plaise ? Je n'ai pas ta complaisance, moi ! Ne me dis pas que tu ne vois pas ce qui se passe, il y a des mois qu'il tourne autour de maman !

Tandis que Clément dévisageait son fils sans comprendre, la voix grave d'Ivan s'éleva derrière lui :

— Vous allez un peu loin, jeune homme, et vous mélangez tout. Je ne crois pas avoir jamais eu une attitude déplacée avec votre mère.

Son calme permit à Clément de se ressaisir. Il poussa Laurent vers la maison.

— Rentre, dit-il d'un ton sans réplique. Vous aussi, Carole. Allez vous expliquer plus loin tous les deux.

Il attendit de les voir disparaître dans la maison avant de se tourner vers Ivan qui murmura :

— Je suis désolé. Il ne s'est évidemment rien passé avec la petite. Je l'ai trouvée chez Paul et je lui ai proposé de la remonter jusqu'ici. J'ai supposé qu'ils avaient dû se disputer mais je ne lui ai rien demandé.

— Oh ! tu lui as tapé dans l'œil depuis le début, ce n'est un secret pour personne… Je te trouve même héroïque d'avoir résisté à ses avances ! Évidemment, ça rend fou Laurent.

Clément parlait sans rancune, pourtant Ivan jugea nécessaire de poursuivre.

— Quant à Bénédicte, je ne…

— Laisse tomber, je ne suis pas inquiet ! Il fallait bien qu'il te reproche quelque chose et il sait très bien que tu n'as jamais regardé Carole. C'est à elle qu'il devrait s'en prendre. Je pense même qu'il devrait la quitter, mais ce ne sont pas mes oignons, il est majeur et vacciné. Elle le fait tourner en bourrique, elle le provoque, c'est peut-être un jeu ?

— Amusant pour personne. Je ne pense pas que ton fils y trouve le moindre plaisir. Elle est authentiquement provocante.

— J'imagine…, admit Clément qui restait perplexe.

Cette histoire le dépassait un peu, sans vraiment le surprendre. L'éclat de Laurent était prévisible depuis un moment, mais pourquoi y avait-il mêlé sa mère ?

— Il faut que j'aille travailler, s'excusa Ivan.

Sans réfléchir, Clément lui tapa amicalement sur l'épaule. Il sentait qu'Ivan était en train de prendre ses distances et cette perspective lui déplaisait.

— Tout ça n'est pas grave, s'exclama-t-il avec un sourire contraint.

— Non, seulement désagréable. Pour toi aussi, je suppose.

— Pour moi ?

— Clément…, soupira Ivan, je ne drague pas ta femme.

Il attendit un instant, puis monta dans sa voiture et démarra aussitôt. Les flocons tourbillonnaient, à présent, noyant les contours de la maison forte. Les feux arrière du Range disparurent et Clément s'aperçut qu'il avait très froid.

Bénédicte était partie tôt, appelée par un fermier inquiet au sujet d'une vache. Sur place, on la conduisit dans une étable mal tenue où un bétail maigre allait et venait à sa guise. La vache en question était en train de mourir, couchée sur le flanc. L'un de ses antérieurs présentait une fracture ouverte, avec une vilaine plaie infectée, conséquence probable d'une chute. Il était beaucoup trop tard pour tenter quoi que ce soit et Bénédicte annonça qu'il fallait l'abattre, ce qui déclencha les lamentations, puis la colère du fermier. L'affaire prit un certain temps et ne s'acheva qu'avec l'arrivée de l'équarrisseur.

Lorsqu'elle rentra, un peu avant le déjeuner, la maison lui parut bien silencieuse. Elle monta jusqu'au grenier où elle trouva Clément assis devant l'écran de son ordinateur.

— Où sont passés les enfants ? demanda-t-elle. Partis en promenade ?

Elle traversa la grande pièce et vint se laisser tomber sur un tabouret près de lui.

— Toutes les fermes ne ressemblent pas à celle des Battandier, tant s'en faut ! déclara-t-elle en extirpant un paquet de cigarettes de la poche de son gilet. Je sors d'un vrai bouge. Le type était confit dans l'alcool, irresponsable, et ses locaux sont insalubres.

— Ah bon ? En tout cas, tu as une mine resplendissante, dit Clément qui la regardait d'un drôle d'air. Tu es très belle, en ce moment…

Il lui ôta le briquet des mains pour lui offrir du feu lui-même.

— Et il paraît que tu fais tourner les têtes, dont celle d'Ivan, le pauvre… Enfin, ça, c'est la version de ton fils qui nous a fait une crise tout à l'heure. Il ne s'est rien passé d'extraordinaire, mais il a pris la mouche.

Silencieuse, un peu sur la défensive, elle l'écouta raconter en détail l'algarade de la matinée.

— Ensuite ils se sont engueulés pendant plus d'une heure, Carole et lui, puis ils ont demandé à Louise de les conduire à Annecy pour y prendre le premier TGV. J'ai quand même réussi à coincer Laurent cinq minutes avant son départ et il s'est platement excusé. Il a bien été obligé d'admettre qu'Ivan n'a jamais jeté le moindre regard à Carole, qui se conduit comme une allumeuse.

Il s'interrompit pour reprendre son souffle et Bénédicte en profita pour demander, d'un ton mesuré, quel rôle elle était censée tenir dans cette histoire. Clément se mit à rire, puis il se leva et vint embrasser sa femme sur la bouche.

— D'après Laurent, je devrais casser la figure d'Ivan.

— Et pourquoi ça ?

— Parce qu'il ne te quitte pas des yeux et qu'il ne parle qu'à toi.

Au lieu de protester, ou d'en rire, elle se contenta d'écraser son mégot avec soin, sans faire le moindre commentaire. Elle n'était pas indifférente à ce que Clément venait de dire. Au contraire, elle éprouvait une sourde satisfaction qui n'avait rien à voir avec de la vanité. Comme c'était la seconde fois que Laurent accusait Ivan, il avait forcément remarqué quelque chose qui avait échappé à Clément, et à Bénédicte elle-même. Et si c'était vrai, c'était plutôt agréable.

— Qu'est-ce que tu penses de tout ça ? interrogea-t-elle enfin.

— Rien. Laurent a toujours été d'une jalousie maladive. Y compris avec toi ! Les types du genre d'Ivan le mettent mal à l'aise.

— Quel genre ?

— Sûr de lui, arrivé, ce que notre fils n'est pas encore. En plus, il faut bien reconnaître qu'Ivan a ce qu'on appelle une belle gueule, non ?

Bénédicte se dispensa de répondre tout en songeant qu'il avait aussi de belles mains, une belle voix et une belle silhouette, sans parler de son regard.

— Bref, l'incident est clos, j'espère que Carole ne mettra plus les pieds ici. J'aime beaucoup Ivan et je ne suis pas sûr qu'il ait bien pris la chose. Passe le voir, à l'occasion, pour qu'il n'y ait pas de malentendu.

Cette fois, elle dévisagea Clément pour s'assurer qu'il ne plaisantait pas. Mais non, il ne pouvait pas deviner ce qui n'existait pas, ou si peu.

— Avant que Louise ne revienne, je veux te parler d'un truc beaucoup plus sérieux, enchaîna-t-il. Figure-toi que j'ai reçu une drôle de proposition, ce matin...

— De qui ?

— D'une agence d'Annecy. Ou plus exactement du propriétaire de deux grosses agences immobilières.

Son air à la fois triomphant et un peu gêné n'annonçait rien de bon.

— Et, je te le donne en mille, il me propose la direction d'une des deux !

— Comme ça ?

— Non, je l'ai déjà rencontré plusieurs fois puisque j'ai travaillé sur son système informatique. On a bavardé, je lui ai expliqué tout ce que j'avais fait à Paris... Il veut un homme d'expérience pour diriger son équipe de négociateurs, alors il m'a appelé en me demandant ça comme un service.

Quand je pense à ce que j'ai galéré sans rien trouver, pendant des mois, et là, je suis tranquillement dans mon coin...

— Mais tu aimerais bien en sortir ?

Soulagé d'être si bien compris, il lui adressa un sourire ravi.

— Disons que ce serait une situation intéressante. J'ai déjà été échaudé, et je saurai quoi faire si je me retrouve au chômage. Mais l'idée de pouvoir bouger, voir du monde et pratiquer la vente sur le terrain... C'est vraiment tentant !

Quand il s'animait ainsi, Clément retrouvait tout son charme de bateleur.

— Tu sais que j'adore Annecy, la perspective d'aller travailler tous les matins dans la vieille ville me réjouit beaucoup.

Les canaux, les passerelles et les pontons ne justifiaient sûrement pas son exaltation. C'était plutôt la perspective de renouer avec son ancien métier qui le galvanisait. Il avait trop le goût du commerce pour rester seul dans son grenier, elle l'avait toujours su. Tout comme elle comprit qu'il avait déjà pris sa décision, et peut-être même donné sa réponse. Et c'était bien parce qu'il était entièrement préoccupé de cette nouvelle étape professionnelle qu'il n'accordait aucune attention aux mises en garde de son fils. Vingt ans auparavant, il se serait montré plus méfiant, plus jaloux.

— Tu ne pourras pas faire la route matin et soir avec toute cette neige, fit-elle remarquer d'une voix lasse.

— Oui, admit-il, ça peut poser des problèmes quelques semaines par an. Mais j'ai toujours la possibilité de passer une nuit à l'hôtel, ou même de louer un petit pied-à-terre en ville. Je serai bien placé pour dénicher quelque chose de pas cher !

Il avait donc arrangé les détails, aplani les difficultés par avance.

— Tu as raison, dit-elle lentement.

Autant le laisser aller puisqu'il y était résolu. Elle aurait dû s'insurger, refuser la solitude des nuits d'hiver, lui rappeler que c'était lui qui avait imposé cette maison comme foyer, mais elle préféra se taire. Être la femme de Clément ne lui donnait pas le droit de l'emprisonner. Quittant son tabouret, elle lui adressa un sourire désinvolte.

— Allons nous occuper du déjeuner, j'ai plein de rendez-vous cet après-midi ! lança-t-elle gaiement.

Les mains enfouies dans le pelage de Roméo, Ivan avait retrouvé son calme. Bénédicte devait maintenant connaître les détails de l'esclandre provoqué par son fils. Peut-être en riait-elle. Ou bien elle était choquée, furieuse. De toute façon, il ne pourrait jamais plus la croiser sans se sentir ridicule.

Allongé sur le dos, en travers de son lit, il continuait de caresser le loup qui avait posé sa tête sur le bord du matelas et le fixait de ses yeux jaunes.

— On va partir en voyage, tous les trois, murmura Ivan.

Le plus simple était de fuir. Deux ou trois fois par an, il montait à Paris pour y rencontrer des acheteurs, et son atelier de verrerie ne tenait que grâce à son acharnement pour découvrir de nouveaux débouchés. Il avait plusieurs clients à voir et à convaincre, il lui suffisait d'organiser rapidement ses rendez-vous. Il s'installait toujours au même endroit, un hôtel à Saint-Germain-en-Laye, où il avait ses habitudes et où la proximité de la forêt lui permettait de faire courir Roméo et Diva. Le reste du temps, ils attendaient sagement dans le Range Rover, comme deux bons gros chiens de garde.

Ivan roula sur le ventre et le loup commença à lui mordiller l'oreille.

— Arrête, grogna Ivan, je ne suis pas ta mère…

D'un coup de patte autoritaire, Roméo lui laboura l'épaule et réussit à le faire tomber sur le tapis. Il émit un bruit rauque, très particulier, qui tenait du jappement et du grognement, signe infaillible qu'il voulait jouer.

— Non ! protesta Ivan en se débattant.

À tâtons, il chercha la nuque de l'animal puis l'empoigna par la peau du cou. Instantanément, Roméo se coucha à côté de lui, penaud. En signe de paix, Ivan l'embrassa sur les babines.

— Il faut que je m'en aille, lui chuchota-t-il, je suis amoureux comme un gamin de quinze ans…

Au lieu de se relever, il appuya sa tête contre le flanc tiède du loup. Il allait lui falloir beaucoup de courage pour se sortir de cette histoire. Et surtout pour abandonner délibérément une sensation aussi intense. Quelque chose qu'il n'avait pas éprouvé depuis sa jeunesse.

— Je vais tout régler aujourd'hui, on partira demain, décida-t-il.

Mais il n'avait aucune envie de bouger, de monter à l'atelier, de téléphoner durant des heures.

— Amoureux, répéta-t-il en fermant les yeux, étonné de se complaire dans un tel désastre.

7

La réunion durait depuis plus de deux heures et piétinait, mais Bénédicte continuait d'écouter avec attention le récit des gardes forestiers. La présence de loups dans le parc naturel des Bauges n'avait pu être établie, faute de témoin visuel, cependant l'inquiétude s'installait peu à peu dans la région.

— Hormis celles de Haute-Maurienne ou du Mercantour, aucune meute n'a été identifiée, poursuivit l'ennuyeux scientifique qui avait pris la parole. Les loups remontent l'axe alpin, c'est sûr, et ils finiront bien par arriver en Haute-Savoie, mais pour le moment, ils n'ont pas été signalés. Il faut rester vigilant, c'est tout ce que nous pouvons faire.

— Pas question de connaître les difficultés du parc des Écrins ! s'emporta l'un des responsables. Là-bas, des dizaines de brebis ont été égorgées. Même chose sur le plateau du Vercors. Les groupements d'éleveurs ne nous pardonneront pas la moindre négligence, je vous préviens !

— Le loup aussi doit être protégé, soupira l'étho-logue [1]. La fédération France-nature-environnement refuse qu'il serve de bouc émissaire.

_____

1. Chercheur spécialisé dans l'étude des comportements animaux.

Il poussa une feuille de papier sur la table autour de laquelle ils avaient tous pris place au début de la matinée.

— Vous avez lu la circulaire du ministère ? C'est écrit en toutes lettres, il faut assurer la cohabitation entre le pastoralisme et le loup, espèce sauvage faisant partie de notre patrimoine naturel !

Excédé, l'administrateur de la commission se leva.

— C'est ridicule, ça ne marchera jamais, c'est antinomique.

— Pas forcément, murmura Bénédicte.

Toutes les têtes se tournèrent vers elle avec un bel ensemble.

— Comme chacun sait, poursuivit-elle d'une voix plus ferme, le loup attaque pour manger, pas pour blesser. C'est un prédateur utile à l'équilibre de la faune. Et même si nous devons faire face à des incidents, dans notre parc, il faudra éviter les amalgames. Il n'y a pas que les loups qui s'en prennent au bétail, il faudrait aussi recenser les lynx, les chiens errants…

— C'est le rôle des observateurs, sur le terrain ! railla l'administrateur. Vous en faites désormais partie, madame Ferrière, mais je ne vous souhaite pas pour autant de vous retrouver nez à nez avec des loups affamés !

— Aucune chance, ils n'approchent pas les humains, répondit-elle sans s'énerver.

Convoquée d'urgence, alors qu'elle ne devait prendre ses fonctions que trois semaines plus tard, Bénédicte avait fait la connaissance des responsables du parc le matin même. L'ordre du jour portait sur les derniers événements survenus dans les Alpes. Partisans et opposants, qui s'affrontaient sans s'écouter, avaient tout de même pris la précaution de s'entourer de spécialistes afin d'impressionner le préfet.

— La France a signé les accords de Berne en 92, rappela un agent de l'Office national de la chasse. Nous avons ratifié une convention qui réglemente la protection de l'espèce, il n'est pas question de se comporter comme des sauvages.

L'un des scientifiques se leva pour répondre et Bénédicte étouffa un soupir agacé. Comme toujours, il y avait un monde entre la théorie et la pratique. La réimplantation de l'ours dans les Pyrénées était une question tout aussi épineuse, et tous les technocrates enfermés dans les bureaux des ministères n'avaient aucune idée de la réalité.

— Nous avons voulu faire comme les Américains à Yellowstone, mais eux disposent d'espaces infinis. C'est loin d'être le cas chez nous ! Nos ours ne sont jamais loin des populations, c'est… préoccupant. Le problème se posera de la même manière pour les loups.

— La preuve, dans l'Isère certains bergers ont déjà renoncé à la transhumance, annonça un garde. Il y a un vent de panique sur le massif de Belledonne où un troupeau a été décimé. Mais là non plus personne n'a vu le ou les coupables de ce massacre, et il est très possible qu'il s'agisse de chiens errants. Ce ne serait pas la première fois ! Le docteur Ferrière a raison, c'est trop facile de crier au loup.

Bénédicte le remercia d'un signe de tête. Depuis longtemps, bien avant qu'elle ait eu l'occasion d'approcher ceux d'Ivan, les loups la fascinaient. Mais maintenant qu'elle connaissait Roméo et Diva, elle risquait d'être encore plus partiale. Elle songea un moment aux yeux jaunes de Roméo et, par association d'idées, au regard de son maître.

Autour d'elle, les gens commençaient à rassembler leurs notes pour les ranger dans les inévitables mallettes de cuir. Les dossiers mettraient des mois à remonter la hiérarchie et, pendant ce temps-là, les bergers allaient sûrement dévaliser les armuriers. Elle se leva avec les autres, serra les mains qu'on lui tendait et promit de commencer ses observations dans le parc dès le lundi suivant. Son contrat stipulait quarante heures par mois, à répartir sur deux matinées chaque semaine et assorties d'un rapport trimestriel détaillé. En échange, les gardes mettraient à sa disposition un engin tous terrains, des cartes d'état-major et des jumelles. Pour le moment, elle n'avait pas d'autre directive que le recensement.

Sur le parking, elle récupéra sa voiture et se dépêcha de reprendre la route. Elle n'aurait probablement pas le temps de déjeuner avant de commencer sa consultation de l'après-midi, mais c'était sans importance, elle préférait sauter les repas lorsque Clément n'était pas là. Un sandwich accompagné d'un verre de roussette, en compagnie de Louise, lui semblait de loin préférable.

Depuis qu'il avait pris la direction de l'agence d'Annecy, Clément avait retrouvé tout son entrain. Il faisait le trajet matin et soir sans se plaindre et n'avait dormi que deux fois à l'hôtel. Ces nuits-là, Bénédicte s'était étalée avec plaisir en travers de leur grand lit, bénissant la tempête de neige. L'absence de son mari, loin de l'attrister, lui offrait quelques heures de solitude et de réflexion somme toute appréciables. Chaque dimanche, Clément improvisait des sorties qui les ramenaient vers la ville, comme s'il ne pouvait plus s'en passer. Il lui avait fait découvrir les rues sinueuses du vieil Annecy, le marché sous les arcades, les quais du canal de Thiou et les restaurants de poisson. Il vantait les charmes du lac et, conséquence directe, les tarifs prohibitifs de l'immobilier. Un samedi après-midi, alors qu'elle était venue le rejoindre à l'agence, Bénédicte avait fait la connaissance de la secrétaire et de deux des négociateurs. Elle avait noté que, si Clément usait avec eux d'un ton paternel, il les surveillait de très près, bien décidé à accroître le chiffre d'affaires.

Dans les rares moments qu'ils passaient ensemble à la maison, Clément parlait beaucoup de lui. Il cherchait à faire rire Louise en lui racontant de quelle manière il avait emporté ou forcé une vente difficile, mais il oubliait de l'interroger sur ses propres aspirations. Avec Bénédicte, il multipliait les attentions et les petits cadeaux, toujours dénichés dans une « merveilleuse » boutique et souvent farfelus, mais il ne posait aucune question sur la bonne marche du cabinet. Indulgente, elle supposait qu'il rattrapait le temps perdu de ses années de chômage, qu'il éprouvait un besoin vital de se valoriser et que sa crise de nombrilisme ne serait que passagère. En attendant, il négligeait complètement la maison et c'était Max qui s'occupait des petites réparations dès qu'il pouvait s'échapper de La Clusaz. Bénédicte avait pris l'habitude de le voir débarquer, plusieurs fois par semaine, toujours de bonne humeur et prêt à rendre service. Louise attendait ses visites avec impatience, de plus en plus amoureuse, et durant les vacances de février où il ne pouvait quitter la station de sports d'hiver, elle n'avait pas hésité à aller le rejoindre.

Parvenue au col de L'Épine, Bénédicte s'arrêta pour profiter un instant du paysage. Au-dessus de la chaîne des Aravis, le ciel était d'un bleu profond et elle eut soudain très envie d'être au lundi suivant pour partir à la découverte du massif des Bauges. Elle aurait enfin la possibilité de marcher des heures entières, seule, et d'observer toute une faune inconnue s'ébattant dans un environnement naturel. C'était un aspect de son métier qu'elle n'avait jamais abordé mais qui allait la passionner, elle en était certaine. Tout comme elle était sûre d'être arrivée à un moment de sa vie où elle avait besoin, elle aussi, de liberté et de silence.

Nerveuse, Carole jeta un nouveau coup d'œil à sa montre. Il était déjà six heures vingt et Laurent n'était toujours pas en vue. Les étudiants se faisaient plus rares sur le trottoir de la rue Soufflot, mais en revanche le bistrot s'était rempli. En principe Laurent passait là et, connaissant ses habitudes, elle avait choisi une table près de la vitre, pour être sûre de ne pas le manquer.

Depuis qu'elle avait rompu avec lui, elle l'avait aperçu à plusieurs reprises dans les couloirs ou les amphis d'Assas, mais il n'avait jamais cherché à l'approcher. Au début, elle en avait été soulagée. Leur histoire était finie et elle n'avait pas envie d'être harcelée. Pourtant elle avait continué à l'observer, de loin, un peu agacée par toutes ces filles qui se bousculaient pour le consoler. Dès la minute où il s'était retrouvé seul, il était redevenu la coqueluche de la fac. D'autant plus que son air malheureux, voire inconsolable, lui donnait une allure irrésistiblement romantique.

La rupture n'avait pas apporté à Carole le soulagement qu'elle en attendait. Tous les garçons avec lesquels elle était sortie durant ces dernières semaines lui avaient paru dénués d'intérêt. Malgré son caractère ombrageux, Laurent était brillant, intelligent et caustique. En plus il l'avait aimée avec une authentique passion qu'elle ne retrouvait décidément pas chez les autres.

Elle commanda un second café et se remit à scruter la rue. L'approche du printemps lui procurait une sorte de fébrilité sans objet qui la rendait capricieuse, et son travail s'en ressentait. Incapable de se concentrer, elle pensait souvent à Laurent et finissait par regretter de l'avoir plaqué. Bien sûr, il s'était montré odieux, mais enfin elle l'avait poussé à bout. Dans le train qui les ramenait d'Annecy, elle avait eu des mots très durs, jouant de sa jalousie comme d'une arme pour le blesser, et elle y était parvenue au-delà de ses espérances.

Une haute silhouette mince attira soudain son attention. C'était bien Laurent qui arrivait, tout seul comme elle le souhaitait, vêtu d'un long manteau noir et d'une écharpe blanche. Elle le détailla avec intérêt, tandis qu'il approchait, notant les cernes sous son regard sombre. Il deviendrait un jour un grand avocat, c'était évident. Il en avait toutes les capacités intellectuelles et déjà l'allure. Elle attendit qu'il soit parvenu à sa hauteur pour taper sur la vitre, du bout de son stylo. Il croisa son regard, s'arrêta un instant avant de se décider à faire demi-tour. Sans la quitter des yeux, il se fraya un chemin à travers les tables tout en répondant à quelques interpellations de ses copains. Enfin il s'immobilisa devant elle, surpris du sourire éblouissant qu'elle lui adressait.

— Je te guettais, déclara-t-elle en lui faisant signe de s'asseoir.

— Tu as quelque chose à me dire ? demanda-t-il sans bouger.

La tête levée vers lui, elle était ravissante.

— On peut tout de même boire un verre ensemble, ça n'engage à rien, affirma-t-elle d'un ton léger.

— Et ça ne sert à rien, répliqua-t-il. Toi, tu t'en fous, mais moi j'en bave.

C'était un aveu sincère, prononcé sans aucune emphase.

— Tu es très jolie, comme d'habitude, dit-il encore avant de tourner les talons.

Elle ne fit rien pour le retenir. Elle savait ce qu'elle voulait savoir et maintenant elle avait tout son temps.

Ivan étala soigneusement le beurre salé sur les deux moitiés de la baguette qu'il venait de griller. Le bilan de ces dernières semaines était résolument positif et les employés de l'atelier étaient restés stupéfaits devant la liste de commandes. Les voyages successifs effectués à Paris puis à Lyon avaient donné des résultats inespérés.

Tout en dévorant son petit déjeuner, il jeta un coup d'œil critique aux dessins étalés sur la table. Pour éviter de penser en vain à Bénédicte, il s'était acharné sur ses esquisses des nuits entières. L'accord passé avec le conseil régional pour un objet commémoratif lui avait donné du fil à retordre mais il en était venu à bout. Il s'agissait d'un trophée de cristal, exécuté en nombre limité, qui devait représenter les symboles stylisés des deux

Savoie. Son projet avait remporté une adhésion immédiate et le contrat était arrivé par retour du courrier. Ses clients parisiens avaient été tout aussi rapides à se décider pour la réalisation d'une cinquantaine d'encriers gravés et numérotés, destinés à marquer le jubilé d'une célèbre maison de stylos. S'inspirant des formes de la Belle Époque, Ivan avait proposé une ébauche qui avait séduit sur-le-champ.

Il savoura quelques gorgées de café avant de se tourner vers la fenêtre grande ouverte. Malgré le froid, il tenait à profiter de ce premier soleil printanier. L'hiver ne serait bientôt plus qu'un souvenir, même si quelques plaques de neige s'accrochaient encore au flanc de la montagne. Depuis plus d'un mois, il avait réussi à éviter la famille Ferrière en déclinant l'une après l'autre les invitations de Clément, et surtout en refusant de s'arrêter lorsqu'il croisait la voiture de Bénédicte sur les routes. À chaque retour de voyage, il avait consacré tout son temps à son atelier, heureux de pouvoir se noyer dans le travail et attentif à ne redescendre au chalet que tard le soir. Ses rares sorties avaient été réservées aux Battandier ou à ses longues promenades en compagnie de Roméo et de Diva. Ces derniers s'étaient très bien comportés durant les déplacements, jouant à merveille leur rôle de chiens.

Un bruit de portière claquée tira brusquement Ivan de sa rêverie. Persuadé qu'il ne pouvait s'agir que de Pierre, il alla ouvrir la porte pour l'accueillir et se retrouva nez à nez avec Bénédicte qui s'apprêtait à frapper. Ils se dévisagèrent une seconde en silence tandis que Roméo se glissait entre eux. Avec une acuité surprenante, Ivan remarqua tous les défauts du visage de Bénédicte, des yeux un peu écartés aux pommettes trop saillantes, du réseau de fines rides qui commençaient à marquer les coins de sa bouche aux quelques cheveux blancs près des tempes. Elle était presque aussi grande que lui, désespérément solide et bien charpentée, exactement telle qu'il s'en souvenait. Il constata qu'il aimait tout, en bloc et en détail, qu'il aurait pu la dessiner sans erreur et surtout sans rien modifier d'elle.

Déconcertée par son silence, autant que par son regard scrutateur, elle passa devant lui pour entrer dans le chalet.

— Vous n'étiez jamais là, dit-elle en s'arrêtant au milieu de la cuisine.

La remarque était banale mais Ivan l'interpréta comme un reproche et il en fut gêné.

— Des voyages d'affaires, murmura-t-il en guise d'explication.

— Vraiment ?

Elle s'était tournée vers lui, hésitant à s'asseoir, et il se dirigea vers la fenêtre qu'il ferma. La présence de Bénédicte chez lui le mettait si mal à l'aise qu'il enfouit ses mains dans les poches de son jean puis s'appuya au mur, loin d'elle. Il portait un pull noir, un peu grand, qui le faisait paraître maigre mais rendait ses yeux plus clairs encore.

— Vous nous fuyez, dit-elle abruptement.

— Non ! Enfin si… Un peu.

Il n'avait pas envie de mentir mais l'appréhension le paralysait.

— Pourquoi ? C'est à cause de Laurent ?

De plus en plus embarrassé, il secoua la tête. Il pensa à la colère du jeune homme, songea une fois de plus que Guillaume aurait pu lui ressembler.

— Laurent n'a pas tort, murmura-t-il.

Elle avait commencé d'esquisser un geste vers son sac mais elle s'arrêta net.

— Comment ça, pas tort ? demanda-t-elle d'une voix atone.

Il pouvait encore se dérober mais il ne le voulait pas.

— Il a envie de protéger sa mère, je suppose que c'est normal. Et comme il vous aime énormément, il sait reconnaître ce sentiment-là chez les autres.

Achevant son mouvement, Bénédicte avait sorti deux petites boîtes blanches de son sac. Elle se mit à jouer avec, très embarrassée par ce qu'elle venait d'entendre. Ivan ne bougeait pas, toujours appuyé au mur près de la fenêtre, son visage à contre-jour. Au bout de quelques instants, le silence devint intolérable. Elle fit deux pas vers lui puis, se ravisant, elle alla déposer les boîtes sur la table, au milieu des dessins éparpillés.

— J'étais venue pour vacciner Roméo et Diva, dit-elle très vite sans le regarder. Il y a quelques cas de rage et j'imagine que vous ne les avez jamais conduits chez un vétérinaire ? En plus, je voulais vous prévenir de la psychose qui est en train de s'installer au sujet des loups. Ne les perdez pas de vue et ne les laissez pas approcher du bétail, il paraît que les bergers deviennent nerveux ces temps-ci. Vous devriez leur mettre des colliers qu'on remarque de loin, rouges ou bleus, avec une grosse médaille qui porterait votre numéro de téléphone. Pour qu'ils aient l'air de braves chiens bien domestiques. Et, si vous voulez, je peux aussi les tatouer dans l'oreille.

Elle reprit sa respiration avant de se retourner. Ivan l'observait, toujours muet et immobile.

— Je n'aimerais pas qu'il leur arrive quoi que ce soit, ajouta-t-elle en tendant la main vers Roméo.

Assis à côté d'elle, l'animal se laissa caresser et la poussa un peu, de la truffe.

— Merci, articula enfin Ivan. C'est sûrement contraire à la déontologie…

— Oui. Voulez-vous les piquer vous-même ? Je ne tiens pas à les effrayer, surtout Diva, elle reste méfiante avec moi.

Résigné, il avança jusqu'à la table, s'agenouilla à côté du loup mais garda la tête baissée pour éviter de croiser le regard de Bénédicte. Elle lui tendit le vaccin, lui indiqua l'endroit où enfoncer l'aiguille. Puis il appela Diva et répéta l'opération sur elle.

— Pour les tatouages, on fera ça au cabinet et vous me les tiendrez, d'accord ?

Au-dessus de lui, elle contemplait ses mèches blondes, sa nuque, étonnée par la tentation qu'elle éprouvait soudain de poser ses mains sur ses épaules. Lorsqu'il se redressa enfin, elle s'écarta, troublée. Elle n'avait aucune envie de partir et elle était trop franche pour laisser durer le malentendu.

— Ivan, dit-elle doucement, qu'est-ce que je dois comprendre ?

Il pâlit un peu mais répondit tout de suite.

— Je suis désolé, je vous mets dans une situation très désagréable. J'aurais dû réagir avant mais maintenant je suis complètement… dépassé. C'est pour cette raison que je préfère ne plus vous voir. Prenez-le comme un hommage et n'y pensez plus.

Le sourire qu'il tenta d'esquisser ne parvint qu'à la bouleverser davantage. Elle toussota, gênée, avant d'avouer :

— Ce n'est pas vraiment désagréable, vous savez…

Cette fois il osa la regarder droit dans les yeux.

— Vous ne me facilitez pas les choses, Bénédicte.

Il avait prononcé son prénom avec une telle douceur qu'elle franchit le pas qui les séparait. Très lentement, il leva la main, effleura à peine sa joue.

— Je ne ferai jamais ça, souffla-t-il.

Déconcertée, elle attendit qu'il s'explique, mais il précisa seulement :

— Pas vous.

L'attitude presque encourageante qu'elle adoptait était pour lui la pire. Il ne souhaitait pas qu'elle cède à une impulsion pour le rejeter ensuite. Il ne voulait pas se retrouver minable, menteur, amant occasionnel et accessoire. Renoncer à elle était beaucoup moins dur qu'endosser à nouveau le rôle du coupable.

— Vous êtes la nièce de Mathilde, dit-il de façon ambiguë. J'étais sous le charme avant de vous rencontrer. C'est ma faute, j'aurais mieux fait de garder mes distances.

Conscient qu'il lui suffisait d'étendre les bras pour la serrer contre lui et qu'à l'évidence elle ne le repousserait pas, il fut envahi d'une sorte de vertige. Un triomphe dont il ne pouvait pas profiter, quoi qu'il lui en coûte. Elle eut un mouvement d'épaules, comme pour se débarrasser d'un poids, et elle soupira. Cherchant à se donner une contenance, elle caressa de nouveau Roméo qui était resté près d'elle.

— Vous viendrez quand même, pour les tatouages ?

Elle l'avait demandé d'une voix mal assurée, déçue à l'idée de ne plus le revoir.

— Bien sûr, répliqua-t-il, et je vous remercie beaucoup de vous en être souciée. J'achèterai les colliers mais soyez sans crainte, tout le monde les connaît par ici, il n'y aura pas de confusion.

Avec un petit hochement de tête, elle se dirigea vers la porte, incapable d'ajouter quelque chose à leur drôle de conversation. Dehors, le soleil était éblouissant et elle respira profondément avant de descendre les marches de bois. Une fois assise dans sa voiture, elle prit le temps d'observer la façade du chalet, partagée entre l'envie de rire et celle de s'enfuir. À quand remontait la dernière déclaration d'amour qu'on lui ait adressée ? Et depuis combien de temps n'avait-elle pas été aussi émue ? Pourquoi cet homme la touchait-il à ce point ?

— Parce que ça te rajeunit, ça te flatte, ça te fait plaisir, énuméra-t-elle entre ses dents.

Mais non, il y avait autre chose, de plus insidieux et plus grave. Lorsqu'elle avait aperçu Ivan au cimetière, quelques mois auparavant, le jour de l'enterrement de Mathilde, elle l'avait évidemment remarqué. Et comme toujours lorsqu'elle rencontrait un homme séduisant, elle s'était obligée à ne pas y penser. Toute sa vie, elle avait agi de la même façon. Elle était mariée, mère de famille, liée par ses engagements et donc indisponible. Après vingt ans consacrés à ses études, à son mari, à ses enfants, à son métier, elle n'envisageait plus rien de personnel. Sa route était tracée et elle continuait d'avancer sans se poser de questions, comme un bon petit soldat, persuadée qu'elle n'avait ni besoin ni envie d'autre chose. À quarante ans, elle ne se croyait plus en mesure de plaire, sinon pour de brèves parenthèses qui ne la tentaient pas. Quant à déclencher une soudaine passion de la part d'un homme comme

Ivan, qui n'avait qu'à poser les yeux sur n'importe quelle femme de n'importe quel âge pour la faire rougir, c'était absurde. Tellement inconcevable que même Clément n'y croyait pas. Tout juste s'il n'avait pas exigé qu'elle aille le consoler des accusations de Laurent !

Une bouffée d'angoisse la submergea brutalement. Au bord du malaise, elle se pencha en avant, appuya son front contre le volant. La déclaration d'Ivan aurait dû l'amuser, pas ouvrir cet abîme sous ses pieds. Après tout, elle avait bien failli céder à un réel désir, tout à l'heure, et se retrouver dans ses bras ou dans son lit.

« Je ne vis pas, je gagne de l'argent. Je ne fais pas l'amour, je fais semblant. Je ne prends aucune décision, je laisse Clément penser pour moi… Comment ai-je pu en arriver là sans m'en rendre compte ? »

Son cœur battait très vite et elle avait chaud. En dégrafant le col de son blouson, elle sentit une larme sur sa joue, ce qui acheva de la démoraliser. Il fallait absolument qu'elle se reprenne, elle n'allait pas piquer une crise sous les fenêtres d'Ivan. Mais le barrage s'était rompu et elle ne parvenait pas à endiguer tout un flot de sentiments contradictoires qui la clouaient sur son siège. Des souvenirs surgissaient en désordre, absurdes et pathétiques. Le décès de ses parents, les nuits de veille à préparer des concours, deux maternités vécues à la hâte, des réflexions idiotes de son mari sur un dîner raté ou une tenue excentrique.

La portière s'ouvrit sans qu'elle trouve le courage de bouger ni d'ouvrir les yeux.

— Je suis vraiment désolé, dit la voix grave d'Ivan. Est-ce que ça va ?

Au bout d'un instant, elle fit l'effort de se redresser et s'appuya au dossier. D'un geste rageur, elle essuya sa joue sans regarder Ivan qui s'était accroupi sur ses talons pour être à sa hauteur, ne sachant que faire.

— Vous devez être fatiguée. L'hiver est long en montagne et vous avez joué une partie difficile en vous installant ici…

Il parlait d'un ton rassurant, cherchant un peu ses mots.

— Vous voulez marcher ? Ou boire quelque chose ?

Avant qu'elle ait pu répondre, il s'était relevé et avait disparu. Elle en profita pour descendre mais il revint presque tout de suite avec une bouteille d'eau. Elle but au goulot, à longs traits, étonnée d'avoir aussi soif. Ensuite ils échangèrent un coup d'œil prudent.

— Je me sens mieux, commença-t-elle.

— On fait quelques pas quand même.

D'autorité, il la prit par le bras et l'entraîna vers un sentier en pente douce.

— Je me demandais si vous aviez un problème pour démarrer, et puis je vous ai vue à travers le pare-brise… Oh ! regardez, c'est la première gentiane de la saison !

Il l'avait lâchée pour se pencher vers la fleur bleue mais il hésitait à la cueillir.

— Laissez-la, elle ne vous a rien fait, dit Bénédicte.

Sa gaieté était revenue d'un coup et elle huma avec plaisir l'air parfumé d'odeurs délicates. Étonné par le ton enjoué de sa voix, il se retourna pour lui sourire.

— Ici, le printemps est souvent superbe, vous allez adorer… Mathilde a planté beaucoup de choses, l'année dernière. Le jardin vous réserve plein de bonnes surprises.

— De quel genre, les surprises ?

— Elle semait avec un certain humour. Vous devriez bientôt découvrir un tapis de céraistes et de linaires, du côté de l'étable, simplement parce qu'on les appelle des corbeilles-d'argent et des ruines-de-Rome. Ce mélange de mots la faisait beaucoup rire mais, rassurez-vous, le résultat sera ravissant. Près du banc, vous aurez des doronics et des asters, et devant le cabinet des tas de pieds-de-chat. Je ne me souviens pas du reste, mais elle m'a fait biner et arracher des mauvaises herbes pendant des heures !

Évoquer Mathilde le rendait loquace, comme si elle était la seule personne dont il ait de bons souvenirs.

— Je n'y connais rien en horticulture, avoua Bénédicte. D'ailleurs je n'ai pas ce qu'on appelle la main verte.

— Et Clément ?

Il avait choisi d'en parler le premier, de la façon la plus naturelle qui soit, même si ce rôle d'ami du couple Ferrière lui faisait horreur.

— Encore moins.

Un vent très léger soufflait au ras du sol, provoquant des vagues dans l'herbe tendre.

— Vous avez beaucoup de chance d'habiter cette maison, affirma-t-il, c'est un endroit vraiment… serein.

La vieille dame devait lui manquer. Bénédicte se demanda si elle n'aurait pas mieux fait de lui vendre la maison, comme elle en avait eu l'intention au début, et de ne jamais s'y installer.

— Il faut que je parte, maintenant, décida-t-elle avec un petit soupir de regret.

Il la raccompagna jusqu'à sa voiture, la regarda faire demi-tour puis s'éloigner sur la route. Elle était venue pour vacciner les loups et en guise de remerciement il l'avait précipitée dans une crise de larmes. À laquelle il ne comprenait rien mais qui avait bien failli avoir raison de ses bonnes résolutions. Il avait dû faire un gros effort pour se contenter de lui proposer un peu d'eau ! « Mal mariée » prétendait Mathilde. Est-ce que c'était cet abruti de Clément qui la rendait malheureuse ? Ou bien les éleveurs qui la traitaient encore en paria ? Elle en avait peut-être assez de la Haute-Savoie, des bergers et des vaches. Et elle n'appréciait sans doute pas que les copains de son mari tombent à ses pieds sans crier gare. Pourquoi avait-il eu l'idée grotesque de lui faire comprendre qu'il était amoureux d'elle ? Par orgueil, pour tester sa réaction ? Eh bien, il avait vu. Au pire, elle lui aurait volontiers donné ce dont il ne voulait pas, une heure à la sauvette. Et elle avait dû se sentir humiliée qu'il n'en profite pas, voilà le beau résultat auquel il était parvenu. À quarante-deux ans, il s'était conduit comme un adolescent. En égoïste irresponsable, Élisabeth le lui avait assez répété. En tout cas, il ne prendrait jamais le risque de déchirer une famille. Puisqu'il ne pouvait pas avoir cette femme, autant la laisser tranquille, grands sentiments ou pas.

— Ou alors va-t'en d'ici, vends tout, fous-leur la paix ! maugréa-t-il en donnant un coup de pied rageur dans les cailloux.

Des nuages couleur de fer arrivaient par l'ouest et l'un d'eux cachait déjà le soleil. Il frissonna, l'hiver n'était pas tout à fait fini.

Louise changea son téléphone de main, fatiguée de pencher la tête du même côté.

— Viens te reposer ici quelques jours après tes partiels, suggéra-t-elle d'un ton patient.

En l'absence de sa mère, qu'il appelait presque quotidiennement, Laurent s'était épanché dans l'oreille compatissante de sa sœur. Il avait besoin de parler, de rompre la solitude de son studio, de savoir que quelque part on l'aimait.

Lovée dans le canapé, Louise essayait de détendre ses muscles courbatus. Du matin au soir, elle travaillait dans l'étable, en équilibre sur un échafaudage de fortune, bien décidée à accomplir son programme de travaux. Max l'observait, assis sur la marche de pierre de la cheminée où il avait allumé un grand feu. Il s'était également chargé de ramener un stock de bûches qu'il avait entassées dans un ordre impeccable.

— Arrête d'y penser… Il y a d'autres filles qu'elle ! Mais si, je l'aime bien, non je ne la critique pas… Oh ! Laurent, tu vaux mieux que ça !

Max s'était mis à sourire, ravi de la voir s'animer. Il ne se lassait pas de l'examiner des pieds à la tête, quoi qu'elle fasse. Là, enfouie dans les coussins, elle lui paraissait particulièrement adorable. Il était venu tout droit à la maison forte, sans même s'arrêter chez ses parents tant il était pressé de la voir.

— D'accord, je dirai à maman de te rappeler. Même si elle rentre tard, oui. Elle a beaucoup de boulot, elle est très contente… Salut, petit frère.

Elle coupa la communication puis adressa à Max un sourire navré.

— Il n'est vraiment pas guéri, tu sais... Heureusement qu'il se console dans le travail ! C'est une vraie bête à concours. Quand même, il pourrait s'en trouver une autre au lieu de se complaire dans le désespoir.

— Quand on est vraiment amoureux, on ne peut pas se détacher du jour au lendemain, dit-il doucement.

Il refusait d'imaginer ce que serait son enfer si Louise décidait de le quitter, et il plaignait beaucoup Laurent.

— Tu te souviens de la façon dont elle s'est comportée ici, quand même ? rappela Louise. Qu'est-ce que tu aurais fait, toi ?

— Eh bien... Comme ton frère, je suppose... Enfin, je n'en sais rien.

— Tu n'es pas jaloux ? s'étonna-t-elle, les yeux brillants.

— Bien sûr que si. Mais tu ne ressembles pas à Carole, Dieu merci ! Tu ne ressembles à personne, d'ailleurs.

Après avoir ajouté une nouvelle bûche sur sa flambée, il se releva. Du haut de son mètre quatre-vingt-dix, il considéra Louise d'un air songeur. Puis il s'approcha pour s'agenouiller devant elle.

— Fais voir tes mains.

Elle les lui tendit aussitôt et il examina les paumes crevassées, les ampoules, les écorchures.

— Dès que la station sera fermée, je pourrai t'aider. Je n'irai pas à Chamonix cette année.

— Mais tu as ta saison de guide à faire !

— Non. À partir du mois de mai, je travaille avec toi. Tu n'y arriveras jamais seule. Il y a des choses beaucoup trop dures pour toi, Louise. Tu ne comptes pas installer les planchers ou la plomberie, je suppose ?

— Les parents m'ont promis une aide financière. Je vais engager le maçon début mai.

Max gardait les deux mains de Louise emprisonnées dans les siennes. Elle se sentit brusquement vulnérable, toute petite et sans force. Elle avait peut-être un peu présumé d'elle-même en se lançant à corps perdu dans cette aventure. Les vieux bâtiments étaient depuis si longtemps à l'abandon qu'il lui avait fallu commencer par la réfection du gros œuvre. Et, d'après ses calculs, elle en aurait pour deux ans de travaux avant de pouvoir ouvrir son gîte.

— Je suis là, dit Max d'une voix rassurante. Je t'aime, et je veux la même chose que toi.

Se mordant les lèvres, il s'interrompit. Il s'était juré de ne pas lui parler d'avenir trop tôt. Elle n'avait pas encore dix-neuf ans et il ne la connaissait que depuis quelques semaines, elle était capable de lui rire au nez et c'était un risque qu'il ne voulait pas prendre.

La porte s'ouvrit sur Bénédicte qui les salua gaiement avant de les rejoindre près de la cheminée.

— Bonne journée, maman ? s'enquit Louise avec entrain.

Bénédicte nota que sa fille avait toujours l'air épanouie quand Max se trouvait près d'elle.

— Très bonne ! Une césarienne sans histoire chez les Calmet, c'est le premier veau de l'année. Pour fêter ça, ils m'ont offert un alcool de plante qui était un vrai tord-boyaux ! Soyez gentil, Max, servez-moi quelque chose de comestible... Est-ce que vous restez dîner avec nous ?

— Volontiers, mais il faudra que je passe saluer mes parents d'abord. Ils ne comprendraient pas que…

Un peu gêné, il s'interrompit, mais Bénédicte enchaîna.

— C'est naturel. Faites-leur mes amitiés.

Elle le considérait avec bienveillance, ce qui acheva de le mettre mal à l'aise. Même si elle se montrait toujours cordiale à son égard, il se demandait ce qu'elle pensait lorsqu'il s'attardait dans la chambre de sa fille jusqu'au milieu de la nuit. Elle l'entendait forcément quitter la maison, à cause des craquements de l'escalier, et il détestait partir comme un voleur. Il prit une profonde inspiration pour demander, sans regarder Louise :

— Madame Ferrière, est-ce que je peux dormir ici ce soir ?

Ébahie par sa franchise, Bénédicte le dévisagea quelques instants.

— Bien entendu, dit-elle enfin. C'est Louise qui décide. Elle est majeure, elle fait ce qu'elle veut. Si c'est ce qui vous inquiète, vous serez le bienvenu au petit déjeuner, Max. Et, à propos, appelez-moi donc par mon prénom, ce sera moins conventionnel quand nous serons tous en pyjama.

Très lentement, un sourire se dessina sur le visage de Max. Il n'avait rien d'un jeune homme, il était déjà un homme mûr, responsable. Avec un petit hochement de tête, il se détourna.

— Je reviendrai vers huit heures, murmura-t-il seulement.

Son pas résonna à travers la grande salle tandis que Louise le suivait des yeux. Bénédicte attendit le grincement familier de la porte d'entrée avant de s'exclamer :

— Il est vraiment adorable !

— Il est mieux que ça, affirma Louise.

— Mais il a oublié de me servir un verre…

— J'y vais, s'empressa la jeune fille en se levant. Au fait, Laurent aimerait que tu le rappelles. Et puis papa a téléphoné pour prévenir qu'il rentrerait très tard. Il dîne en ville avec Ivan.

D'un geste vif, Bénédicte retint sa fille par le poignet.

— Avec Ivan ? Pourquoi ?

Elle avait parlé trop vite et Louise eut l'air intrigué.

— Je ne sais pas, moi ! Parce qu'il l'aime bien et qu'il ne l'a pas vu depuis longtemps, je suppose ? Depuis la salade avec Laurent, il ne passe plus jamais ici…

Bénédicte acquiesça et se recula dans le canapé. Elle s'était acharnée à ne pas penser à Ivan de la journée. Ni au moment d'abattement incompréhensible qu'elle avait connu devant son chalet le matin même. Qui avait invité l'autre ? Ivan, décidé à jouer la sincérité jusqu'au bout ? Clément, avec son obsessionnel besoin d'amitié ? De toute façon, elle n'y pouvait rien. Pour sa part, elle allait passer la soirée en compagnie de sa fille et de cette espèce d'ours sympathique qui était manifestement fou d'elle. Quand Clément rentrerait, dans quelques heures, il serait toujours temps d'aviser.

D'un geste familier, elle se débarrassa de ses mocassins et ramena ses jambes sous elle. La césarienne de l'après-midi ne lui avait pas posé de problème. Sur le drap fraîchement repassé qui tenait lieu de champ opératoire, elle s'était comportée comme dans sa jeunesse, à Maisons-Alfort, avec rigueur et efficacité. De quoi être fière d'elle et du travail bien fait.

— Tiens, maman…

Louise lui tendait un verre ballon, aux parois embuées. Bénédicte leva sur elle un regard franc, qui ne comportait aucune ombre.

Clément s'était montré si insistant, au téléphone, qu'Ivan n'avait pas pu refuser. Il descendit à Annecy de mauvaise humeur, persuadé qu'il aurait été malhonnête de se dérober. Peut-être Bénédicte avait-elle rapporté leur conversation à son mari, auquel cas il était bien obligé de faire face.

Après s'être garé près de l'hôtel de ville, il entra d'un pas résolu au *Grand Alexandre* où Clément, déjà installé, l'accueillit avec enthousiasme.

— Tu es gentil d'être venu ! Il fallait vraiment qu'on ait une petite discussion, tous les deux. Assieds-toi…

Et comme Ivan hésitait, indécis, avant de prendre place, il ajouta :

— Une coupe de champagne pour commencer ? Je viens de conclure une affaire difficile, tu vas fêter ça avec moi. Mais jette un coup d'œil sur le menu d'abord. Pour ma part, ce sera une galette de langoustines aux courgettes et une crépinette de caille.

— Je prendrai la même chose, dit Ivan en sortant ses cigarettes.

Il n'avait aucune envie de consulter la carte, et d'ailleurs il n'avait pas faim. Le regard que Clément posait sur lui était particulièrement amical.

— Tu ne peux pas savoir à quel point je me plais ici, déclara-t-il avec une expression ravie. Mais dis-moi d'abord comment tu vas. Tu as une sale mine. Tes voyages se sont bien passés ?

— Oui.

— Tes affaires marchent ?

Sa jovialité avait quelque chose de tellement insupportable qu'Ivan haussa les épaules.

— Bon, tu n'as pas envie d'en parler, ça ne fait rien. Tu n'es pas ce qu'on appelle un bavard ! À ta santé...

On venait de déposer deux coupes sur leur table et Clément leva la sienne. Il but une gorgée avant de se pencher vers Ivan pour ajouter, d'un ton de confidence :

— Il y a une femme, juste derrière toi, qui te dévore des yeux ! Mais tu dois avoir l'habitude...

Son clin d'œil amusé acheva d'exaspérer Ivan. Il s'attendait à tout, mais pas à cette complicité écœurante.

— Tu as de la chance d'être célibataire, tu peux faire ce que tu veux. Moi, j'ai charge d'âmes, et je n'ai pas les coudées franches.

Stupéfait par ce qu'il venait d'entendre, Ivan prit le temps d'allumer sa cigarette.

— Charge d'âmes ? répéta-t-il calmement. Ta femme n'est pas vraiment à ta charge ?

— Non, bien sûr... Mais je suis lié. Tu comprends ce que je veux dire ? Chaque fois que je dois prendre une décision, il faut d'abord que j'en discute en famille, que je me démène pour convaincre tout le monde. C'est épuisant ! Quitter Paris n'a pas été une mince affaire, et Bénédicte considère que notre nouvelle vie est coulée dans le bronze. Or pour moi, ce n'était qu'un premier pas vers autre chose.

De plus en plus dérouté, Ivan l'écoutait en silence. Leur conversation prenait un tour absurde.

— C'est quoi, le second pas ? risqua-t-il au bout de quelques instants.

— J'ai beaucoup de projets, reprit Clément d'un air important. Surtout depuis que j'ai mis le nez dans le marché immobilier de la région. Ton village est sur la rive chic, même s'il est un peu loin du lac, et le paysage est admirablement préservé, ça lui donne une bonne cote. Pour peu qu'on apprécie la solitude… Moi, sincèrement, je n'y arrive pas. Alors qu'Annecy, c'est formidable ! Je me suis complètement toqué de cette ville. Soixante mille habitants, c'est la taille idéale. En plus, ce n'est pas la province, c'est cosmopolite, ça bouge, ça défile. Et figure-toi que, depuis hier, j'ai rentré en portefeuille une baraque fabuleuse. Tu en serais fou ! Le propriétaire est un vieux gâteux, garde ça pour toi, à qui j'ai fait une sous-estimation vertigineuse et qui m'a donné son plein accord pour négocier. Tu me suis ?

Content de lui, Clément parlait vite, pianotant du bout des doigts sur la nappe.

— Je la veux, Ivan. Je veux cette maison-là. Pourtant il en faut beaucoup pour me taper dans l'œil, crois-moi ! En matière de construction, j'ai tout vu et je ne m'emballe pas. Mais là ! Directement sur le canal, patio, cour intérieure ombragée, arcades… il y a même des fresques sur les murs ! Un vrai petit palais vénitien. À deux pas de l'agence. Ce serait le rêve. On pourrait sortir ou recevoir tous les soirs. Tu connais le marché Sainte-Claire, bien sûr ? Et les brocanteurs, les antiquaires, ça grouille de vie partout autour ! Parce que, le silence des montagnes, en ce qui me concerne, je me suis trompé, je le reconnais.

La présence d'un serveur l'obligea à s'interrompre. Il jeta un regard ravi aux assiettes qu'on déposait devant eux.

— Ivan, reprit-il, tu es un ami. Et Bénédicte a beaucoup d'estime pour toi. Il faut que tu m'aides à la convaincre.

Voilà, il l'avait enfin dit mais Ivan avait déjà compris où il voulait en venir.

— La convaincre de quoi ? D'abandonner son cabinet qui commence juste à démarrer ? La maison de Mathilde où elle a trouvé ses repères ? Les projets de Louise ? Et pourquoi veux-tu que je prenne parti dans votre histoire ?

Clément balaya l'argument d'un revers de main négligent.

— Elle n'est pas faite pour soigner les vaches et patauger dans le purin, affirma-t-il.

— Tu l'as persuadée du contraire quand ça t'arrangeait !

Ivan sentit qu'il était en train de perdre son calme et il alluma une nouvelle cigarette. Il n'avait pas touché aux langoustines.

— Clément, commença-t-il d'une voix ferme, tu vas arrêter de pérorer deux minutes et m'écouter. Je ne parlerai pas à ta femme pour la simple raison que je refuse de me retrouver en tête à tête avec elle. Moins je la verrai et mieux je me porterai.

— Qu'est-ce qu'elle t'a fait ? demanda Clément en ouvrant de grands yeux.

— Rien, bien entendu. Et moi non plus. Tu ne veux vraiment pas comprendre ?

Bouche bée, Clément hésita quelques secondes avant de hocher la tête. Il reposa ses couverts puis, au bout d'un moment, se mit à jouer avec. Quand il releva la tête vers Ivan, celui-ci soutint son regard sans ciller.

— Alors c'était vrai, mon fils n'avait pas rêvé ?

— Non.

— Mais tu n'as pas… Enfin, je suppose que tu sais te tenir, même quand une femme te plaît ? Tu m'as dit que tu ne la draguais pas, tu t'en souviens ?

— Je peux te le redire.

Mal à l'aise, Clément scruta Ivan avec attention avant de déclarer :

— Et je te crois volontiers. Donc tout ça n'est pas un drame… mais ça me donne une raison de plus pour quitter *Les Aravis*.

— En tout cas ça me fait un excellent motif pour ne plus vous voir ni l'un ni l'autre.

— Pourquoi moi ? Je n'y suis pour rien ! Et même elle, ne sois pas stupide, tu ne vas pas te cacher derrière les arbres ! Trouves-en une plus jeune et plus mignonne, et tu n'y penseras plus. Tu n'as que l'embarras du choix ! Allez, c'est ridicule, mon vieux. J'ai confiance en toi, je te connais, tu es un type droit.

Écœuré, Ivan se leva, posa sa serviette.

— Arrête, Clément, dit-il entre ses dents.

En quelques enjambées, il traversa la salle du restaurant pour gagner la porte sous l'œil effaré d'un maître d'hôtel. Une fois dehors, il eut besoin de s'arrêter pour respirer à fond. Clément et ses projets ridicules l'avaient tellement mis hors de lui qu'il avait préféré la sincérité à n'importe quelle compromission. Bénédicte était mariée à un pauvre type – Mathilde avait été clairvoyante –, mais elle était sûrement de taille à se défendre. Avec le mal qu'elle se donnait pour trouver sa place dans la vallée, il y avait peu de chance qu'elle écoute les divagations de son mari. Du moins il l'espérait pour elle, même si, au fond, son départ aurait constitué un soulagement.

— Quel abruti, marmonna-t-il en se dirigeant vers l'hôtel de ville.

La suffisance, l'égoïsme et l'aveuglement dont Clément faisait preuve le révoltaient. Et c'était cet homme-là qui allait se retrouver dans le lit de Bénédicte, tout à l'heure. Dans son bon droit. Très à l'aise pour plaider sa cause, sur l'oreiller comme ailleurs. Avec ses manières de marchand de tapis, c'était lui qui allait la déshabiller et lui faire l'amour.

Ivan s'énerva sur la serrure de sa voiture, submergé par un accès de jalousie contre lequel il ne pouvait rien. Mâchoires crispées, il fit craquer la boîte de vitesses en passant la marche arrière. Il s'était mis tout seul dans les ennuis et il n'était pas près d'en sortir s'il continuait comme ça. Que les Ferrière aillent au diable, il finirait par devenir fou s'il continuait à y penser. Suivre le conseil de Clément serait un moindre mal, il n'avait qu'à se trouver une gentille petite femme, célibataire de préférence, et repartir du bon pied. Quarante-deux ans n'était pas un âge pour vivre seul. Il s'était laissé culpabiliser par Élisabeth, puis influencer par Mathilde, à présent il était grand temps de mettre de l'ordre dans son existence. Il avait certainement négligé des occasions formidables, comme cette ravissante Claudine – ou Catherine, il ne savait plus très bien – avec qui il avait passé une soirée et une nuit mémorables l'année dernière à Chambéry. Pourquoi avait-il refusé de la revoir alors qu'elle s'était donné la peine de le rappeler cinq fois de suite ? Et Virginie, dont il n'avait pas oublié le prénom, avec sa peau lisse, son rire de gamine et ses yeux de chat ? Ou encore Morgane, rencontrée à Paris lors d'une exposition sur les maîtres verriers, revue à Grenoble où elle lui avait littéralement sauté dessus pour le conduire jusqu'à sa chambre d'hôtel. Ils y étaient restés enfermés quarante-huit heures sans dormir. Un très bon moment. Mais ensuite, il n'avait jamais répondu à ses lettres enflammées. Il mettait un terme à l'aventure avant même qu'elle commence, la peur étant chaque fois beaucoup plus forte que la sympathie ou l'attirance. Il ne voulait pas tomber amoureux, encore moins s'attacher, et il s'obstinait à conserver ses distances afin de se préserver. Il s'était promis qu'aucune femme ne lui ferait plus subir ce qu'Élisabeth lui avait imposé. À l'époque, il ne voulait pas l'admettre et il refusait l'évidence, mais elle ne l'avait jamais rendu heureux, même avant l'accident de Guillaume. Peut-être ne l'avait-il pas comblée non plus. Elle voulait un homme gai et insouciant à ses côtés, l'accusait d'être sinistre. Tandis qu'il rêvait d'une grande famille, elle ne pensait qu'à sortir et s'amuser. Il aimait les tête-à-tête, elle ne jurait que par ses copains. Et quand il essayait de lui parler, elle mettait la musique à fond. À se demander comment ils avaient pu s'engager dans un tel marché de dupes. Si c'était ça l'amour, il s'en passait très bien.

La route était étroite au bord du lac, sur plusieurs kilomètres, et il se contraignit à ralentir. Pour tromper sa nervosité, il alluma encore une cigarette, surveillant son compteur du coin de l'œil. Une fois dans la montagne, il pourrait rouler plus vite mais à quoi bon ? Toutes ses pensées convergeaient vers Bénédicte. Qu'il soit à son volant ou allongé dans son lit n'y changerait rien. Même s'il s'offrait une marche nocturne, flanqué de ses loups, c'est encore à elle qu'il songerait, inutile de se leurrer. Il n'avait lu que deux fois les divagations astrologiques de Mathilde mais il les connaissait par cœur. Bénédicte était un Lion et lui un Bélier, deux signes de feu faits pour s'accorder. Les planètes de leurs thèmes de naissance respectifs étaient placées en parfaite harmonie, rendant leur rencontre inévitable...

Il se surprit à sourire, tout seul dans l'obscurité de sa voiture, et il se détendit un peu. Il ne pouvait plus plaisanter avec la vieille dame, se moquer de ses marottes ou de ses idées fixes, ni se réfugier près d'elle quand il allait mal. Elle n'était plus là, c'était bien dommage, elle aurait bien ri de le voir dans cet état-là. Le piège qu'elle lui avait préparé, consciemment ou non, s'était bien refermé sur lui.

Au ralenti, il négocia le dernier virage avant le village pour ne pas troubler la paix des rues endormies. Il y avait longtemps qu'il n'avait pas vu ses parents et il décida de se rendre chez eux dès la fin de la semaine. Son père se contenterait sans doute de le toiser des pieds à la tête, sans faire le moindre commentaire comme d'habitude, mais il avait soudain très envie de serrer sa mère dans ses bras.

8

Ruisselant de sueur, Clément se laissa rouler sur le côté puis s'appuya sur un coude. La lampe de chevet était restée allumée du côté de Bénédicte qu'il voyait à contre-jour. Elle respirait vite, aussi essoufflée que lui.

— Le printemps nous réussit, on dirait...

Content de lui, il s'effondra sur son oreiller, incapable de faire un geste de plus, et resta sans bouger tandis qu'elle se levait. Il l'entendit ouvrir la porte et il en profita pour essayer de se détendre. Tous ses muscles lui semblaient douloureux, ce qui finit par lui arracher un sourire de satisfaction. C'était la deuxième fois de la semaine qu'il faisait l'amour à sa femme avec autant d'énergie. Il supposa qu'elle était satisfaite mais elle n'avait pas prononcé un seul mot durant leurs ébats. Autrefois, elle était plus démonstrative. Plus tendre, aussi.

Lorsqu'elle revint de la salle de bains, il la regarda traverser la chambre jusqu'au lit. Elle était vraiment belle, bien faite, en pleine maturité. Alors pourquoi l'avait-il négligée, depuis un certain temps, et pourquoi avait-il fallu la confidence d'Ivan pour le galvaniser ? Est-ce qu'elle était plus appétissante parce qu'elle plaisait à d'autres ? Il n'avait pas encore abordé le sujet avec elle, trouvant inutile de revenir sur cette histoire. Ivan se croyait amoureux d'elle et en faisait une vraie crise de conscience, c'était plutôt amusant, mais tôt ou tard les choses se tasseraient. Pour le moment, Clément était bien obligé de constater que cette révélation avait ranimé son intérêt pour Bénédicte. Elle était encore capable de séduire, de susciter le désir, et par contrecoup il se sentait rajeuni.

Il continua de l'observer tandis qu'elle allumait une cigarette. Elle souffla doucement la fumée vers le plafond en se rallongeant. Lorsqu'il posa sa main sur elle, d'un geste possessif, elle s'écarta un peu.

— Tu n'es pas trop fatiguée ? Il doit être affreusement tard… Et ton travail est crevant, non ?

Elle secoua la tête en silence, perdue dans ses pensées, et il fut obligé d'insister.

— Parfois je regrette de t'avoir entraînée ici.

Cette fois elle lui jeta un coup d'œil surpris puis se tourna carrément vers lui.

— Pourquoi ?

— Eh bien… Tu es là, toute seule au milieu de la neige et des péquenots, dans cette grande baraque impossible à chauffer… Je me sens un peu responsable…

Du bout des doigts, il suivit la courbe de son épaule, d'un sein, du ventre plat.

— J'y pense souvent et je m'inquiète pour toi, ajouta-t-il.

Il la connaissait suffisamment pour voir qu'elle n'appréciait pas la caresse et il finit par retirer sa main.

— Tous les jours, je déjeune dans des petits bistrots sympa, et je vois plein de gens, je bouge, je m'amuse. Mais toi, pendant ce temps-là…

— Moi, quoi ? Qu'est-ce que tu as, Clément ? Tout va bien pour moi. J'aime beaucoup ce que je fais et j'adore cette maison.

Une note d'exaspération perçait dans sa voix, comme si elle avait deviné où il voulait en venir.

— Oui, dit-il d'un ton apaisant, pour le moment. Tout nouveau, tout beau.

D'un mouvement brusque, elle s'assit et remonta le drap sur elle.

— Non, tu te trompes, la nouveauté me fait peur, le changement me dérange ! Il y a six mois, j'avais la trouille mais je t'ai écouté. Maintenant, je suis retombée sur mes pieds, je ne bouge plus.

La discussion allait tourner à la querelle, ce qui était très inhabituel. Bénédicte avait son franc-parler mais elle était rarement agressive avec lui. Il réalisa qu'elle n'avait plus aucune raison de le ménager. Il avait retrouvé du travail, il n'était plus ce chômeur de longue durée qu'elle évitait de contrarier.

— Écoute-moi deux minutes, implora-t-il.

— Sûrement pas !

D'un bond, elle quitta le lit, se pencha pour ramasser son peignoir dans lequel elle s'enveloppa. Éberlué, il la regarda serrer la ceinture, remonter le col comme si elle cherchait à se protéger.

— Mais attends, protesta-t-il, ne sois pas idiote ! Tu ne sais même pas ce que je veux te proposer. On peut discuter, quand même !

Elle recula d'un pas pour mieux le toiser.

— Idiote ? répéta-t-elle. C'est à moi que tu parles ? Tu me prends pour ta secrétaire ?

Il ne comprenait pas sa rage, se demandait pourquoi la femme à qui il venait de faire longuement l'amour se dressait ainsi contre lui.

— Tu ne décideras plus de rien à ma place, Clément. C'est comme ça.

Sans lui laisser le temps de répondre, elle s'élança hors de la chambre puis dévala l'escalier jusqu'au rez-de-chaussée. Une fois dans la cuisine, elle alluma la lumière, ferma la porte et s'y adossa. Au bout d'un moment, quand elle eut retrouvé son sang-froid, elle décida de se préparer du thé. Après avoir mis l'eau à chauffer dans la bouilloire, elle jeta un regard autour d'elle. La cuisine était une pièce chaleureuse, douillette. Mais elle se sentait bien partout dans la maison, du petit bureau à la grande salle, de sa chambre à son cabinet. Il n'était pas question de quitter cette maison. Or c'était probablement ce que Clément avait en tête.

— Jamais, marmonna-t-elle entre ses dents.

Elle sortit une tasse du vaisselier puis, après réflexion, prit également une boîte de biscuits secs. Non, elle n'accepterait plus qu'on lui dicte sa conduite, qu'on la pousse à droite ou à gauche au gré des désirs de chacun. Elle avait sa clientèle, ses responsabilités, et depuis peu son poste au parc des Bauges, qu'elle n'était pas prête à sacrifier. Ni à Clément ni à personne. Et Louise, il avait pensé à elle ? Toutes les deux, elles avaient accompli un travail énorme. Elles avaient quitté Paris sans regarder en arrière et s'étaient mises à reconstruire, à peine arrivées, comme de bonnes petites fourmis. Alors, si Clément voulait s'en aller, c'était son problème, plus le leur.

En attendant que le thé refroidisse, elle croqua trois biscuits à la suite. Un peu apaisée, elle songea à ce qu'elle avait ressenti lorsque Clément avait manifesté son désir. Une envie de se recroqueviller, d'éviter ses mains, de remettre à plus tard. La même sensation pénible que l'avant-veille. Pourtant elle ne l'avait pas repoussé, peut-être pour qu'il ne pose pas de question, peut-être par habitude. Elle avait fait semblant, en silence, et c'était quelque chose qu'elle détestait. Mimer l'amour pour en finir plus vite était lamentable mais, deux fois de suite, elle n'avait rien éprouvé. Rien d'autre qu'un détachement froid qui la rendait spectatrice et passive. Les yeux fermés, elle avait vainement essayé de se laisser aller. Clément était plein de bonne volonté ; pourtant, au bout d'un moment, c'est à Ivan qu'elle avait pensé.

— Et merde, merde…, soupira-t-elle en saisissant la tasse pleine.

Le thé était à son goût, un peu fort, très sucré. Elle se demanda si elle avait cessé d'aimer son mari sans même s'en apercevoir. S'il était possible de se retrouver un beau soir complètement indifférente. Non seulement elle n'appréciait plus les élans de Clément, mais elle préférait même les nuits où il ne rentrait pas. Il n'y avait pas que le plaisir qui faisait défaut, la tendresse avait disparu aussi. Ivan n'était pas la cause de cette désaffection, il n'en était que la conséquence. Quelques années plus tôt, n'importe quel homme aurait bien pu jouer de la mandoline sous ses fenêtres, elle ne l'aurait même pas remarqué. C'est parce qu'elle s'était détachée peu à peu de Clément qu'elle pouvait être sensible à d'autres que lui. Parce qu'il l'avait déçue sans qu'elle prenne jamais le temps de se l'avouer. Elle n'avait pas voulu voir son égoïsme et ses petites vanités, elle avait pris sa défense quand les enfants le jugeaient injuste ou morose. Tout le temps qu'il était resté au chômage, elle s'était efforcée de ne pas mettre en évidence leurs problèmes de couple. Elle avait différé ces questions-là pour ne pas l'accabler davantage mais aujourd'hui elle était au pied du mur. Il fallait avoir l'honnêteté d'en parler avec lui. Au lieu de fuir la discussion, tout à l'heure, elle aurait mieux fait de jouer cartes sur table. Il devait attendre qu'elle remonte, assis bien droit dans leur lit, avec cet air réprobateur qu'elle connaissait trop bien. Chaque fois qu'ils entraient en conflit, il se mettait en position de victime. Ou alors il prenait un ton paternaliste pour lui démontrer qu'elle avait tort.

Décidée à crever l'abcès, Bénédicte remonta l'escalier d'un pas vif. Dès qu'elle eut poussé la porte de leur chambre, elle entendit les ronflements légers de Clément. Il s'était endormi sur le dos, laissant la lumière allumée. Après un instant d'hésitation elle s'approcha, et pendant un moment, elle le regarda s'agiter dans son sommeil. Quel était donc ce nouveau projet qu'il avait élaboré tout seul et qu'il prétendrait bientôt lui imposer ? Elle n'avait pas vraiment envie de le savoir, aussi elle finit par s'allonger à son tour. La comédie au lit serait forcément suivie, sous peu, de la comédie de la vie. Un couple usé, où chacun n'était plus vraiment concerné par l'autre. Des recommandations machinales, des gestes distraits. Peut-être même de discrètes infidélités. Mais en continuant à partager la solitude et les factures pour ne pas vieillir seul. Plus tard, des chambres séparées où ils s'endormiraient secrètement soulagés.

La pénombre de la chambre se brouilla quand les larmes lui montèrent aux yeux. C'était la deuxième fois qu'elle craquait en quelques jours, elle qui n'avait pas pleuré depuis des années, sauf au cinéma. Et elle ne savait lequel, de Clément ou d'elle-même, lui causait le plus de peine.

Jeanne Charlet ne parvenait pas tout à fait à dissimuler la satisfaction qu'elle éprouvait. Par égard pour son mari, elle essayait de ne pas dévorer Ivan du regard et de ne pas ponctuer toutes ses phrases d'un petit rire ravi. Mais elle était fière de lui, elle n'y pouvait rien. D'abord elle le trouvait très beau, d'une finesse que ni elle ni Henri ne possédaient. Ensuite il s'était montré particulièrement tendre avec elle, comme lorsqu'il était petit. Or depuis le décès de Guillaume, il ne parvenait plus à extérioriser ses sentiments. Elle en déduisit qu'il allait mieux, que quelque chose s'était produit qui allait peut-être lui permettre de redevenir lui-même.

Des fenêtres de l'appartement, on apercevait le clocher d'une église. En bas, sur le boulevard, il y avait beaucoup de bruit et d'animation. En prenant leur retraite, les Charlet avaient complètement changé d'existence. Après avoir vécu dans un village de montagne, ils semblaient désormais apprécier la douceur du climat avignonnais et les attraits d'une grande ville. Henri passait son temps dans les musées ou au bord du Rhône, tandis que sa femme parcourait inlassablement les rues commerçantes.

S'arrachant à la contemplation de son fils, Jeanne décida de s'occuper du déjeuner et se résigna à le laisser en compagnie de Henri, le temps de courir acheter des rougets chez le poissonnier. Une fois seuls, le père et le fils se sentirent un peu embarrassés.

— Si tu veux fumer, ne te gêne pas, déclara Henri en se levant pour ouvrir davantage l'une des baies vitrées.

Ivan le mettait toujours un peu mal à l'aise et il chercha ce qu'il pourrait lui dire d'aimable.

— Comment vont tes affaires ? finit-il par demander.

Ce n'était pas la meilleure question à poser, il s'en aperçut trop tard. Le verre ou le cristal ne l'intéressaient pas, il l'avait fait savoir haut et fort à l'époque. En réalité, il avait été déçu que son fils veuille fermer l'entreprise d'ébénisterie. Bien sûr, il l'avait poussé à faire des études, il s'était même réjoui de pouvoir lui offrir une formation aussi variée. Mais il avait toujours cru que, le moment venu, Ivan reprendrait l'affaire familiale, et même si le mariage avec Élisabeth lui avait ôté une partie de ses illusions, il avait pourtant continué d'espérer. Hélas, il y avait eu le décès de Guillaume, le divorce. Une période très dure pour tout le monde. Jeanne n'arrêtait pas de pleurer et Henri avait proposé de lui-même une retraite anticipée mais méritée. Leur départ offrait à Ivan la possibilité de revenir au pays. Le chalet l'attendait, l'entreprise aussi, qu'il en fasse donc ce qu'il voulait. Et il avait tout liquidé, ne gardant que les murs pour y installer sa fichue cristallerie ! Henri n'avait fait aucun commentaire mais il avait pris cette décision comme un affront. Depuis lors, ils évitaient le sujet.

— Et à la maison, quoi de nouveau ? enchaîna-t-il.

— Je vais refaire le balcon cet été. Les traverses n'en peuvent plus.

— Qui prendras-tu pour ça ? Pas Lucien j'espère, il te saboterait le travail !

Soudain loquace, Henri en profita pour demander des nouvelles de tous les gens qu'il connaissait. Il s'enquit même de la santé des superbes chiens de son fils. Pour finir, il risqua une réflexion personnelle.

— Tu as l'air en forme. Moins... enfin, bien quoi.

Henri avait accompagné ces quelques mots d'un sourire paternel qui surprit Ivan. Les démonstrations affectives ne faisaient pas partie de leurs rapports.

— Est-ce que tu penserais enfin à te remarier ?

Pris au dépourvu, Ivan tendit la main vers le cendrier pour écraser son mégot. Il lui était impossible de répondre. Comment avouer à son père qu'il était tombé sous le charme d'une femme mariée et mère de famille ? En catholique convaincu, Henri était très intolérant sur ce chapitre, comme sur bien d'autres.

— Le mieux qui puisse t'arriver, ce serait de refaire ta vie. Ta mère s'inquiète de te savoir toujours seul. Et quand je te regarde, je ne peux pas croire que les occasions te manquent...

Il continuait de dévisager son fils avec insistance, lui trouvant quelque chose de changé. Il s'était souvent demandé comment Jeanne et lui avaient pu engendrer un garçon pareil. Ivan avait été un enfant adorable, un adolescent superbe, puis un jeune homme très séduisant. Gentil, travailleur, brillant. Henri lui avait donné une éducation stricte, presque rigide, laissant à Jeanne le soin d'être tendre, mais il s'émerveillait secrètement devant son fils. À l'époque où, certains dimanches, Ivan conduisait chez eux le petit Guillaume, il les observait tous deux avec une légitime fierté de père et de grand-père. Cependant, il n'avait jamais senti Ivan vraiment épanoui. Par la suite, la question ne s'était plus posée. Ravagé par la mort du gamin, Ivan s'était muré dans un silence poli que Henri n'avait pas essayé de forcer. Mais aujourd'hui, son regard et son sourire semblaient différents. Une transformation subtile, infime, qui en faisait quelqu'un d'autre.

— Tu es amoureux, non ? conclut-il posément.

L'embarras de son fils le renseigna mieux qu'une réponse.

— Tu nous en parleras quand tu voudras. Je suis content pour toi.

C'était beaucoup plus que tout ce que Henri avait pu lui dire depuis dix ans, et Ivan se sentit bouleversé.

— Content de quoi ? demanda Jeanne qui venait de rentrer.

Elle posa son panier, s'approcha d'Ivan et, debout derrière lui, mit ses mains sur ses épaules.

— Sers-nous un apéritif, dit-elle à son mari.

Tandis qu'il quittait la pièce, elle resserra son étreinte en souriant.

— Tu as fait des confidences à ton père ? Et moi, alors ? Il faut que je devine toute seule ?

Il appuya sa tête contre elle, une seconde, puis se retourna d'un bloc pour pouvoir la regarder en face.

— Est-ce que ça se voit tant que ça ?

D'un geste tendre, elle passa ses doigts dans les boucles blondes, remit quelques mèches rebelles en place.

— Tu me parais un peu survolté, Ivan. Anxieux et combatif. Mais aussi très… vivant.

Elle n'avait pas trouvé d'autre mot. En lui ouvrant la porte, le matin même, elle avait remarqué le changement. À sa façon de l'embrasser en la soulevant presque, au sourire d'où l'amertume avait disparu. Elle s'était tout de suite demandé quelle femme avait bien pu le faire sortir de sa réserve. Qui que ce soit, elle lui en était reconnaissante.

— La prochaine fois que tu viendras, emmène tes chiens. Ton père les adore. Et comme ça, tu pourras rester tout un week-end. D'ailleurs, emmène qui tu veux, tu seras toujours le bienvenu.

La proposition était claire et Ivan aurait aimé pouvoir l'accepter.

— Ce n'est pas ce que tu crois, maman, murmura-t-il. En fait, elle n'est pas… libre.

Même en sachant que sa mère allait être déçue, ou choquée, il avait cédé à l'irrésistible envie de parler de Bénédicte et il s'en voulut aussitôt.

— Ah…, souffla Jeanne. Eh bien… ça arrive.

Pourquoi fallait-il que le sort s'acharne autant sur son fils ? Est-ce qu'il n'avait pas droit au bonheur après toutes ces années d'enfer ? Il ne pouvait même plus se confier à la vieille Mathilde, et pas davantage en discuter avec son père, alors elle choisit d'être au moins celle qui ne le jugerait pas.

— À quarante-deux ans, dit-elle d'une voix tranquille, je suppose que tu sais ce que tu fais.

C'était beaucoup pour elle, qui avait toujours vécu dans l'ombre de son mari sans afficher d'opinion personnelle. Stupéfait, Ivan l'entendit ajouter :

— Tu as bien divorcé, toi.

Henri revenait, portant un plateau lourdement chargé. Jeanne s'écarta de son fils pour servir les boissons mais, lorsqu'elle lui tendit son verre, elle conservait toujours le même sourire tendre et complice.

— Oh non, c'est pas possible ! Pas elle ! La neige à peine fondue, la voilà déjà ?

Pierre donna un coup de pied rageur dans un ballot de paille.

— Qu'est-ce qui l'attire ici, tu peux me le dire ? demanda-t-il d'un ton rageur. Les joies de la famille ? À d'autres ! Plutôt le plaisir d'un séjour à se tourner les pouces, pendant que tu l'écoutes et que tu lui sers de bons petits plats.

— Ne sois pas injuste, riposta Danièle. Pour une fois, son travail a l'air de marcher et elle ne restera que dimanche et lundi. On ne peut pas la laisser tomber.

— Je t'assure que ça ne me gênerait pas, que ça ne me poserait aucun problème de conscience, grogna-t-il en se saisissant d'une fourche.

Il arrangea une ou deux litières, tandis que Danièle flattait les naseaux d'une vache au ventre énorme.

— Elle n'est pas loin du terme, dit-elle d'une voix inquiète, j'espère que tout ira bien. J'ai presque envie de demander à Bénédicte d'y jeter un coup d'œil. Elle doit passer prendre un café tout à l'heure.

Pierre s'approcha et sourit à sa femme qui caressait les flancs distendus avec une douceur presque maternelle.

— Tu l'aimes bien, celle-là, hein ?

— C'est son premier veau…

— Oui, mais tu as quand même un faible pour elle. Je te connais ! Tu la bichonnes depuis sa naissance…

De temps à autre, Danièle se prenait d'affection pour un animal et Pierre la laissait faire, attendri. Il savait qu'elle aurait adoré avoir une ribambelle d'enfants, mais la naissance de Max s'était très mal passée et Danièle avait dû renoncer à un second bébé.

— Puisque tu as un vétérinaire sous la main, profites-en, tu seras rassurée, dit-il gentiment.

En six mois, il avait eu le loisir d'apprécier chacune des interventions de Bénédicte sur son bétail. Jamais il n'avait vu une étrangère à la vallée s'y intégrer aussi vite, et il se félicitait de l'avoir aidée dès le début. Elle avait réussi à gagner sans difficulté l'estime des éleveurs et la sympathie de leurs femmes, ce qui tenait de l'exploit.

— C'est drôle de penser que la nièce de Mathilde deviendra peut-être un jour la belle-mère de Max, murmura-t-il, songeur.

— Ne dis pas ça ! S'il t'entendait…, protesta Danièle en souriant.

— Il est mordu de la petite, je ne crois pas qu'il en fasse un mystère.

— Ton fils est un grand timide et un grand sentimental. Laisse-le se déclarer tout seul, ne t'en mêle pas.

Pierre se mit à rire et il donna une joyeuse claque sur la croupe de la vache.

— Quand même, tu voudrais bien que j'aie raison, parce que comme ça il ne partirait pas loin !

Il prit sa femme par la taille puis l'embrassa sur la joue.

— Tu sens bon, constata-t-il en s'attardant une seconde, le nez dans son cou. Mais ça ne m'empêche pas d'être furieux, à propos de ta cousine Élisabeth.

— Je ne vois pas de quel droit. Tu vas en profiter pour te barricader à la mairie, comme d'habitude, alors elle ne te gênera pas beaucoup !

— Moi, non, c'est plutôt Ivan qui est à plaindre. Elle va lui faire le coup des jérémiades et il finira par lui signer un chèque. Je trouve ça pitoyable.

Danièle hocha la tête, pensive. Ivan se faisait rare depuis quelque temps. Il faudrait absolument qu'elle l'invite à dîner avant l'arrivée d'Élisabeth. Avec les Ferrière, ce qui ferait sûrement plaisir à Max.

Le lundi suivant, comme prévu, Bénédicte partit pour le parc des Bauges au lever du jour. Son premier terrain d'observation se situait dans la réserve de chasse et de faune sauvage, dans le triangle des sommets du Sambuy, du Pécloz et d'Arcalod. Elle savait que le cœur du massif abritait quelque deux mille chamois, mais elle éprouva une émotion intense lorsqu'elle en découvrit un dans ses jumelles.

Toute la matinée, elle se contenta de marcher, sans prendre aucun repère ni aucune note, juste occupée à se familiariser avec le paysage. Elle avait choisi son équipement avec soin, prenant la précaution d'enfiler deux paires de chaussettes dans ses chaussures de montagne, et une parka en duvet sur son col roulé. Le printemps était là mais il ne faisait pas plus de six degrés quand elle se mit en route, jumelles en bandoulière et téléphone portable en poche.

Les gardes étaient censés lui signaler les animaux blessés ou malades et, le cas échéant, l'aider à les approcher. Mais l'une des règles du parc reposait sur le respect de la vie sauvage, ce qui supposait le minimum d'intervention humaine. Son seul travail bien défini consisterait à endormir certains mâles à distance pour pouvoir leur apposer une marque distinctive qui permettrait de les suivre pour contrôler leurs habitudes, leurs territoires. Une sorte d'infirmerie de campagne était théoriquement à sa disposition, à elle de vérifier les stocks de médicaments, de dresser la liste des aménagements souhaitables. Le reste du temps, ses observations ne feraient que recouper celles des éthologues, et ses éventuelles suggestions seraient soumises aux différents techniciens et administrateurs.

Un peu avant dix heures, elle fit une pause pour manger deux barres de céréales. L'œil toujours rivé aux jumelles, elle eut droit au spectacle d'un renard poursuivant une marmotte puis, un peu plus tard, elle surprit le vol d'un aigle royal. Quand elle s'aperçut qu'elle était très loin de son point de départ, à environ quinze cents mètres d'altitude, elle rebroussa chemin à regret, étonnée d'avoir éprouvé un tel plaisir à marcher en silence. Pas un instant elle n'avait songé à Clément, ou d'ailleurs à qui que ce soit. Rien ne l'avait distraite de cette longue balade solitaire ; toutefois, en reprenant sa voiture, elle retrouva instantanément ses soucis. Depuis l'incident de l'autre nuit, Clément boudait ostensiblement, drapé dans sa dignité. Il rentrait tard d'Annecy et dînait seul devant la télé, puis montait se coucher pour s'endormir presque aussitôt. Une discussion s'imposait sans doute mais elle n'avait pas le courage de la provoquer. À plusieurs reprises, elle avait rêvé d'Ivan. Quand elle se réveillait, à l'aube, elle y repensait avec autant de gêne que de plaisir. Et comme un fait exprès, ces jours-là, elle le croisait toujours sur la route. Sans ralentir, il lui adressait juste un petit appel de phares et elle rageait de se sentir frustrée. Elle s'était arrêtée devant le chalet, l'avant-veille, mais n'avait pas osé quitter sa voiture pour aller frapper à sa porte. De toute façon, qu'aurait-elle pu lui dire ? L'attirance qu'elle éprouvait pour lui n'était peut-être qu'un caprice. En lui avouant ses sentiments, il l'avait flattée, stimulée, rajeunie. C'était somme toute assez banal, elle réagissait comme n'importe quelle femme de quarante ans. Mieux valait ne pas donner d'importance à cet épisode bizarre de son existence. Du moins elle tentait de s'en persuader.

Quand elle arriva chez elle, c'était presque l'heure de sa consultation et elle n'eut que le temps d'avaler un sandwich, debout dans la cuisine. Sur la table, Louise avait laissé un mot annonçant qu'elle partait passer la journée à Annecy, avec Max. Un peu plus loin, la tasse de Clément traînait, avec un fond de sucre coagulé, à côté d'un dossier oublié. Elle y jeta un coup d'œil distrait tandis que le café chauffait. Il s'agissait du descriptif détaillé d'une maison, avec plans d'intérieur et d'extérieur. Le prix était souligné en rouge et une note manuscrite en marge signalait : « Affaire très rare. Possibilité de négocier encore. Situation exceptionnelle, plein centre. » Avec un soupir agacé, Bénédicte reposa les feuillets. Il ne s'agissait pas d'un oubli, c'était plus probablement le fameux projet de Clément et, puisqu'il n'avait pas pu en parler, il le lui mettait sous le nez. Une maison au cœur d'Annecy, voilà quelle était sa trouvaille. Autre endroit, nouveau départ. Quelque chose qu'il défendrait sans doute avec autant de véhémence que lorsqu'il avait voulu quitter Paris.

Haussant les épaules, elle coupa la cafetière et sortit en claquant la porte. Dans la salle d'attente, deux personnes étaient déjà assises. Elle leur adressa un regard interrogateur et une vieille femme tenant un panier d'osier se leva pour la suivre. Bénédicte referma la porte de son bureau tandis que la cliente déposait avec précaution un gros chat noir sur la table d'examen.

— On m'a dit que vous pourriez le soigner, déclara-t-elle d'une voix revêche. Je me suis fait déposer ici, mais c'est loin, c'est pas commode...

Bénédicte enfila sa blouse en réprimant un sourire. Il y avait des mois qu'elle n'avait pas vu de chat et c'était très bon signe. Si les gens commençaient à lui amener leurs animaux domestiques, c'est que sa réputation était en train de s'étendre. Les éleveurs de bétail ne pouvaient pas faire autrement que la consulter, mais les particuliers étaient une clientèle plus difficile à motiver et à déplacer. Elle prit une fiche vierge, mit son stéthoscope autour du cou puis s'approcha du matou en le jaugeant d'un coup d'œil très professionnel.

La main de Louise disparaissait dans celle de Max. Ils marchaient côte à côte le long du canal, heureux de profiter d'un répit. Toute la matinée avait été occupée à faire des achats de ciment, plâtre, peintures et autres enduits qu'un camion livrerait directement. Épuisés, ils avaient déjeuné tard dans une taverne, avant de repartir dévaliser une quincaillerie, et là c'était Max qui avait dû porter les sacs jusqu'au coffre de la voiture. En guise de récompense, pour finir la journée, ils avaient décidé de s'octroyer une balade dans la vieille ville.

Max ne s'intéressait ni aux fleurs pendues sur les balustrades, au-dessus de l'eau, ni aux vitrines des magasins. Seul le profil de Louise le captivait et il lui jetait de fréquents regards, sans pouvoir s'en rassasier. Elle bavardait gaiement, s'arrêtait à toutes les devantures, s'amusait d'un rien. Son énergie était sans limite, il avait pu le constater en la voyant travailler. Aucune tâche ne la rebutait ou ne lui semblait hors de portée. Elle acceptait son aide avec reconnaissance mais n'en profitait même pas pour se reposer. Lorsqu'ils s'échinaient tous les deux sur les murs et sur les planchers, elle continuait à parler, jamais lassée d'échafauder des plans. Une fois terminé, son gîte serait sûrement le plus remarquable de la région car elle débordait d'idées.

Alors qu'ils passaient devant une agence immobilière, elle s'attarda sur les photos des maisons de pays, désignant telle ou telle couleur de volet, tel détail particulier.

— En bleu canard, ça jette ! s'exclama-t-elle soudain. C'est superbe sur ce genre de vieux bâtiment... J'ai demandé à papa de me ramener toutes les photos d'étables ou de granges aménagées qu'il possède. Mais je crois que je vais peindre toutes les boiseries en bleu, c'est vraiment ce que je préfère... Tu imagines la gueule que ça aura avec de la neige sur le toit ?

Il l'entendit rire mais resta sans réaction. Il fixait une annonce, en haut de la vitrine, muet de saisissement. Au bout de quelques instants, elle remarqua son manque d'enthousiasme et leva les yeux à son tour. Ce qu'elle découvrit lui sembla tellement inconcevable qu'elle mit un moment à réagir.

— Max..., murmura-t-elle. Je rêve ou quoi ?

Toujours incrédule, elle lut à mi-voix le texte de l'annonce.

— Maison de caractère du XVe siècle, plafonds à caissons d'origine, dépendances en cours de rénovation…

La photo était assez médiocre mais, indiscutablement, c'était bien la maison forte. Immobiles devant la vitre, ils finirent par se tourner l'un vers l'autre. La main de Louise se crispa dans celle de Max avant de se dégager.

— Qu'est-ce que ça signifie ? dit-elle dans un souffle.

Elle recula un peu pour voir l'enseigne de l'agence. Ce n'était pas celle où travaillait son père, mais c'était le même logo. Max la vit pâlir et, instinctivement, il l'attira contre lui.

— Ce doit être une erreur, il y aura eu confusion…

La tête enfouie dans le blouson de Max, elle ne répondit rien.

— Tes parents t'en auraient parlé, voyons… Ta mère s'y plaît énormément, ça se sent… Et puis ils ne t'auraient jamais fait un coup pareil, réfléchis… Peut-être que la photo était dans les archives ? Au moment du décès de Mathilde, le notaire avait dû commencer à prospecter et…

D'un mouvement brusque, elle releva la tête.

— Tu veux rire ? C'est quoi, ça, d'après toi ?

Elle désignait la photo d'un doigt vengeur. On distinguait très bien l'avant d'une voiture garée près de la maison. Et, indiscutablement, il s'agissait du 4 × 4 de Bénédicte.

— On va rentrer, et tu auras le fin mot de l'histoire, proposa-t-il d'un ton apaisant.

Après une brève hésitation, elle se résigna à le suivre. Elle aurait pu pousser la porte de l'agence, demander des explications, mais elle n'en avait pas le courage. Si la vérité était telle qu'elle l'imaginait, autant attendre d'être chez elle pour donner libre cours à sa colère.

La réaction de Bénédicte fut très violente. À tel point que Max voulut s'éclipser pour laisser les deux femmes en tête à tête, mais Bénédicte le rattrapa dans le vestibule et lui demanda d'emmener Louise dîner chez ses parents. L'explication qu'elle aurait avec Clément se passerait sûrement mieux sans témoin.

Une fois seule, elle arpenta tout le rez-de-chaussée pendant une bonne demi-heure, ivre de rage. Puis, n'y tenant plus, elle décida d'appeler Clément. Il devait être en route car elle n'obtint que le répondeur de l'agence. Elle avait beau se raisonner, elle ne parvenait pas à retrouver son sang-froid. La maison était à elle, c'était elle l'héritière de Mathilde, et personne ne pouvait la forcer à vendre, pas même son mari.

En passant d'une pièce à l'autre, elle allumait les lumières et regardait autour d'elle comme si elle découvrait les lieux pour la première fois. Elle constata qu'elle aimait tout, jusqu'au dernier détail, dans cet endroit qui était devenu son foyer. Si Clément voulait la guerre, il allait l'avoir. S'il ne faisait plus la différence entre proposer et imposer, elle se chargerait de lui ouvrir les yeux.

Vers neuf heures, elle s'installa dans le petit bureau, là où sa fille élaborait ses projets depuis des mois. Pauvre Louise ! Comment son père osait-il piétiner ses rêves avec autant de désinvolture ? Est-ce que son égoïsme l'empêchait de voir le profond changement qui s'était opéré chez elle ? Ce n'était plus la gamine désœuvrée qui les inquiétait encore un an plus tôt. Elle avait trouvé sa voie, elle était en train de se réaliser et le seul service à lui rendre était de l'épauler. Comme le faisait Max, en homme intelligent.

Elle baissa les yeux sur le meuble éraflé où Mathilde avait corrigé tant de cahiers d'écoliers. Ce serait probablement là que Bénédicte ferait le bilan de sa première année d'exploitation. Et des suivantes. Jamais elle ne bougerait d'ici.

Le téléphone la fit sursauter et la voix de Clément ranima toute sa fureur. Il s'était attardé chez des clients, d'où il appelait, et il pensait rentrer vers onze heures ou minuit car il était convié à dîner. Elle entendait des conversations, à l'arrière-plan, et elle se contenta de lui poser une seule question, d'un ton glacial.

— Il paraît que tu as mis notre maison en vente ?

Il y eut un silence puis il toussota, gêné, rappela qu'il n'était pas seul et qu'ils en parleraient à son retour. Elle raccrocha avec une telle force que l'appareil tomba sur le carrelage. Sans réfléchir, elle prit un blouson sur la patère et sortit dans la nuit fraîche. Malgré sa longue marche de la matinée, elle ne tenait pas en place. Elle ne se voyait pas passer toute la soirée à attendre en ruminant. Devant sa voiture, elle hésita. Elle pouvait aller chez les Battandier, ils se feraient un plaisir de l'accueillir, elle en était certaine. Mais, tant qu'elle n'aurait pas éclairci la situation avec Clément, elle n'avait envie de parler à personne.

Elle finit par s'asseoir au volant et se mit à pianoter sur le tableau de bord. À personne, soit, mais s'il y avait bien quelqu'un capable de la comprendre ou, en tout cas, de l'écouter...

Avec une lenteur exagérée, elle démarra puis fit demi-tour pour se laisser le temps de réfléchir. Est-ce qu'elle ne se servait pas de sa colère pour trouver le prétexte d'aller chez Ivan ? Même avant cette histoire, elle en mourait d'envie, autant se l'avouer.

Le chemin n'était pas très long, de la maison au chalet, et si doucement qu'elle ait roulé elle se retrouva devant chez lui en cinq minutes. Elle éteignit ses phares, coupa le contact et retira sa clef. Qu'allait-elle bien pouvoir lui dire ? Qu'elle avait envie de boire un verre ? Est-ce qu'elle avait vraiment le droit de le déranger à cette heure-là pour énumérer tous ses griefs contre Clément ? Vue sous cet angle, c'était une situation ridicule pour elle et très désagréable pour lui.

Au pied de l'escalier en bois, elle hésita encore. Son cœur battait très vite et elle avait soudain trop chaud dans son blouson. Elle décida qu'elle partirait s'il ne répondait pas tout de suite. Pourtant, après avoir frappé, elle attendit patiemment. Il mit deux minutes à lui ouvrir et parut stupéfait de la découvrir sur le seuil. Vêtu d'un tee-shirt bleu nuit et d'un jean, il avait des traces noires sur les mains et les bras. Il s'écarta un peu en souriant.

— Bonsoir, Bénédicte. Entrez…

Sa voix était chaleureuse mais son regard restait un peu inquiet.

— J'espère que je ne vous dérange pas, dit-elle en pénétrant dans la cuisine.

— Bien sûr que non. Venez, je suis en train de me battre avec ma cheminée.

Elle le suivit dans le salon où des journaux étaient étalés par terre, devant le foyer. Un grand seau de cuivre contenait des cendres et de la suie.

— J'ai fini, déclara-t-il. Le temps de ranger et je vous sers quelque chose.

Il roula les journaux en boule, emporta le seau. Elle entendit l'eau couler dans l'évier de la cuisine. Puis un bruit de porte suivi du cliquettement des griffes sur les tommettes. Roméo entra le premier et vint droit à elle tandis que Diva s'approchait plus lentement. Les deux animaux portaient de larges colliers de nylon rouge vif, ce qui arracha un petit rire à Bénédicte.

— Ah ! vous êtes trop mignons comme ça… Faites voir les médailles… De vrais chiens de poche, hein ?

Diva s'ébroua et se mit à bâiller, découvrant ses crocs impressionnants.

— Installez-vous, je vous en prie. Est-ce que vous avez le temps de boire une coupe de champagne ? Ou une tasse de café ?

Il se tenait devant elle, toujours décoiffé mais les mains propres.

— J'ai tout mon temps, annonça-t-elle.

Un peu déconcerté par cette réponse, il se contenta de hocher la tête.

— Très bien. Champagne, alors.

Il repartit chercher des verres et une bouteille qu'il déposa sur une table en demi-lune. Assise à un bout du canapé, elle se tenait très droite, dans une attitude compassée, ne sachant absolument plus quoi dire. Lorsqu'il lui tendit son verre, elle n'osa même pas le regarder. Il patienta quelques instants, debout devant elle, puis retourna vers la cheminée où il commença à entasser du petit bois puis des bûches. Ensuite il fouilla la poche de son jean pour en extirper un briquet et il alluma la flambée. Il dut se servir du soufflet pour activer les premières flammes.

— Si vous avez des soucis et si je peux faire quoi que ce soit…, dit-il sans se retourner.

Après quelques minutes, il se redressa et lui fit face. Elle était en train de caresser Roméo, couché par terre à ses pieds. Il constata d'un coup d'œil qu'elle avait vidé son verre et il vint le remplir.

— À quoi voulez-vous boire ? demanda-t-il d'un ton léger.

— À Mathilde !

La réponse avait fusé, un peu agressive.

— À Mathilde, très bonne idée, répondit-il tranquillement.

Il prit le temps de savourer quelques gorgées puis il s'assit sur le tapis, à côté de Roméo. D'un geste très doux, il prit l'un des mocassins de Bénédicte pour la déchausser.

— Je vous ai vue faire chez vous, il n'y a que comme ça que vous pouvez vous installer dans un canapé.

Le contact de la main d'Ivan sur sa cheville la fit frissonner. Il ôta l'autre chaussure et elle replia ses jambes en étouffant un petit soupir. La pièce n'était éclairée que par une seule lampe en plus de la flambée.

— J'adore le champagne, réussit-elle à dire.

— Tant mieux, j'en ai plein la cave. Mais vous n'êtes pas venue pour ça ?

Elle accepta enfin de croiser le regard clair qui la scrutait.

— Non. Je… Eh bien, j'étais très en colère et je voulais vous parler.

— Allez-y.

260

— Oh, c'est un peu compliqué. Je me sens stupide, là.

— Qui vous a mise en colère ?

Cette fois elle secoua la tête, se déroba, finit par baisser les yeux sur Roméo. Ivan était si près d'elle qu'elle l'entendait respirer. Quand il bougea un peu, prêt à s'écarter, elle eut un geste instinctif pour le retenir. Du bout des doigts, elle appuya sur son épaule, l'empêchant de se relever.

— Ne faites pas ça, murmura-t-il.

À regret, elle ôta sa main sans qu'il bouge. Au bout d'un long moment, il parvint à lui sourire, pourtant sa tristesse était tellement évidente que Bénédicte se sentit complètement désemparée. Elle ne se souvenait pas avoir jamais eu autant envie de toucher quelqu'un. Elle recula, s'appuya au dossier du canapé et ferma les yeux. Roméo se secoua, fit tinter sa médaille puis entreprit de se lécher une patte. Il y eut d'autres bruits, dont celui de la bouteille heurtant le bord d'un verre. Quelques secondes plus tard, elle devina la présence d'Ivan derrière elle. Un souffle sur ses cheveux, le contact très bref d'un baiser dans la nuque avant qu'il s'éloigne à nouveau. S'ils continuaient ce jeu dangereux, ils allaient finir par se jeter l'un sur l'autre et elle en serait seule responsable. D'abord qu'est-ce qu'elle faisait chez lui, en chaussettes ? Elle s'était précipitée ici pour lui parler et elle n'avait pas ouvert la bouche, c'était un comportement incohérent…

Soudain Roméo se dressa d'un bond, les oreilles rejetées en arrière. Elle perçut un sourd grondement, très impressionnant, qui lui fit rouvrir les yeux juste avant que la porte ne claque.

— Couché ! ordonna Ivan à l'instant où Élisabeth entrait.

Diva avait filé vers la cuisine tandis que Roméo s'aplatissait sur le tapis, babines retroussées.

— Je t'ai déjà demandé de me prévenir, un jour tu vas te faire attaquer, reprocha-t-il d'un ton froid.

— Mais non ! Ils me connaissent, et puis tu les as bien dressés…

Élisabeth remarqua alors la présence de Bénédicte et parut très contrariée de la découvrir là.

— Désolée de vous déranger ! lança-t-elle avec aigreur.

Son regard se posa d'abord sur les mocassins, ensuite sur la bouteille vide.

— Tu fêtes quelque chose ? Je trinquerais volontiers…

Elle avança jusqu'au canapé, tendit sa main à Bénédicte.

— Le docteur Ferrière, c'est ça ? Nous nous sommes déjà rencontrées, je suis la femme d'Ivan. Enfin, j'étais, Dieu merci !

Il ne releva pas l'expression et prit Roméo par son collier.

— Viens, lui dit-il doucement.

— Si tu les enfermes, profites-en pour remonter du champagne, tu es à sec il me semble !

Évitant ostensiblement les chaussures, elle s'installa à côté de Bénédicte.

— C'est avec votre fille que j'ai dîné ce soir chez Danièle, je crois. Elle était plutôt… boudeuse. Mais les jeunes sont tellement lunatiques ! En tout cas, elle est ravissante, Max ne s'y est pas trompé, on dirait…

Comme elle n'obtenait aucune réponse, elle baissa un peu la voix.

— Vous passiez la soirée en tête à tête avec Ivan ? Drôle d'idée. Et si j'ai un bon conseil à vous donner, laissez tomber, il est infréquentable.

Bénédicte la dévisagea sans indulgence avant de hausser les épaules. L'intrusion d'Élisabeth l'exaspérait plus que de raison et elle s'en voulait de sa réaction.

— Vous pouvez me faire confiance, poursuivait l'autre, je le connais mieux que personne, c'est un monstre d'égoïsme, doublé d'un irresponsable !

Abasourdie, Bénédicte la regarda encore une seconde puis tourna la tête vers Ivan qui était revenu dans la pièce, une bouteille à la main.

— Si c'est pour entendre ce genre de choses, je préférerais que tu t'en ailles, déclara-t-il.

— Ne te fâche pas…

Ivan paraissait calme, mais Bénédicte remarqua qu'il avait pâli.

— Je ne sais pas si vous êtes au courant, enchaîna Élisabeth en s'adressant à Bénédicte, mais nous avons vécu un drame épouvantable, Ivan et moi. En général il n'en parle pas parce que… Enfin, disons que s'il avait été conscient de ses devoirs de père, ce ne serait pas arrivé.

Un silence pénible s'abattit sur eux trois et se prolongea plusieurs secondes. Atterrée par la cruauté de ce qu'Élisabeth venait de dire, Bénédicte se demanda ce qu'Ivan ressentait.

— Je suis désolée, finit-elle par articuler machinalement.

— Oh, c'est du passé… Je ne veux pas vous attrister avec ça.

Élisabeth se leva, prit la bouteille des mains d'Ivan qui restait figé. Elle entreprit de servir tout le monde.

— Mon travail va très bien, merci de me l'avoir demandé, persifla-t-elle. Je crois même qu'on va finir par s'agrandir, Karen et moi. À condition de trouver les capitaux nécessaires...

Très à l'aise, elle évoluait dans la pièce comme si elle était chez elle. Ivan, lui, se taisait toujours. Élisabeth s'approcha de lui, le prit par le cou et l'embrassa sur la joue.

— Ne fais pas cette tête-là, je serai bientôt tirée d'affaire !

Comme elle détestait le moindre contact physique avec lui, il comprit que son numéro visait uniquement Bénédicte. Il pouvait refuser de lui prêter de l'argent et la flanquer dehors, ainsi qu'il en mourait d'envie, mais c'était le meilleur moyen de passer pour l'égoïste inconséquent qu'elle venait de dépeindre. Haïssable, elle se servait de la présence d'une autre femme pour le coincer. Au besoin, elle pourrait se mettre à pleurer ou proférer des horreurs. Résigné, il jeta un coup d'œil vers Bénédicte qui semblait très gênée. Il ne saurait sans doute jamais pourquoi elle était venue ce soir.

— Alors comme ça, te voilà lancé dans une histoire d'amour ? ironisa Élisabeth.

Elle enleva l'imperméable qu'elle n'avait pas encore eu le temps de quitter et regagna le canapé.

— Rassurez-vous, je serai discrète, dit-elle à Bénédicte avec un clin d'œil appuyé. Mais faites attention quand même, ici c'est un trou, tout le monde surveille tout le monde. Vous n'allez pas tarder à regretter Paris !

— Élisabeth, déclara Ivan d'une voix sourde, j'aurais préféré que tu m'annonces ta visite. Là, tu tombes mal, je ne pense pas que tu puisses rester.

Comme il le redoutait, ce fut Bénédicte qui se leva aussitôt en annonçant qu'elle partait. Pendant ce temps-là, Élisabeth avait réussi à déclencher quelques larmes de commande.

— Non ! protesta-t-elle en s'essuyant la joue. C'est moi qui vais vous laisser, de toute façon je suis toujours en trop, partout...

Elle saisit le poignet de Bénédicte et la força à se rasseoir. Penchée vers elle, elle débita d'une voix plaintive :

— Vous avez vu comment il me traite ? Il n'aime que ses chiens et son compte en banque ! Je vous souhaite bien du courage...

D'un geste digne, elle ramassa son imperméable et se précipita vers la porte. Après son départ, Bénédicte eut besoin d'une longue minute avant de pouvoir lever les yeux sur Ivan. Il n'avait pas changé de place, toujours debout près de la cheminée, les mains enfoncées dans les poches de son jean, les traits décomposés. Il ne chercha pas à éviter son regard et ils se contemplèrent un moment en silence.

— Vous n'étiez pas obligé de supporter ça, dit-elle enfin.

Elle en était malade pour lui. Danièle lui avait parlé d'Élisabeth une ou deux fois, de la façon odieuse, voire perverse, dont elle se comportait avec son ex-mari, de sa personnalité étrange, et surtout de l'incapacité d'Ivan à s'en libérer. À le voir, il ne semblait pas hors de lui comme il aurait dû l'être, mais plutôt paralysé par l'humiliation qu'il venait de subir.

Bénédicte se leva, remit ses mocassins en prenant son temps. Rigoureusement immobile, il continuait de l'observer. Elle traversa la pièce et vint s'arrêter juste devant lui. Très lentement, elle approcha son visage du sien, lui effleura les lèvres. Puis elle appuya son front contre son épaule, lui laissant la possibilité de se dérober. Mais presque aussitôt, elle sentit qu'il passait un bras autour de sa taille, l'autre autour de ses épaules, et elle se retrouva plaquée contre lui. Ils ne firent aucun autre geste pendant un certain temps. Tout le long de son corps, elle percevait nettement sa chaleur, ses muscles tendus, le désir qu'il avait d'elle. Pourtant ce fut quand même lui qui finit par la repousser.

— Merci, chuchota-t-il.

Il la tint une seconde encore puis laissa retomber ses mains et, dès qu'il la lâcha, elle se sentit désemparée. Elle se demanda si Clément était enfin rentré. Louise ne pouvait pas affronter seule son père.

— Je vais partir, décida-t-elle.

Sachant qu'il n'essaierait pas de la retenir, elle alla chercher sans hâte son blouson et son sac. Sur le pas de la porte, elle faillit se retourner mais y renonça.

9

Laurent n'aurait pas pu choisir de pire moment pour rendre visite à ses parents. Sans avoir prévenu personne, afin de ménager la surprise, il avait pris un TGV au vol et il débarqua à l'agence de son père en fin d'après-midi. Heureux de voir son fils, dont il espéra aussitôt se faire un allié, Clément lui raconta les derniers événements en essayant de se garder le beau rôle. C'était d'autant plus facile qu'il venait d'obtenir, le matin même, une offre d'achat inespérée pour la maison forte.

— Mais tu connais ta mère, elle peut se montrer très têtue, même à ce prix-là elle prétendra que ça ne l'intéresse pas ! On s'est engueulés jusqu'à trois heures du matin, l'autre nuit, et depuis elle ne m'adresse plus la parole ! Alors, si tu veux bien m'aider à la raisonner…

Laissant à sa secrétaire le soin de fermer, Clément entraîna Laurent dans une petite promenade à travers la vieille ville. Il en profita pour entrer dans les détails et désigna, au loin, la maison qu'il guignait au bord du canal.

— Tu imagines comme on serait bien ici ? Quand je pense que je pourrais acheter celle-là avec le prix qu'on me propose pour l'autre ! C'est fou, non ? Mais ta mère et ta sœur s'accrochent à leur trou perdu en me traitant de girouette !

Il étouffa un soupir, attendit en vain une réponse puis finit par tapoter le bras de son fils.

— Tu n'es plus tellement concerné, n'est-ce pas ? Ah, tu as été bien inspiré de ne pas nous suivre, tu sais ! Avec le recul, je me dis que c'est toi qui avais raison... Enfin, ça m'a tout de même permis de retrouver du travail, mais autant ajuster le tir maintenant qu'on est sur place et qu'on a compris comment la région fonctionne. Ta mère pourrait très bien ouvrir un cabinet en ville, la clientèle ne manque pas. Elle retrouverait une existence plus agréable, y compris sur un plan professionnel. L'expérience montagnarde n'aurait été qu'une parenthèse, ce serait si simple... À croire qu'il faut toujours que quelque chose cloche. Quand ce n'est pas le boulot, c'est la famille !

Sa sincérité, comme sa déception, ne faisait aucun doute. Laurent proposa de prendre un verre et ils allèrent s'installer à une terrasse. Clément songea quand même à lui poser quelques questions sur ses examens, mais sans montrer de réel intérêt, trop préoccupé par ses propres soucis. Le refus catégorique de Bénédicte le frustrait énormément. Il se sentait sur le point d'accéder au mode de vie idéal et elle l'en privait sans raison valable. Il ne comprenait rien aux arguments qu'elle lui opposait. Quant à Louise, il avait déclaré tout net que, si elle se sentait une vocation d'aubergiste, elle ferait mieux d'intégrer l'école hôtelière pour y apprendre le métier au lieu d'improviser n'importe quoi dans une étable ! À ce point de la discussion, Bénédicte l'avait regardé d'une drôle de manière puis était allée s'enfermer dans la salle de bains.

Durant tout le trajet d'Annecy au village, Clément essaya de gagner Laurent à sa cause. Son arrivée allait provoquer une diversion bienvenue, et peut-être Bénédicte retrouverait-elle le sourire. Quand il ouvrit la porte de la cuisine, il prit soin de laisser passer son fils en premier, ce qui déclencha des exclamations de joie. Mais dans le brouhaha qui suivit, lorsqu'il adressa un clin d'œil tendre à sa femme, celle-ci l'ignora.

Pierre connaissait tous les ouvriers d'Ivan, aussi il les salua tour à tour par leur prénom et il s'arrêta quelques instants pour observer l'un des souffleurs, assis à son banc, qui gonflait lentement la bulle de verre suspendue au bout de sa canne. Ce spectacle l'avait toujours fasciné, tout comme celui du bouillonnement des matières vitrifiables en fusion. La chaleur qui régnait dans l'atelier était difficilement supportable, et il se dépêcha d'enlever sa veste qu'il jeta sur son épaule avant de se diriger vers le bureau. À travers la vitre, il aperçut Ivan qui lui faisait signe d'entrer.

— Je suis à toi dans une seconde, lui dit ce dernier en mettant la main sur le téléphone.

Tandis qu'il achevait ce qui semblait une conversation d'affaires, il désigna un fauteuil à Pierre.

— C'est un délai un peu court mais je pense pouvoir le tenir... Je vous rappellerai mardi. Entendu.

Il raccrocha d'un air satisfait puis salua son visiteur.

— Monsieur le maire... Qu'est-ce qui me vaut le plaisir de ta visite ? Tu veux augmenter ma taxe professionnelle ?

Étant l'un des plus gros contribuables de la commune, il avait l'habitude de plaisanter sur ce sujet.

— Ou alors tu cherches un cadeau pour Danièle ? Tu as frappé à la bonne porte, je peux te réaliser l'objet de tes rêves !

Son sourire était si gai que Pierre le dévisagea pensivement.

— Est-ce que tu peux me dire ce qui te réjouit comme ça ? demanda-t-il. En principe, quand Élisabeth traîne dans les parages, ça te rend sinistre.

— Je me fous d'Élisabeth, répondit Ivan d'un ton insouciant.

— C'est ce que j'appelle une bonne nouvelle ! Seulement, tu devrais te méfier...

L'avertissement était assez net pour qu'Ivan redevienne sérieux. Il se contenta de lancer un regard interrogateur à Pierre qui soupira.

— Comme tu l'imagines, elle n'est pas discrète. L'autre soir, on en a entendu quatre !

Il y eut un petit silence puis Ivan murmura :

— Je vois.

D'un mouvement brusque, il se leva pour aller chercher ses cigarettes qui étaient restées dans la poche de son blouson. Il connaissait suffisamment Pierre pour ne pas ressentir le besoin de se justifier.

— D'ailleurs, c'était une drôle de soirée, ajouta Pierre. La petite Louise était là, toute bouleversée, et quand Élisabeth est partie chez toi, elle nous a raconté ses malheurs. Je n'aurais pas cru ça de Clément, c'est une histoire de fous.

— Quoi ? Quelle histoire ?

Un peu surpris, Pierre le toisa.

— Tu n'es pas au courant ? Bénédicte ne t'a rien dit ?

— L'arrivée d'Élisabeth ne nous a pas permis la moindre conversation.

Ivan revint s'asseoir au moment où le téléphone se mettait à sonner. Il jeta un coup d'œil vers l'appareil mais laissa le répondeur se déclencher. Toute sa gaieté avait disparu.

— Max et Louise sont passés par hasard devant une agence immobilière, à Annecy, où la maison forte est en vente. La gamine n'a pas apprécié ! Les oreilles de Clément ont dû siffler...

Conscient de s'aventurer sur un terrain dangereux, il s'arrêta net. Il observa Ivan avec attention, ne rencontrant qu'un regard clair, sans aucune ombre. Clément était peut-être un père égoïste, mais sans doute pas encore un mari cocu.

— Bref, on a bavardé. Max était scandalisé. Il est complètement fou de cette fille, et je le comprends, elle est adorable. Je crois qu'il pense au mariage. Dans ce cas-là, je les aiderais bien à financer les travaux du gîte, c'est le genre de projet que j'aime. Mais il faut d'abord que je sache ce que les Ferrière ont décidé à propos de la maison.

Comme toujours, Pierre s'exprimait de façon directe, sans équivoque, et Ivan réalisait enfin pourquoi Bénédicte avait débarqué chez lui dans un état pareil. Elle n'avait pas eu le temps de se confier et c'était sans doute mieux ainsi. Même s'il le méprisait, Ivan n'aurait pas pu se résoudre à critiquer ouvertement Clément.

— Va voir Bénédicte et tu seras fixé, dit-il prudemment.

— Elle doit passer à la mairie demain matin, je lui ai téléphoné.

L'idée qu'elle puisse quitter le village, après avoir liquidé la maison de Mathilde, était insupportable. Ivan avait parfois souhaité le départ de la famille Ferrière, mais il s'apercevait soudain qu'il ne le voulait plus du tout. Il avait tenu Bénédicte dans ses bras, et ces quelques instants d'abandon n'avaient pas de prix. Depuis le temps qu'il rêvait de serrer cette femme contre lui, la réalité du contact physique l'avait bouleversé, ébloui. Peut-être n'y aurait-il jamais rien d'autre désormais, peut-être allait-elle disparaître pour de bon, et c'était difficile à accepter.

— Tu m'écoutes, Ivan ?

— Oui... Je ne vois pas ce que je peux faire.

— Rien, j'imagine, répondit Pierre avec humour.

Un peu agacé par l'ironie du ton, Ivan haussa les épaules en marmonnant :

— Ce n'est pas ce que tu crois.

— Je ne crois rien du tout. Élisabeth adore foutre la pagaille. J'espère qu'on en sera bientôt débarrassés mais à mon avis elle va s'attarder, exprès. D'abord pour son fric, ensuite parce que... C'est curieux, tu sais, à l'écouter elle a encore des droits sur toi.

— Nous sommes divorcés depuis très longtemps. Le seul droit qui lui reste est celui de me haïr, elle ne s'en prive pas.

C'était bien la première fois qu'il parvenait à s'exprimer avec cette froide lucidité à son sujet. Il y eut un nouvel appel téléphonique et le répondeur remplit son office.

— Je ne veux pas te déranger davantage, dit Pierre en se levant.

Au-dessus du bureau, ils échangèrent une poignée de main.

— Tiens-moi au courant, demanda Ivan.

— Pourquoi, ça t'intéresse ?

La question était directe et Pierre attendait une réponse.

— Énormément, admit Ivan sans baisser les yeux.

Ce qui aurait pu être une agréable soirée familiale dégénéra très vite en règlement de comptes. Dès que Laurent voulut prendre la défense de son père, Bénédicte lui fit comprendre qu'il n'était pas concerné par le problème.

— Quand tu as refusé de nous suivre en Haute-Savoie, personne n'a cherché à t'influencer ! lui rappela-t-elle. Ta vie est à Paris, j'en suis heureuse pour toi, et la mienne est ici, que ce soit clair pour tout le monde.

— Attends, maman, ne t'emballe pas. Papa m'a montré un endroit formidable tout à l'heure. Tu pourrais au moins y jeter un coup d'œil ?

— Laurent ! Vous m'aviez expliqué la même chose l'année dernière ! Tu ne t'en souviens pas ? Un endroit formidable ! Qu'est-ce que ça veut dire ? Il pourrait bien y avoir des centaines de maisons extraordinaires, à Annecy ou à Grenoble, je m'en fous !

Choqué par sa virulence, Laurent se tut. Il s'était assis à côté de son père, sur le canapé, tandis que Louise et Bénédicte restaient debout de part et d'autre de la cheminée.

— Et si je me tue sur la route, un soir d'hiver ? dit Clément sans regarder personne.

Bénédicte se contenta de le toiser, puis elle haussa les épaules ostensiblement. Blessé par son attitude, il eut le tort d'insister.

— J'ai recommencé à bien gagner ma vie, et tu pourrais ouvrir un cabinet beaucoup plus rentable en ville. Nous n'aurions plus aucun problème !

— Le problème, c'est toi, répliqua-t-elle avec froideur. Tu t'es permis de mettre notre maison en vente sans même m'avertir. Tu brises, tu tranches, et la caravane doit suivre ! Eh bien, c'est fini, ce temps-là !

Perplexe, il la regarda en se demandant s'il n'y avait pas d'autres choses qui étaient en train de se terminer. Ils s'étaient juré de ne jamais se disputer devant leurs enfants, et voilà qu'ils les prenaient en otages dans leurs différends.

— Si c'est pour toi que ta mère se fait du souci, on peut en discuter, dit-il gentiment à Louise. Ton histoire de gîte n'était pas très réaliste, sois honnête, mais en revanche je suis prêt à t'offrir la meilleure des formations hôtelières. Ensuite je t'aiderai à démarrer une véritable affaire, tu peux compter sur moi.

Le petit sourire bienveillant qui ponctua sa tirade porta l'exaspération de Louise à son comble.

— Tu ne comprends rien à rien ! cria-t-elle. Tu ne penses qu'à toi, comme d'habitude !

Souffle coupé, il mit quelques instants à réagir puis il quitta le canapé pour s'approcher de sa fille.

— Je ne te permets pas de me parler sur ce ton. Si tu ne peux pas garder ton calme dans une discussion, c'est bien la preuve que tu manques de maturité. Et je te prie de croire que ça ne m'amuse pas de te voir jouer au petit plâtrier depuis des mois ! Tout ça pour échapper aux études, tu es trop bête…

Louise fit un pas en avant pour hurler :

— Et toi, tu es trop con !

Il voulut lever la main sur elle, dans un réflexe, mais elle avait déjà filé et ils entendirent la porte claquer. Dans le silence qui suivit, Clément laissa échapper un long soupir.

— Voilà où nous en sommes, finit-il par murmurer.

Se tournant vers Bénédicte, il attendit en vain une réaction. Laurent n'avait pas bougé, abasourdi par la scène.

— Très bien, décida Clément, je vais me coucher, j'ai des rendez-vous tôt demain matin. Bonsoir.

Dès qu'il fut sorti, mère et fils échangèrent un long regard. Puis Laurent rejoignit sa mère qui était restée près de la cheminée, et il lui entoura les épaules de son bras.

— Ne t'en fais pas, dit-il tendrement, ça va bien finir par s'arranger…

C'étaient juste des paroles d'apaisement et il fut très surpris de l'entendre répondre :

— Je ne crois pas, non. Parce que, vois-tu, je ne céderai pas. Je suis désolée pour ton père…

Elle s'assit sur la marche de la cheminée, le dos aux braises, et leva la tête vers lui.

— Parle-moi de toi. Où en es-tu avec Carole ? Tu l'as revue ?

— Elle m'a invité à dîner hier soir. Chez un Chinois. Ça m'a rappelé celui de Levallois.

Ils se sourirent, complices, avant qu'elle enchaîne :

— Et après le dîner ?

— Je l'ai ramenée en bas de chez elle. Ensuite j'ai repris le métro.

— Ah ? Tu n'avais pas envie de…

— Oh si ! Mais ce n'est pas le moment. Depuis que je la tiens à distance, c'est elle qui s'accroche. Curieux, non ?

Bénédicte se mit à rire et il se sentit vexé.

— Mon chéri, tu as encore beaucoup de choses à apprendre sur les filles ! dit-elle joyeusement. Je serais toi, je continuerais comme ça. Tu devrais même faire semblant de t'intéresser à d'autres. Ou plutôt à *une* autre. Carole est quelqu'un à qui il faut tenir la dragée haute.

D'un petit hochement de tête, il approuva son jugement.

— Je lui ai téléphoné ce matin pour lui annoncer que je partais quelques jours, mais je n'ai pas précisé où. Elle m'a cuisiné pendant dix minutes et elle m'a fait jurer de l'appeler dès mon retour. Elle ne s'était jamais montrée aussi gentille ! Mais, tu comprends, ce que je veux ce n'est pas la faire marcher ou lui jouer la comédie… c'est pouvoir lui dire que je l'aime sans qu'elle se mette à bâiller…

Émue, Bénédicte avait senti une fêlure dans la voix de son fils. Il était sans doute venu pour se faire consoler, conseiller, et il se retrouvait au milieu d'un drame qui ne le concernait pas.

— Est-ce que tu en es toujours autant amoureux ? demanda-t-elle.

— Oui… Quand on s'est quittés, ça m'a rendu malade… J'ai cru devenir fou, je te jure… Maintenant, j'ai la trouille…

Il redevenait soudain un petit garçon désemparé et elle eut envie de le prendre dans ses bras pour le bercer. Bien entendu, elle ne fit pas un geste, s'obligeant à rester assise en continuant à lui sourire.

— Qu'est-ce que tu m'as dit tout à l'heure, Laurent ? Que ça finirait bien par s'arranger, c'est ça ?

Spontanément, il s'agenouilla devant elle, lui prit les mains.

— Tu crois ?

— Évidemment ! C'est elle qui t'a relancé d'après ce que tu m'as raconté ? Alors, c'est bon signe. Fais-toi un peu confiance, mon chéri.

— À moi ? s'étonna-t-il.

— À toi seul, oui. Il n'y a que sur soi qu'on puisse compter, confirma-t-elle avec une nuance d'amertume.

Sourcils froncés, il la considéra un moment en silence avant de déclarer :

— Si tu as envie de rester ici, maman, fais-le.

Il l'avait toujours admirée, elle le savait, et elle ne voulait pas le décevoir.

— Je l'ai déjà décidé, Laurent. Seulement ce choix pourrait entraîner, à plus ou moins longue échéance, une séparation avec ton père.

— Mais pourquoi ? s'écria-t-il, choqué.

— Parce que nous ne sommes plus d'accord sur rien.

C'était la vérité, elle ne trichait pas, mais c'était surtout plus simple à dire qu'avouer son désir pour un autre homme, qui était précisément Ivan, et qu'elle ne pourrait jamais obtenir sans quitter Clément.

Ivan avait dessiné une partie de la nuit. Il s'était aperçu, après son dîner solitaire au chalet et la longue balade qu'il avait ensuite accordée à ses loups, qu'il n'avait aucune envie de dormir. Il avait donc repris sa voiture pour monter travailler à l'atelier. D'abord il avait passé deux heures à étudier les combinaisons chimiques des matières premières qu'il voulait utiliser pour réaliser une commande très spéciale. Puis il s'était obstiné sur des douzaines d'esquisses avant d'être satisfait.

Vers quatre heures du matin, il commença à sentir la fatigue et il mit un peu d'ordre dans le fouillis de son bureau. Le trophée commandé en dix exemplaires par la ville de Lyon pourrait sans doute être fabriqué à temps. À condition de repousser tous les travaux en cours, ce qui nécessiterait une bonne dose de diplomatie vis-à-vis des autres clients. Il choisit les meilleurs croquis, qu'il décida d'emporter chez lui, et il déchira les autres.

En traversant l'atelier désert, dans lequel régnait une chaleur familière, il eut une pensée émue pour son père. Les émanations toxiques de plomb et de cadmium avaient remplacé la bonne odeur des copeaux de bois. Ici même, Henri avait fabriqué des meubles avec amour... mais sans génie. Un artisanat destiné à végéter et qu'Ivan avait condamné sans regret pour lui substituer cette improbable cristallerie. Il y avait gagné la réussite professionnelle tout en perdant l'estime de son père. Mais peut-être, au moment où il s'était lancé dans l'aventure, aurait-il pu monter n'importe quoi avec succès. Il s'était littéralement noyé dans le travail pour oublier la mort de Guillaume et les reproches d'Élisabeth.

La nuit était fraîche, avec un ciel profond où brillaient les étoiles. Avant de monter dans sa voiture, Ivan prit le temps d'allumer une cigarette pour savourer le silence de la montagne autour de lui. La sensation d'aimer, même en vain, le transformait au point qu'il se surprit à siffloter. Bénédicte ne lui était pas accessible, mais au moins il mourait d'envie de quelque chose, il s'endormait en pensant à quelqu'un.

Lorsqu'il se gara près du chalet, il fut très étonné de découvrir la silhouette de Roméo en bas de l'escalier. Certain d'avoir refermé soigneusement la porte du sous-sol, il se demanda par où le loup avait bien pu sortir. Descendant du 4×4, ses dessins sous le bras, il aperçut Diva qui s'éloignait vers le garage. Intrigué par leur attitude étrange, il s'approcha de Roméo qui recula aussitôt. À un mètre de l'animal, alors qu'il tendait déjà la main, Ivan s'arrêta net. Ses yeux s'accoutumaient à l'obscurité et il retint sa respiration. La bête qui se tenait devant lui n'était pas Roméo, il en eut soudain la certitude. Le pelage était plus clair, la stature un peu moins massive. Pas une seconde il ne pensa qu'il s'agissait d'un chien. Il avait trop l'habitude de vivre avec des loups pour confondre. Sans bouger la tête, il jeta un regard vers l'autre silhouette qui était toujours près du garage, immobile, mais qui lui barrait ainsi l'accès à sa voiture. Il sentit sa chemise qui collait à son dos et il dut faire un effort pour inspirer. Jamais il n'aurait le temps de grimper l'escalier, de mettre la clef dans la serrure, d'ouvrir la porte. Le moindre geste pouvait être fatal. Il se souvint qu'il avait également verrouillé sa portière. Enfermés dans le sous-sol, Roméo et Diva ne lui seraient d'aucun secours. Et c'était probablement à cause d'eux, ou plutôt à cause d'elle, que ces animaux sauvages étaient venus rôder autour du chalet. Sauvages et affamés jusqu'à quel point ? Ivan supposa que, tant qu'il était debout, une certaine crainte les retiendrait. Peut-être. Son expérience des loups ne lui donnait aucun avantage. Les deux qu'il avait élevés au biberon réagissaient dans la plupart des cas comme des animaux domestiques. Une chose était sûre, il n'y aurait pas de grognement, rien qui prévienne l'attaque s'ils se décidaient.

Le loup qui lui faisait face esquissa un pas en avant mais se ravisa et reprit sa place initiale sans quitter Ivan des yeux. L'autre en profita pour avancer un peu. Cette façon silencieuse de gagner du terrain de part et d'autre de la proie était une tactique de chasse. Devinant qu'il n'aurait plus le choix très longtemps, Ivan se résigna à bouger. Très doucement, il recula vers la voiture. Il voulait contourner le second loup mais celui-ci s'écarta brusquement pour se camper un peu plus loin, babines retroussées. De nouveau immobile, Ivan hésita. Son bras gauche était resté crispé sur les dessins et, avec une lenteur calculée, il baissa sa main droite jusqu'à la poche de son jean. Avec précaution, il en sortit son briquet puis roula les feuilles de papier d'un geste à peine perceptible. La mollette émit un petit bruit sec, une minuscule flamme vint lécher le coin des dessins qui mirent deux ou trois interminables secondes à prendre feu. Brandissant devant lui cette torche improvisée, il franchit la distance qui le séparait du 4 × 4. Le papier brûlait vite. Adossé à la carrosserie, il fut obligé de lâcher les cendres incandescentes qui achevaient de se consumer. Presque aussitôt, les deux loups se rapprochèrent un peu de lui. Il était couvert de sueur des pieds à la tête, mais il lui fallait encore récupérer sa clef. Et ne pas la laisser tomber, sans quoi il serait obligé de se baisser pour la ramasser et ce serait la curée. Il regretta amèrement, une seconde, que sa voiture ne soit pas équipée d'une ouverture automatique à distance. Une option qu'il avait méprisée comme un gadget inutile.

La nuit était suffisamment claire pour qu'il puisse distinguer les deux animaux qu'il ne quittait pas des yeux. Le silence total, autour d'eux, avait quelque chose d'épouvantable, de terrifiant. Crispant ses doigts sur la clef, il réussit à l'introduire dans la serrure qu'il déverrouilla. Le plus dur était fait, heureusement pour lui car il enregistra soudain, à la limite de son champ de vision, une nouvelle silhouette qui se glissait le long du chalet. Le loup le plus proche avança prudemment, toujours sans le moindre bruit, et stoppa à trois mètres, un saut dérisoire pour lui. Ivan s'arrêta de respirer, ouvrit d'un coup la portière et bondit sur le siège. Une fois à l'abri, il eut du mal à reprendre son souffle. Enfin la peur se mit à refluer en vagues successives, et fit place à une immense fatigue. Il jeta un coup d'œil au-dehors, constata que les loups ne s'étaient pas éloignés. L'odeur de Diva devait être plus puissante pour eux que leur méfiance naturelle. Jusqu'ici, elle n'avait jamais été en chaleur, certaines femelles étant très tardives, mais peut-être était-ce enfin arrivé ? À moins que sa seule présence ait suffi à attirer les trois mâles.

Il mit le moteur en marche, alluma les phares. Les loups détalèrent aussitôt en direction de la forêt. Espérant leur ôter toute envie de revenir dans l'immédiat, il démarra derrière eux et les poursuivit sur deux cents mètres, la main sur le Klaxon. Parvenu devant le rideau d'arbres qui s'élevaient le long de la colline, il fit demi-tour puis revint se garer juste au pied de l'escalier du chalet. Il ne mit que quelques secondes pour entrer chez lui, et dès la porte refermée il se précipita au sous-sol. Roméo eut un curieux petit jappement d'angoisse en se jetant dans ses jambes. Déséquilibré, Ivan trébucha, se raccrocha au loup qu'il entoura de ses bras, et finit à genoux, la tête enfouie dans le pelage clair.

— Je ne veux pas que tu te battes avec ces monstres, chuchota-t-il.

Le son de sa voix lui parut manquer d'assurance et il constata qu'il n'avait plus de salive. Du bout des dents, Roméo lui mordillait l'oreille tandis que Diva, l'air serein, les observait assise sur sa couverture.

— Oh ! tu mérites vraiment ton nom, ma belle, dit-il en se relevant.

Il vint près d'elle, la caressa, la fit rouler sur le dos pour l'examiner attentivement.

— Ah oui… Bravo, tu es une grande fille maintenant ! Pas très précoce mais tout arrive, hein ? Et tu sais quoi ? Même si tu échappes aux trois fauves qui t'attendent, dehors, c'est ton gentil frère qui va te grimper dessus d'ici peu… Bon, reste là, dors tranquille, pense à tes amoureux !

En se redressant, il constata qu'il était vraiment épuisé. Il retourna vers Roméo qu'il prit par son collier.

— Toi, tu viens me tenir compagnie.

Dans la cuisine, il se fit du café et des toasts. Le jour n'allait plus tarder mais il était encore beaucoup trop tôt pour faire quoi que ce soit. De toute façon, il avait besoin de réfléchir. Ses muscles douloureux lui rappelaient désagréablement les quelques minutes de tension extrême qu'il venait de vivre. Ironie du sort, la seule personne à qui il pouvait – et devait – parler librement de cet incident était Bénédicte. Pourtant il ne s'imaginait pas téléphonant chez elle à cette heure-là, rebuté par la perspective de réveiller Clément. Néanmoins il y avait en ce moment même trois animaux sauvages, susceptibles de créer des dégâts dans les fermes alentour, qui se promenaient en liberté. Ils risquaient de semer la panique ou de récolter un coup de fusil.

Il se traîna jusqu'à la salle de bains, Roméo toujours sur ses talons, se déshabilla entièrement et jeta ses vêtements dans le panier à linge sale. Il prit une longue douche, d'abord très chaude puis glacée. Ensuite il remit un jean et une chemise propres avant d'aller s'installer sur son lit. Dans la table de nuit, il prit un bloc sur lequel il se mit à crayonner rageusement, essayant de retrouver les formes, à présent réduites en cendres, qu'il avait dessinées quelques heures plus tôt.

À sept heures, il se décida à composer le numéro de Bénédicte et fut très soulagé de l'entendre répondre elle-même à la première sonnerie. Un peu gêné, il lui exposa le plus brièvement possible son problème mais il fut quand même interrompu par un éclat de rire.

— Vous l'avez vraiment confondu avec le vôtre ?

— Il faisait nuit, il était quatre heures !

— Que faites-vous dehors à des heures pareilles ?

— Eh bien, je revenais de l'atelier et...

— Excusez-moi, je suis indiscrète.

— Non, pas du tout...

— J'aurais tellement voulu voir votre tête quand vous avez compris que ce n'était pas Roméo ! Ils étaient combien, d'après vous ?

— J'en ai vu trois.

— Et vous avez eu peur ?

— Bien sûr que oui.

— Est-ce qu'ils étaient maigres, affamés, ou seulement en rut ?

— Je ne sais pas.

— Comment ça, vous ne savez pas ? Vous n'avez rien vu du tout ? Vous aviez fermé les yeux, ma parole !

De nouveau, elle riait, et il eut très envie d'être près d'elle, de pouvoir la regarder.

— Bon, je vais vous donner mon avis, reprit-elle. S'ils reviennent, il faudra demander du renfort aux gardes de la réserve de chasse. Mais, de toute façon, nous sommes obligés de signaler leur présence.

— Et qu'est-ce qui va leur arriver si on les retrouve ? Ils seront abattus ?

— Non, juste endormis à distance, puis transportés ailleurs en camion. Là où la préfecture nous dira de les mettre. C'est une espèce protégée, vous savez bien ! Et tout le monde voudra la plus grande discrétion parce que les loups font trop parler d'eux en ce moment et les bergers sont à bout de patience. En revanche, si vous vous êtes trompé et s'il s'agit de chiens errants, je serai obligée de les abattre, c'est la loi. Dans tous les cas, vous êtes tenu de me prévenir.

— Et s'ils ne reviennent jamais ?

— Vous y croyez ? Ils auraient dû partir en entendant arriver la voiture. Ce sont des durs à cuire. De toute façon, il va falloir que j'opère Diva. Sauf si vous voulez vous lancer dans l'élevage ! Des tas de petits louveteaux, ça vous tente ?

— Pas vraiment.

— D'ailleurs vous ne pourrez pas la séparer de Roméo à chaque fois. Ils deviendront fous, et vous avec. Bien sûr, on pourrait le castrer, lui, seulement ça n'empêcherait pas les animaux errants en quête de femelle. En plus, ça risquerait de modifier son caractère.

Il y eut un petit silence et Ivan se contenta de déclarer :

— C'est vous le vétérinaire.

— Alors on prend date, pour Diva ?

— Si vous voulez...

L'idée de se rendre au cabinet ne l'enchantait pas, pourtant il accepta.

— Est-ce que vous avez un fusil ? demanda-t-elle encore.

— J'en ai deux, mais il n'est pas question que je m'en serve.

— Vous ne savez pas tirer ?

— J'ai gagné des concours à l'université, répliqua-t-il d'un ton indigné.

De nouveau, le rire de Bénédicte s'éleva.

— Faites attention à vous, dit-elle avant de raccrocher.

Perplexe, elle considéra un moment le téléphone. S'il s'agissait bien de loups, c'était peut-être l'avant-garde d'une meute. Venant des Abruzzes à travers le Mercantour, les animaux étaient supposés remonter vers le nord des Alpes, et c'était probablement ce qu'ils étaient en train de faire. Impossible de ne pas signaler leur présence aux instances concernées. D'autant plus qu'elle avait reçu la veille un courrier officiel l'informant de la création d'un comité de suivi sur le retour des loups, qui devait se réunir à Grenoble dans les jours à venir. La position du ministère de l'Environnement restait favorable à la protection du loup tandis que le ministère de l'Agriculture continuait de défendre les bergers. Et les conseillers techniques, dont elle faisait partie, étaient censés donner leur avis. Dans ce contexte, de plus en plus houleux, Roméo et Diva devaient absolument conserver leur statut de chiens. Il faudrait donc qu'elle triche un peu sur le compte rendu de l'incident. Ivan pourrait témoigner d'avoir vu ce qu'il *supposait* être des loups, mais en pleine forêt, pas autour de son chalet !

Elle sortit de la cuisine par la porte donnant sur l'extérieur. Le temps était clair et sec, avec un beau lever de soleil, aussi elle s'attarda quelques instants près du banc de pierre. La première fois qu'elle s'était assise là, huit mois auparavant, Clément était en train de visiter les lieux avec un enthousiasme débordant. Elle n'avait rien pressenti, rien deviné. Même quand Ivan s'était arrêté, sur la route, puis était venu lui dire quelques mots de politesse, elle ne lui avait accordé qu'une attention distraite. À ce moment-là, elle était pressée de rentrer à Paris, d'en finir avec cette succession imprévue. Pourtant elle se souvenait très bien de la chemise blanche qu'il portait, du timbre de sa voix quand il avait dit : « Je suppose que vous allez garder la maison ? » Et aussi qu'elle avait remarqué la couleur étrange de ses yeux.

Tout en longeant le sentier qui conduisait à son cabinet, elle continua de penser à lui. Comment aurait-elle réagi à sa place ? L'idée du feu était un bon réflexe ; toutefois, même s'il s'en était bien sorti, il avait dû passer un sale quart d'heure.

Elle traversa la salle d'attente, vide à cette heure, pour gagner son bureau où elle s'enferma. Clément était parti très tôt, ainsi qu'il l'avait annoncé la veille. Ils avaient dormi en se tournant le dos, exaspérés l'un par l'autre. Baissant les yeux vers son agenda, elle détailla la liste de ses rendez-vous de la matinée. Elle avait largement le temps de passer voir Pierre Battandier à la mairie. Dans d'autres circonstances, elle se serait plutôt rendue à la ferme, mais la présence d'Élisabeth la rebutait. La manière dont cette femme s'était comportée avec Ivan lui avait laissé un souvenir pénible. D'autant plus qu'Élisabeth était encore très belle et qu'Ivan semblait complètement démuni devant elle.

« Tu es jalouse, ma parole... D'un homme qui te fuit... Qui ne t'a téléphoné tout à l'heure que contraint et forcé... »

Agacée par cette constatation, elle passa dans le laboratoire pour remplir sa sacoche des produits indispensables à ses visites. D'un coup d'œil, elle vérifia son stock de médicaments. Il faudrait qu'elle passe vite une commande pour se réapprovisionner. Et aussi qu'elle mette à jour sa comptabilité. Elle revint dans son bureau pour basculer la ligne sur le secrétariat téléphonique qu'elle avait souscrit depuis peu. Au fur et à mesure que sa clientèle augmentait, elle était obligée de s'organiser. Bientôt, une femme de ménage deviendrait indispensable car elle était trop fatiguée le soir pour tout nettoyer dans le cabinet. Pierre pourrait sûrement lui indiquer quelqu'un de confiance.

Dix minutes plus tard, elle était installée devant lui, à la mairie, dans la minuscule salle du conseil. Ils échangèrent d'abord quelques banalités puis il lui offrit un café, très fier de la machine acquise par la municipalité.

— Je passe le plus de temps possible ici quand Élisabeth est à la maison, dit-il en souriant. Mais de toute façon j'aime bien gérer la commune, faire des projets pour le village... Ce sont des responsabilités qui me plaisent.

Il la regardait gentiment, avec sa franchise habituelle.

— Vous vouliez me voir, rappela-t-elle. Je suppose que Louise vous a parlé de ses soucis ?

— J'aime beaucoup votre fille, vous savez.

Ce n'était pas vraiment une réponse et il y eut un silence. Pierre but son café, reposa sa tasse, releva les yeux vers Bénédicte.

— Ne croyez pas que je veuille me mêler de vos affaires. Seulement j'avais quelques idées en tête, et j'ai peur qu'aujourd'hui ça tombe comme un cheveu sur la soupe.

Ponctuant sa phrase d'un petit soupir, il attendit qu'elle l'encourage à poursuivre. Comme elle se taisait, il finit par enchaîner :

— Max se sent très concerné par tout ce qui touche Louise. Il a vingt-sept ans et il pense à l'avenir. Nous avons eu une conversation, tous les deux, il m'a fait des confidences. Votre fille est très jeune, il n'ose pas lui parler mariage pour l'instant, mais c'est ce qu'il espère.

Malgré elle, Bénédicte se crispa un peu. L'idée de sa petite Louise en femme mariée lui sembla absurde et elle resta muette.

— Comme c'est prématuré, je ne voulais pas aborder la question avec vous. Seulement, en bavardant avec Max, je lui ai fait savoir que, si un jour son rêve devait se réaliser, je serais d'accord pour investir dans ce projet de gîte rural qui deviendrait à ce moment-là un projet commun. Je ne suis pas sûr d'être très clair…

— Si, si.

— Au cas où… enfin, si Max épousait votre fille, ce serait normal pour moi de les aider à démarrer. C'est ce que je lui ai dit, à lui. Et puis, là-dessus,

Louise déclare que Clément est décidé à vendre et à quitter le village. C'est vrai ?

— Oui. C'est ce qu'il envisage. Bien entendu, je ne suis pas d'accord.

Sans la quitter des yeux, Pierre hocha la tête.

— Je me plais beaucoup ici, ajouta-t-elle. Je me sens chez moi. Les gens sont très gentils. Grâce à vous, d'ailleurs…

D'un geste impatient de la main, il lui fit signe qu'il ne voulait pas entendre parler de reconnaissance.

— J'aime parcourir les routes de montagne, chercher mon chemin, m'arrêter pour regarder le paysage. Vous m'auriez prédit ça l'année dernière, je vous aurais ri au nez. J'aime mon métier et je fais ici des choses passionnantes que je ne soupçonnais même pas. J'aime ma maison et j'aime énormément l'idée que ma fille restera près de moi. Je ne partirai pas, Pierre.

C'était si facile de s'adresser à lui qu'elle en fut soulagée. Elle venait d'exprimer exactement ce qu'elle ressentait, mais qu'elle était incapable d'expliquer à Clément en gardant son calme.

— Eh bien, me voilà rassuré, déclara Pierre que cette prise de position semblait beaucoup réjouir. Pour mon fils, d'abord, et aussi pour ma commune. Je suis très fier d'avoir un vétérinaire établi ici. Tout ce qui redonne de la vie au village me comble.

Il était trop discret pour l'interroger au sujet de Clément, et d'ailleurs elle aurait été incapable de lui répondre. Sa décision était prise mais elle n'en discernait pas encore toutes les conséquences. Elle se leva, jeta un coup d'œil à la pendule murale, l'un des rares ornements de la petite salle avec l'inévitable buste de Marianne.

— Les éleveurs auraient été déçus si vous les aviez lâchés, maintenant qu'ils se sont habitués à vous, dit-il en contournant la table de réunion pour venir lui serrer la main. Danièle et moi les premiers.

D'un geste impulsif, au lieu de prendre la main tendue, elle l'embrassa sur la joue, le faisant rougir malgré lui.

Stupéfait, Laurent fit lentement le tour de l'ancienne étable. Il ne se souvenait que d'un bâtiment sombre, dans lequel il s'était aventuré une seule fois. À présent il découvrait une immense pièce aux murs de crépi blanc, aux poutres vernies, éclairée par six fenêtres à petits carreaux. Les mangeoires de ciment, passées à la chaux, seraient un jour garnies de coussins pour faire office de banquettes, d'après les explications de Louise. Décapés et repeints en noir, deux râteliers avaient été conservés en décoration, ainsi que les anciens anneaux.

— Et je voudrais installer ici, en plein milieu, une cheminée centrale ! Max dit que c'est faisable. J'organiserai le poste de cuisine tout autour, ce sera très convivial. Bien sûr, ça représente encore un sacré boulot…

— Vous ne faites pas ça à vous deux, j'imagine ? demanda Laurent qui restait incrédule devant les transformations.

— Pas tout, non, mais le plus possible ! Je ne sais pas si tu t'en souviens, j'avais établi un budget auquel j'ai essayé de me tenir. Les parents m'avaient accordé un crédit et je me suis donnée à fond pour ne pas le dépasser ! Seulement, maintenant…

D'un air découragé, elle secoua la tête. Laurent la dévisagea puis vint la prendre gentiment pour lui taper sur l'épaule.

— Ne t'inquiète pas, je crois que tu vas rester ici et que tu finiras par ouvrir ton gîte. Maman est bien décidée à ne pas bouger.

— Je sais. Elle me l'a dit aussi. Mais si je dois m'engueuler avec papa tous les jours ! Il m'expliquera bientôt qu'il ne veut plus investir dans mon truc « pas très réaliste » ! Tu l'as entendu ? Il rêve de s'installer à Annecy, ça crève les yeux. Il aura besoin de son argent, je le comprends. Quand on voulait tous les trois la même chose, il y a six mois, c'était plus simple. Je n'ai pas l'intention de passer pour l'égoïste de la famille. Il faut aussi qu'ils assument la fin de tes études, et je...

— Attends deux secondes ! Comment ça, il aura besoin de son argent ? Tu penses qu'ils en sont là, tous les deux ? Qu'ils envisagent de... de vivre séparément ?

— Ils y vont tout droit, non ?

Le ton tranquille de Louise acheva de désorienter son frère.

— L'hiver prochain, poursuivit-elle, papa annoncera qu'il ne veut plus faire la route. Il louera un truc à défaut d'acheter, et ensuite il aura plein de bons prétextes pour rester là-bas, neige ou pas.

Laurent pensa à la phrase que sa mère avait prononcée si doucement, l'autre soir, en affirmant que Clément et elle n'étaient plus d'accord sur rien.

— Vous vous êtes foutus dans une sacrée pagaille, soupira-t-il.

— Tu veux rire ? Maman est mille fois mieux qu'à Paris, tu n'as pas remarqué ? Et papa a retrouvé un boulot qui lui plaît. En ce qui me concerne, je n'ai jamais été aussi heureuse de ma vie qu'en m'escrimant sur ces murs ! Et j'ai rencontré Max...

Son air extasié rendait tout commentaire inutile. Laurent lui ébouriffa les cheveux.

— Sacrée petite sœur... Un moniteur de ski, je rêve ! Non, sans blague, il est sympa, ton ours géant. Tu l'aimes ?

— Oui.

Il attendait autre chose qu'une réponse si brève, mais elle se contentait de sourire, radieuse.

— Vous avez de la chance, dit-il à mi-voix.

Le bonheur de Louise rendait encore plus cruel son propre échec avec Carole. Il se dirigea vers l'une des fenêtres pour regarder à l'extérieur. Juste en face de l'étable s'élevait la grange dans laquelle sa sœur ferait un jour des chambres destinées à ses hôtes. Sur la droite, il aperçut l'arrière du petit bâtiment où se trouvait le cabinet vétérinaire, facile à isoler du reste en cas de besoin. Louise avait bien dessiné ses plans car aucune ouverture ne permettait de voir la maison qui resterait complètement indépendante. Une organisation idéale pour tout le monde, en somme, hormis son père. Pourtant, c'était lui qui avait conduit là sa famille. Il tourna la tête à gauche, vers la colline couverte de sapins. Très loin, on distinguait l'un des sommets des Aravis, encore enneigé.

— C'est vrai, c'est superbe, constata-t-il presque malgré lui.

Les Ferrière n'auraient jamais dû venir dans cet endroit mais, maintenant qu'ils y étaient, Laurent pouvait comprendre ce que ressentaient sa mère et sa sœur. Il avait suffisamment aimé les sports d'hiver et les paysages de montagne pour apprécier ce qui l'entourait. Peut-être même y aurait-il passé volontiers toutes ses vacances si Carole ne lui en avait pas gâché le plaisir. Hélas ! Carole, ici ou ailleurs, chercherait toujours à plaire à des hommes comme cet insupportable Ivan Charlet.

— Au fait, vous le voyez toujours, ce type dont papa prétend qu'il est son meilleur ami ?

— Qui ça ? Ivan ? Non, quasiment jamais, répondit Louise.

Elle faillit ajouter quelque chose mais se ravisa de justesse. Sa mère ne lui avait pas fait de confidence à ce sujet et ses impressions étaient peut-être sans fondement. Laurent était bien le dernier à qui elle pouvait rapporter les ragots entendus chez les Battandier. Tant qu'elle n'aurait pas la preuve de ce qu'elle pressentait, elle refuserait d'imaginer quoi que ce soit.

— Viens, dit-elle en lui tendant la main, je vais préparer le déjeuner.

10

Le porte-aiguille se retrouva dans la main de Bénédicte exactement à la seconde où elle le souhaitait. Au-dessus de son masque, ses yeux sourirent à Serge. Ils avaient si souvent opéré ensemble, à Paris, qu'il ne leur avait fallu que quelques minutes pour retrouver un parfait accord de gestes. Venu pour passer le week-end de détente qu'il se promettait depuis longtemps, Serge n'avait pas résisté au plaisir de se joindre à Bénédicte. Au lieu de faire la grasse matinée, il avait décidé de la regarder travailler et l'avait suivie dans son cabinet dès huit heures moins le quart. Il avait commencé par s'extasier sur son installation, furetant partout, inventoriant l'impressionnant stock de médicaments, et elle l'avait laissé s'amuser sans le prévenir de ce qui l'attendait. L'arrivée de Diva lui avait causé un choc. Avec une évidente appréhension, il avait vu Bénédicte caresser l'animal comme un vulgaire caniche. Avant l'anesthésie, il s'était débrouillé pour l'entraîner un instant dans le laboratoire et lui chuchoter qu'il s'agissait d'une louve, pas d'une chienne !

— Mais je ne suis pas aveugle, avait rétorqué Bénédicte. Je voulais juste te réserver la surprise. Je m'entraîne sur les loups, et après je soignerai des ours ou des aigles. Je peux toujours compter sur toi pour un coup de main ?

Serge s'était montré à la hauteur mais, à plusieurs reprises, il avait posé un regard admiratif sur Bénédicte. Si elle avait voulu l'étonner, elle avait réussi son coup et il s'inclinait, beau joueur. Il profita même du sommeil artificiel qui rendait Diva inerte pour examiner sa mâchoire, ses griffes, toute sa morphologie.

Patient et silencieux, Ivan avait assisté à l'intervention de bout en bout. C'était lui qui avait installé sa louve sur la table, qui l'avait tenue pendant la première piqûre, avant de s'écarter pour laisser faire les deux vétérinaires. Dès que Bénédicte lui avait présenté Serge, il s'était souvenu des qualificatifs « un type adorable, un amour » qu'elle avait utilisés la seule fois où elle avait parlé de lui.

— Tu veux faire la suture ? demanda-t-elle à mi-voix.

— Non, répliqua Serge, je veux avoir le plaisir de te regarder.

Il se tenait tout près d'elle, son épaule contre la sienne, et ils semblaient tous deux avoir oublié la présence d'Ivan.

— Elle est en train de se réveiller, prévint Serge. J'en remets un peu ?

— Oui, c'est trop tôt, donne-moi cinq minutes.

Ivan suivit Serge des yeux. Il ne voyait pas son visage, en partie dissimulé par le masque, mais il décida qu'il le trouvait antipathique à cause de son attitude trop familière et complice avec Bénédicte.

Le geste docte qu'il eut pour poser son stéthoscope sur les flancs de Diva suffit à l'agacer.

— C'est une très belle bête, dit Serge en se tournant vers lui.

Ivan gardait un air distant et l'autre n'insista pas.

— J'ai fini, tu t'occupes du pansement ? demanda Bénédicte.

Tandis qu'ils échangeaient leurs places, elle en profita pour jeter un coup d'œil à Ivan.

— Elle aura un peu mal pendant deux jours mais je vais vous donner des antalgiques. Je préférerais qu'elle reste ici encore un moment, c'est possible ?

— Non, j'aime autant la ramener maintenant. Elle est très craintive, elle sera mieux dans son environnement.

— Ne la laissez pas chahuter avec Roméo, alors, conseilla Bénédicte.

Un peu déçue à l'idée de le voir partir tout de suite, elle était surtout déconcertée par la froideur de sa voix. Elle sentit la main de Serge qui se posait familièrement sur son cou.

— Mission accomplie, ma jolie, j'ai fait un bandage d'anthologie ! Tu as vu ça ?

Indifférent en apparence, Ivan en profita pour sortir un chéquier et un stylo de la poche de sa chemise.

— Combien vous dois-je, docteur ?

Il avait posé la question de la façon la plus neutre qui soit, poli mais désinvolte, comme s'il ne la connaissait pas. Sous le coup de la colère, Bénédicte riposta :

— Pour Diva, c'est gratuit !

Se détournant de lui, elle enleva ses gants et son masque qu'elle jeta dans une poubelle.

— Serge va vous aider à la transporter jusqu'à votre voiture, déclara-t-elle sans le regarder.

Elle sortit la première pour ouvrir les portes. Quand Diva fut allongée à l'arrière du Range Rover, elle tendit une boîte blanche à Ivan.

— Pas plus de six par vingt-quatre heures, précisa-t-elle sèchement.

En prenant les médicaments, il effleura délibérément ses doigts et elle tressaillit.

— Je ne voulais pas vous vexer, s'excusa-t-il, mais il n'y a aucune raison pour que je ne règle pas les frais de cette opération. Je ne sais pas comment vous remercier.

Elle croisa enfin son regard et s'aperçut qu'il était mal à l'aise, nerveux, désolé.

— Vous trouverez, murmura-t-elle avec un sourire énigmatique.

Elle recula pour le laisser démarrer tandis que Serge la rejoignait. Ils attendirent que la voiture ait disparu au premier virage de la route pour se tourner l'un vers l'autre.

— Eh bien, crois-moi, je ne regrette pas d'être venu ! s'exclama-t-il avant de se mettre à rire.

— Pourquoi ça ?

— Pour cette louve magnifique, d'abord, avec ses grands yeux jaunes... Et pour le regard du mec, qui vaut le détour aussi ! Je ne parle même pas de la couleur, non, c'est son expression quand il se fixe sur toi. Limpide ! Tu t'es enfin décidée à faire des ravages, on dirait ? En tout cas sois prudente, n'invite jamais ton mari au spectacle, il ne lui faudrait pas longtemps pour comprendre.

— Comprendre quoi ? s'insurgea-t-elle sans conviction.

— Que ce type n'en peut plus ! Tu ne me feras pas croire que tu ne le sais pas. Il est amoureux de toi et il est jaloux. J'en ai un peu rajouté, exprès, et quand je t'ai mis la main dans le cou, ça lui a fait le même effet que si je te l'avais mise aux fesses ! Oh, j'adore les histoires d'amour... Je peux te donner toutes les recettes de l'adultère si tu veux ?

— Arrête un peu. Je n'ai pas l'intention de...

Soudain gênée, elle n'acheva pas sa phrase et il se remit à rire.

— Non ? Tu en es tout à fait sûre ? Il est pourtant séduisant, ton beau ténébreux, tu ne pouvais pas trouver mieux pour ton premier coup de canif au contrat de mariage.

— Ce n'est pas si simple, dit-elle en s'asseyant carrément dans l'herbe au bord du chemin.

Les yeux fermés, elle leva son visage vers le soleil tiède. Le samedi matin, elle avait peu de rendez-vous car la plupart des éleveurs préféraient consacrer le week-end à leur famille ou à leurs courses en ville plutôt qu'à leur bétail. C'était pour cette raison qu'elle avait programmé l'opération de Diva ce jour-là, afin qu'Ivan rencontre le moins de gens possible. Non seulement ce n'était pas le moment d'exhiber sa louve, mais les bavardages inconsidérés d'Élisabeth avaient dû faire le tour du village, et moins on verrait sa voiture devant chez elle, mieux ce serait.

Serge s'était assis à son tour et il attendait qu'elle s'explique.

— Tu as peur de sauter le pas ? finit-il par demander.

— Moi, non. Je vais même t'avouer quelque chose...

Assise en tailleur, sa blouse ouverte sur son tee-shirt noir, elle jouait distraitement avec une fleur qu'elle venait de cueillir.

— Je n'ai jamais eu autant envie de quelqu'un, voilà. D'ailleurs je n'ai pas souvent été tentée... Mais lui, dès qu'il s'approche, j'ai une irrésistible envie de le toucher. Il a fallu que j'arrive à quarante ans pour découvrir ce genre de désir obsessionnel, c'est... affolant, je t'assure. Je ne me croyais pas comme ça, je suis la première étonnée. En plus, c'est très frustrant parce que, amoureux ou pas, il m'évite.

— Ah bon ? ironisa Serge. La passion platonique, quelle guigne !

— En arrivant ici, Clément a jeté son dévolu sur lui pour en faire son meilleur copain.

— Et alors ? Il a des principes, ton dresseur de loups ?

La bonne humeur inaltérable de Serge était une qualité que Bénédicte appréciait particulièrement. Elle lui résuma les événements des derniers mois, jusqu'à la mise en vente de la maison par Clément, jusqu'à la furtive et unique étreinte d'Ivan. Avec une pointe de méchanceté, Serge rappela que s'il avait eu l'opportunité de la serrer dans ses bras, il ne l'aurait sûrement pas laissée partir, lui.

— Oui mais, deux heures plus tard, tu m'aurais demandé la plus grande discrétion. Au revoir et merci ! répliqua-t-elle vertement.

Comme elle regardait la montagne, droit devant elle, il prit le temps de détailler son profil avant de conclure :

— Le désir *et* les sentiments ? Est-ce que tu te rends compte que tu es en train de tomber amoureuse aussi ? Dans ce cas-là, pourquoi ne pas refaire ta vie avec lui ?

— Tu es fou ? Et Clément ? Et les enfants ? Ils ne me le pardonneraient jamais, surtout Laurent ! D'ailleurs je ne vois pas si loin, je le connais à peine.

— Prends donc les problèmes un par un. Tes enfants sont grands et tu n'as pas de compte à leur rendre. Ta fille est avec ce… Maxime, c'est ça, et ton fils est à Paris. Si tu n'aimes plus Clément, ne te crois pas obligée de vieillir avec lui, ce serait mortel ! Et si tu veux le quitter, c'est le moment ou jamais. Ensuite il sera trop tard, nous ne rajeunissons pas. Une fois libre, tu auras peut-être envie de le rester, qui sait ? En tout cas, tu y verras plus clair.

Elle se tourna vers lui pour le dévisager.

— Ce que tu dis me flanque le vertige.

— Pourquoi ? Tu as déjà dû y penser toute seule, non ? Tu as changé, Bénédicte. Je ne sais pas si tu en es consciente mais tu es différente de la femme avec qui je travaillais l'année dernière ! Ne boude pas, c'est un compliment. Je te conseillais de profiter un peu de la vie, tu t'en souviens ? Eh bien, je crois que tu as commencé. Tu es vraiment épanouie.

— Peut-être, mais j'ai peur.

— De quoi ? De qui ?

Incapable de trouver une réponse, elle secoua la tête. Au bout d'un moment, il se mit debout et lui tendit la main.

— Allez, viens… Tu dois avoir des tas de choses à me montrer, je n'ai rien vu hier soir. Ta maison m'a paru superbe. Si tu as besoin d'argent pour racheter sa part à Clément, je t'en prête volontiers.

Stupéfaite par cette proposition, elle retint sa main dans la sienne.

— Tu es sérieux ? Pourquoi ferais-tu ça ?

— Parce que je t'aime bien. Tu es une des seules qui m'ait résisté ! Et surtout un des rares confrères que j'admire au boulot. Je n'ai pas d'inquiétude pour ta réussite professionnelle, alors je te ferai le même taux d'intérêt qu'un banquier, les formalités en moins ! Et quand ton ami Ivan apprendra que c'est moi ton financier, il s'étranglera de fureur. En attendant, tu ne lui devras rien. À ton mari non plus. Et tu sais, l'indépendance, une fois qu'on y a goûté… Ah, tout ça m'amuse énormément !

Cette fois elle éclata de rire, gagnée par son insouciance.

— À propos d'Ivan, tu n'as jamais vu de loup ici, soyons bien d'accord. Tu as opéré avec moi une chienne de race alaskan malamute.

— Pas mal trouvé… Bien sûr, s'il y avait une enquête, on passerait pour deux crétins.

— Pour des Parisiens.

— C'est pareil. Et, tiens, est-ce qu'il n'y aurait pas une seule naissance difficile de prévue dans tout ton cheptel, ce week-end ?

— Pourquoi ?

— Je n'ai pas vu une vache de près depuis Maisons-Alfort, soupira-t-il. Je fais dans le minuscule en ce moment. Plus les gens sont snobs, plus leurs chiens sont riquiqui.

— Je peux te présenter des vaches en bonne santé, si ça te fait tant plaisir !

Il la prit par la taille, d'un geste qui n'avait rien d'équivoque.

— D'accord. Ensuite j'aimerais que tu me montres le parc des Bauges, et Annecy, et les sommets des Aravis. Demain, j'invite tout le monde à déjeuner au bord du lac. Ça te va ?

— Je t'adore, lui dit-elle très sérieusement. J'espère que tu reviendras souvent.

Le mardi matin, avant de se rendre à l'agence, Clément déposa Serge et Laurent devant la gare. La présence de l'ancien confrère de sa femme avait rendu le week-end moins désagréable que prévu. Y compris la dégustation de suprêmes de féras, accompagnés de cannelloni printaniers, sur la terrasse du *Père Bise*, à Talloires. Même si Bénédicte ne lui parlait guère, elle avait ri aux plaisanteries de Serge et n'avait pas abordé devant lui la question de la maison. Laurent avait réussi à dérider sa sœur en l'emmenant faire une promenade en pédalo, mais tout cela n'était évidemment qu'une trêve passagère. Dès ce soir, la querelle allait reprendre.

Très en avance, à cause de l'heure de départ du TGV, Clément ouvrit le magasin bien avant l'arrivée de sa secrétaire et des négociateurs. L'agence était vaste, confortable, discrètement luxueuse, et il se sentait très à l'aise dans son bureau où il avait déjà signé de nombreuses ventes. Tous les gens qui franchissaient la porte étaient pour lui des acheteurs potentiels. Des rencontres, aussi. Quand une femme se présentait seule, pour peu qu'elle soit jolie, il avait tout son temps. Il lui était même arrivé, la semaine précédente, d'aller faire visiter à une charmante cliente un infâme deux pièces, lui qui ne traitait que les affaires importantes ou délicates. Mais c'était juste pour le plaisir de draguer un peu, de tester ses capacités de séduction. Depuis qu'ils avaient quitté Paris, il n'avait pas trompé Bénédicte. Il n'en avait pas eu l'occasion, ni l'envie. Pas encore. Et d'ailleurs, ces petites parenthèses ne l'entraînaient jamais très loin. Il éprouvait toujours de l'affection pour sa femme, une certaine forme de respect, et parfois du désir. C'était beaucoup pour un couple aussi ancien que le leur.

Le dossier de la maison convoitée, au bord du canal, était toujours posé sur son bureau. Il le repoussa d'un geste agacé. Mieux valait abandonner tout espoir de l'acquérir. Il ne l'avait pas encore officiellement rentrée en portefeuille, tout comme il n'avait pas répondu à l'offre concernant la maison forte. Il ferait une ultime tentative pour convaincre Bénédicte, et s'il échouait, il avait en vue un merveilleux duplex, à deux pas de l'agence. Là, elle serait obligée de s'incliner, elle ne pouvait pas l'obliger à faire la route à longueur d'année. Bien sûr, cela ressemblait à un début de séparation. Après tout, pourquoi pas ? Un peu de liberté ne leur ferait pas de mal, ils avaient trop vécu l'un sur l'autre ces dernières années. Bénédicte était devenue irritable, presque agressive. Rien de comparable avec la jeune fille docile qu'elle avait été autrefois, au début de leur mariage. Peut-être était-elle perturbée par le tournant de la quarantaine ? C'était une explication rassurante, à laquelle il voulait se raccrocher pour ne pas envisager autre chose. Mais malgré lui, de temps à autre, il repensait à ce qu'avait dit leur fils. À ce qu'Ivan lui-même avait confirmé. Bénédicte avait sûrement fini par remarquer quelque chose. Est-ce qu'elle était sensible à ce genre d'hommage ? Plaire, être aimé, il savait très bien l'effet que ça finissait par produire. Cinq ans plus tôt, il avait eu une brève aventure avec une fille trop jeune mais ravissante, pour qui il avait bien failli avoir un coup de cœur uniquement parce qu'elle le regardait avec les yeux de l'amour. Il avait compris, à l'époque, que cette gamine de vingt ans n'était qu'à la recherche de l'image du père, pourtant il avait été incapable de lui résister. Par chance, elle s'était lassée la première. Dans le cas contraire, que serait-il arrivé ?

Un peu désemparé par ce souvenir, il se mit à marcher de long en large dans son bureau. Bénédicte n'était pas comme ça. Aucune femme ne réagissait comme un homme. Elle ne s'était jamais intéressée à personne en dehors de lui, il en était certain. D'ailleurs elle était trop franche pour dissimuler quoi que ce soit. Trop simple, en quelque sorte. D'un pas résolu, il se dirigea vers un classeur métallique et chercha la fiche du duplex qu'il se mit à étudier.

Pierre s'était éloigné vers la porte de l'étable, laissant Élisabeth et Ivan seuls au milieu de la cour.

— Si je faisais le total de tous les prêts à fonds perdus que tu m'as demandés, tu serais très surprise…, déclara Ivan en allumant une cigarette.

Élisabeth haussa les sourcils avec dédain, comme s'il venait de proférer une énormité.

— Quelle mesquinerie ! lâcha-t-elle d'un ton aigre. Tu n'es pas dans la misère, que je sache ?

— Non, mais ça ne te regarde pas.

Il s'était adossé à une remorque de paille et il la regardait bien en face, résolu à ne pas se laisser faire. Elle perçut son changement d'attitude avec agacement car, en général, il accédait à ses exigences sans s'autoriser de commentaire.

— Qu'est-ce que tu as, Ivan ? Tu as décidé que nous étions quittes ?

La menace perçait dans la question mais il l'ignora et répondit posément :

— Tu ne peux pas courir ici dès que tu as besoin de trois sous. À t'entendre, c'est toujours la dernière fois. Nous sommes divorcés depuis longtemps, je ne te dois rien.

— Rien ? s'écria-t-elle. Tu en es sûr ? Oh, je sais tout ce que tu dis dans mon dos, tu trouves que je me débrouille mal, que je manque de courage, mais moi la perte de Guillaume m'a cassée en mille morceaux, je n'y peux rien ! Je n'ai pas ton appétit de vivre, ni ton goût des affaires, mais c'est bien ta faute, non ? Alors je ne trouve pas immoral de te demander ton soutien !

— Je connais tes arguments par cœur, dit-il d'une voix éteinte.

— Et ça ne te touche plus, c'est ça ? En fait, il n'y a pas grand-chose qui te touche… La vie des autres ne te concerne pas et tu n'es jamais coupable. Même pour ton fils c'était un homicide involontaire ! Acte manqué ou simple négligence que tu t'es empressé d'oublier. On aurait dû t'envoyer en prison !

Dressée devant lui, elle gesticulait en criant. Au prix d'un gros effort, il parvint à garder son calme, à soutenir son regard furieux sans ciller. Il entendit claquer la porte de l'étable et aperçut Pierre qui se dirigeait à grandes enjambées vers un abreuvoir.

— J'aimais Guillaume autant que toi, déclarat-il. Je n'ai rien oublié du tout mais j'en ai marre de ce chantage infect. Il va falloir que tu changes de numéro.

Ébahie, elle recula d'un pas. Jusque-là, il avait toujours suffi qu'elle l'accuse d'indifférence pour le faire réagir. Dès qu'elle prononçait le prénom de leur fils disparu, il était sans défense. C'était si facile de le torturer avec sa culpabilité qu'elle ne comprenait rien au détachement qu'il lui opposait soudain.

— Tu es un monstre, Ivan, souffla-t-elle.

Il patienta un peu puis, considérant que la discussion était close, il se dirigea vers sa voiture qu'il avait laissée à l'entrée de la cour. Il n'était venu que parce qu'elle l'avait exigé, pour épargner à Pierre et Danièle ses récriminations, et il était plutôt soulagé d'avoir réussi à lui dire ce qu'il pensait depuis si longtemps. En trois enjambées elle le rattrapa, le saisit instinctivement par le bras mais le lâcha aussitôt avec dégoût.

— Attends un peu ! Tu crois que tu vas t'en aller comme ça ?

— Qui m'en empêche ?

— Espèce de salaud…, gronda-t-elle. Je sais pourquoi tu m'en veux, je te connais par cœur ! J'ai troublé ton petit rendez-vous adultère de l'autre soir et cette bonne femme t'a monté la tête ? Ah, tu es pitoyable mon pauvre… Tu t'es entiché de ta Bénédicte et plus rien d'autre ne compte, hein ? Tu n'as plus de passé, plus aucun devoir envers quiconque, tu vas pouvoir te comporter comme une ordure avec la conscience tranquille !

N'y tenant plus, Pierre avait fini par s'approcher et il entendit parfaitement toute la tirade d'Élisabeth. Elle se tourna vers lui, hystérique, pour l'apostropher.

— Et toi, tu vas prendre son parti, je suppose ?

— Élisabeth, répliqua Pierre sans s'énerver, tu es une sacrée emmerdeuse. Fous-lui la paix.

Poussant Ivan devant lui, il l'accompagna jusqu'au Range Rover.

— Pour une fois elle a raison, je suis de ton côté ! Tu as bien fait de lui tenir tête mais pars maintenant, ou vous allez en venir aux mains.

Ivan ouvrit sa portière, s'installa au volant, puis baissa les yeux vers Pierre.

— Tu sais, ce qu'elle a dit à propos de…

— Je ne m'en souviens déjà plus, bougonna Pierre en donnant une petite tape amicale sur le toit de la voiture.

Bénédicte regarda alternativement le bouquet puis Clément.

— Tu aimes toujours les roses jaunes ? demanda-t-il en souriant.

Comme elle ne réagissait pas, il alla lui-même prendre un vase dans le vaisselier. D'un coup d'œil, il vérifia que la table n'était mise que pour deux. Compréhensive, leur fille était donc allée dîner ailleurs, ainsi qu'ils en étaient convenus par téléphone. Il arrangea un peu les fleurs puis s'approcha de sa femme pour la prendre par la taille.

— Je suis content de ce tête-à-tête, il faut que nous parlions.

Quand il voulut l'embrasser dans le cou, elle le repoussa.

— Louise m'a dit que tu préférais que nous soyons seuls, mais je trouve dommage que tu l'aies écartée, elle est concernée aussi.

La complicité entre mère et fille avait éventé sa ruse et il eut un petit rire gêné.

— C'est à nous de prendre les décisions, chérie. Louise est à peine majeure, elle n'a aucune idée des réalités de la vie.

— À peine majeure mais peut-être bientôt mariée !

— Avec Max ? Mon Dieu, j'espère qu'elle prendra le temps d'y réfléchir à deux fois !

— L'idée n'a pas l'air de te réjouir...

— Tu as envie de la voir épouser un fils de fermier ? Ah, le moins qu'on puisse dire est que vous avez changé, elle et toi ! Que sont devenues mes délicates petites Parisiennes ?

Leur discussion commençait si mal que Bénédicte préféra ne pas répondre. Elle se dirigea vers le four, d'où elle sortit une pizza.

— Je n'ai pas eu le temps de faire la cuisine, j'ai eu une journée chargée, déclara-t-elle.

Il réprima une grimace parce qu'il détestait les surgelés et qu'elle aurait dû s'en souvenir. Tandis qu'elle assaisonnait la salade, il s'assit pour l'observer. Grande et mince dans son jean et sa chemise de soie bleu marine, elle s'affairait sans le regarder. Comme elle n'aimait pas les bijoux, elle ne portait que la montre qu'il lui avait offerte pour leurs vingt ans de mariage. Ses boucles brunes, coupées court, brillaient sous la suspension. Elle avait toujours le même petit nez fin, des lèvres bien dessinées, une peau mate qu'elle ne maquillait presque jamais. Ce soir, une touche de mascara allongeait ses cils et mettait ses yeux en valeur.

— Tu es très belle en ce moment, dit-il gentiment. Tu parais en pleine santé, épanouie...

— La vie commence à quarante ans, tu sais bien, ironisa-t-elle.

Elle posa devant lui une bouteille de vin pour qu'il la débouche.

— Je suis décidée à rester, Clément.

— Oui, je m'en doutais.

— Si tu préfères habiter Annecy, fais-le.

Sa franchise, déconcertante, le prit de court.

— Je constate qu'une séparation ne t'effraie pas, répondit-il un peu sèchement.

— Je crois même que ce serait salutaire.

— Pour qui ?

— Pour toi *et* pour moi.

Une brusque angoisse s'abattit sur Clément. Sa femme était-elle en train d'évoquer une possible rupture ? C'était une voie dangereuse dans laquelle il n'avait aucune envie de s'aventurer.

— Nous sommes un vieux couple, dit-il en essayant de sourire. Tu es lassée de moi ?

S'asseyant face à lui, elle posa ses coudes sur la table et son menton dans ses mains. Ils se dévisagèrent quelques instants avant qu'elle se décide à répondre.

— Lassée ? Je ne sais pas. Contrariée, en tout cas. Tu as vendu notre appartement de Levallois, tu m'as fait vendre mes parts de clinique à Paris, et je t'ai suivi sans protester. Pour ça, nous étions d'accord. Mais que tu mettes cette maison-ci en vente, sans même m'en aviser, je ne peux pas le digérer. D'abord, c'est mon héritage, c'est à moi que Mathilde l'a léguée, pas à toi. Ensuite, c'est mon outil de travail. Enfin, c'est le moyen pour Louise de réaliser son rêve. Toi, tu fais une petite photo en douce, et hop dans la vitrine, affaire à saisir ! C'est une vraie révélation, Clément. Les sentiments que tu me portes ne valent pas cher.

— Oh, je t'en prie, pas de lyrisme ! s'énerva-t-il. Je ne t'en ai pas parlé pour avoir d'abord une idée de son prix. J'ai mis la barre très haut et j'ai eu une offre tout de suite. Si tu étais moins butée, nous pourrions réaliser une plus-value fabuleuse !

— Ah ! tu voulais me faire une bonne surprise, c'est ça ? Est-ce que tu ne peux pas te contenter de vendre les maisons des autres et épargner la nôtre ? La mienne, en l'occurrence…

Exaspéré, il retint de justesse une réflexion cinglante. Le fromage durcissait en refroidissant sur la pizza et il repoussa son assiette d'un geste rageur.

— Je crois que tu n'aimes que toi et que le reste de ta famille passe vraiment à l'arrière-plan, dit-elle encore.

— Ne sois pas stupide ! C'est au contraire à vous je pense. Toi pataugeant dans le purin, Louise fermière ou aubergiste ! J'ai de quoi me faire du souci, non ?

— Et toi quoi ? Margoulin de province ?

L'injure le rendit furieux, lui donna envie de balayer tout ce qui se trouvait devant lui, mais il se contint.

— Qui t'a aidée à finir tes études ? Tu as la mémoire courte ! Qu'est-ce que tu serais devenue si je n'avais pas fait bouillir la marmite quand tu en avais besoin ?

— Tu ne voulais pas attendre pour te marier, rappela-t-elle avec une évidente lassitude. Laurent était en route et tu souhaitais qu'on le garde.

— Ne me dis pas que tu regrettes ! lui lança-t-il d'un ton hargneux.

— Bien sûr que non. Mais je peux t'avouer aujourd'hui que j'ai eu beaucoup de mal à tout mener de front. La grossesse et les révisions, l'accouchement et les examens, la cuisine et le ménage ! Tu gagnais de l'argent, c'est vrai, tu rentrais crevé et tu prétendais que j'avais de la chance… Et rien n'a changé, Clément ! Reconnais que tu ne comprends pas pourquoi je ne t'ai pas mitonné un bon petit plat ce soir. C'est symptomatique.

Elle se mit à manger sa pizza froide avec un appétit indécent.

— On n'est pas obligé de s'engueuler, dit-il au bout d'un moment. Les enfants sont grands, on a besoin de respirer un peu tous les deux.

— Mais je respire ! Je me sens très bien. En tout cas de taille à me défendre.

— Je ne t'attaque pas. Au contraire… Si tu as encore quelque chose sur le cœur, dis-le-moi. Et au lieu de me resservir des histoires vieilles de vingt ans, explique-moi plutôt comment tu vois l'avenir. Si je loue quelque chose à Annecy, c'est de l'argent flanqué par la fenêtre. Mais pour acheter, si tu ne veux pas bouger de cette bicoque, il faudra se serrer la ceinture.

— Pas forcément. On peut redistribuer notre patrimoine. Je considère que cette maison est à moi et j'aimerais qu'elle soit à mon nom. Je peux te dédommager, ce qui te donnerait l'apport nécessaire pour un achat, de ton côté.

— Et où trouveras-tu l'argent ?

— C'est mon problème.

Il resta interloqué. Bénédicte n'avait plus de famille et aucune fortune personnelle. Qui avait bien pu lui donner des idées pareilles ?

— Tu vivras près de ton travail et moi près du mien, poursuivait-elle. Si on veut se voir, on s'invitera, ce sera très drôle.

Elle avait dit ça d'un ton sinistre, comme si elle voulait le provoquer, et il réagit aussitôt.

— Si je te comprends bien, tu veux qu'on se sépare ?

Le regard de sa femme était déjà une réponse et il se leva précipitamment pour faire le tour de la table.

— Non, pas question, on ne va pas se quitter à cause d'une petite querelle de rien du tout !

D'un geste vif, il la prit par le menton et se pencha sur elle, si près qu'elle crut qu'il allait l'embrasser.

— Tu es folle, chérie… Qu'est-ce qui te prend ?

Avec un calme exaspérant, elle se dégagea et quitta sa chaise.

— Il n'y a plus grand-chose entre nous, Clément, tu le sais très bien. Plus de passion, plus d'amour, même plus de tendresse. Il ne restait que les habitudes, seulement on les a bouleversées…

Elle alla ouvrir la porte du réfrigérateur, sortit une crème caramel préparée par Louise. Qu'elle puisse penser à manger, après ce qu'elle venait de dire, lui parut scandaleux.

— Est-ce qu'il n'y aurait pas… quelqu'un d'autre ? interrogea-t-il d'un ton tranchant.

Après tout, elle rencontrait beaucoup de monde. Sa clientèle ne se limitait plus aux éleveurs de bétail. Il y avait aussi son ancien associé, Serge, qui n'était peut-être pas venu ce week-end uniquement par amitié. Sans compter Ivan, bien sûr. Ce fut ce nom-là qu'il choisit de jeter dans leur dispute, comme pour s'en débarrasser d'abord, car c'était le plus probable et surtout le plus inquiétant.

— C'est Ivan ?

Bénédicte était de dos, mais il la vit se raidir. D'un coup, il se sentit ridicule. Tout le monde l'avait prévenu ! Laurent, Ivan lui-même, et pourtant il n'y avait pas attaché d'importance. Par quelle aberrante vanité ?

— J'avais confiance en toi, reprocha-t-il. Et lui, je ne le croyais pas capable de ça !

— Quoi, ça ? Je ne t'ai pas trompé, Clément…

— Mais tu en as envie, non ?

— Oui, dit-elle en se tournant pour lui faire face.

— Ma pauvre Bénédicte ! Tu perds les pédales devant le premier mec qui te regarde ? Combien crois-tu qu'il en collectionne, des femmes comme toi, ou mieux que toi, ou plus jeunes que toi ! Tu veux ta place sur la liste ? Au point de sacrifier ta famille ? Ah, tu vieillis mal, tu sais !

La colère le faisait parler vite, d'une voix essoufflée. Jamais il n'aurait cru être touché à ce point. Sa femme, qu'il était prêt une heure plus tôt à abandonner sans regret quelques mois par an, lui devenait soudain indispensable. Et l'aveu tranquille de son désir pour un autre homme le rendait fou de rage.

— Vas-y, passe-toi ta petite envie, tu vois bien qu'il est d'accord ! Mais après, ne compte pas sur moi pour te consoler, hein !

Il s'était mis à tourner en rond dans la cuisine, incapable de réfléchir ni de trouver ses mots. Il ne savait même plus s'il voulait vider leur querelle ou faire la paix avec elle.

— Mais qu'est-ce que tu cherches, à la fin ? Tu veux qu'on divorce ?

C'était une idée si effrayante qu'il ne l'avait lancée que pour faire craquer Bénédicte. Au lieu de s'affoler, ainsi qu'il l'espérait, elle murmura :

— Peut-être que…

Elle hésitait, ne voulant pas le blesser davantage, et pour la première fois de sa vie il regretta qu'elle soit si sincère.

— Je te préviens, Bénédicte, ça ne se passera pas comme ça ! s'écria-t-il. Je ne vais pas me laisser tondre la laine sur le dos, ce serait trop facile !

— C'est d'argent qu'il est question, là ? demanda-t-elle d'un air surpris.

— Eh oui, il faudra bien qu'on y vienne ! Tu veux ta liberté pour aller te faire baiser ailleurs, soit, seulement tu ne peux pas tout avoir !

Figée, elle le dévisageait avec un mépris qui lui fut insupportable.

— Ne te fais pas plus conne que tu n'es ! explosa-t-il. Le cul et le fric, c'est ça qui mène le monde, nous comme les autres. Tu te croyais au-dessus du lot ?

Il se dirigea droit sur elle et s'arrêta à quelques centimètres. Pas un instant il n'avait songé à ses propres incartades. Pas vu, pas pris, tant qu'elle ne savait rien, il ne lui faisait pas de mal, alors qu'elle le narguait en lui jetant ses envies à la figure.

— Tu me déçois, tu me dégoûtes ! dit-il encore.

Coincée contre le réfrigérateur, elle voulut se dégager mais il la repoussa du plat de la main, d'un geste qu'elle détesta.

— Tu restes là, tu m'écoutes, je n'ai pas fini !

— Laisse-moi passer, Clément.

— Pour aller où ?

Elle l'écarta fermement, sans aucune crainte, mais il la retint par le bras.

— Lâche-moi ! dit-elle entre ses dents.

Avant qu'elle ait pu gagner la porte qui donnait sur le hall, il la rejoignit et la saisit brutalement par les épaules pour la faire pivoter vers lui.

Déséquilibrée, elle tomba sans qu'il cherche à la retenir, et sa tête heurta durement un tabouret. Quand elle se releva, son front saignait. Clément retrouva aussitôt son sang-froid, navré de l'incident.

— Je suis désolé, Bénédicte...

Il se précipita vers l'évier pour mouiller un torchon qu'elle vint lui arracher des mains.

— Excuse-moi...

— Je vais avoir une bosse, déclara-t-elle d'un ton distrait.

Son regard effleura Clément puis elle traversa de nouveau la cuisine. Dans le hall, elle prit son sac qui était resté posé sur la console et elle sortit dans la nuit fraîche. Moins de cinq minutes plus tard, elle arrêtait sa voiture devant le chalet d'Ivan. Aucune lumière ne brillait, le Range Rover n'était pas en vue. Déçue, elle considéra un moment la façade obscure. Elle était venue jusque-là sans réfléchir, encore sous le choc de la scène qu'elle venait de vivre. C'était sa faute si la discussion avait mal tourné, elle en était consciente, mais à quoi bon mentir plus longtemps ? Pourquoi aurait-elle dû dire le contraire de ce qu'elle pensait ? Pour ménager Clément ? Avait-il jamais rien fait pour l'épargner, elle ? Le bouquet de roses, en début de soirée, lui avait rappelé d'autres souvenirs. Chaque fois qu'il voulait quelque chose, il rapportait un petit cadeau. Il oubliait les fêtes ou les anniversaires mais, se croyant fin diplomate, il multipliait les gentillesses dès qu'il avait une idée derrière la tête. Il ne l'avait pas bousculée exprès, tout à l'heure, ce n'était qu'un geste de rage, d'impuissance, comme il en avait eu parfois avec les enfants lorsqu'ils étaient petits. Cependant il n'avait rien fait pour l'aider à se relever, satisfait qu'elle soit à terre un instant.

Blessé dans son orgueil, inquiet pour son avenir, il avait dû éprouver une certaine satisfaction dans cette revanche dérisoire.

— Pauvre Clément…, murmura-t-elle en pianotant sur son volant.

Peut-être aurait-elle éprouvé de la compassion pour lui s'il s'était montré moins mesquin. Hélas, dans chacune de ses phrases, il n'y avait eu que de la médiocrité. Et même une certaine vulgarité. Des propos de marchand de biens, un peu sordides, et pas trace de sentiment.

Elle redémarra pour s'engager sur la route, tourna à droite vers la montagne. Ivan travaillait parfois très tard, elle avait une chance de le trouver à l'atelier. Elle n'y était jamais monté, préférant s'arrêter au chalet pour voir Roméo et Diva, et elle n'était pas très sûre du chemin pour y accéder. Trois kilomètres plus loin, à la sortie d'un virage, ses phares éclairèrent un petit panneau blanc qui signalait la cristallerie Charlet. Un bâtiment se devinait, au-delà d'un rideau de sapins qu'elle contourna. Le 4 × 4 d'Ivan était garé près de l'entrée et elle se rangea juste derrière. Lorsqu'elle coupa le contact, elle se retrouva dans l'obscurité et, durant quelques instants, elle hésita encore. Sur le coup, elle avait eu envie de se réfugier près de lui, mais à présent elle se sentait moins sûre d'elle. Si elle lui racontait sa dispute avec Clément, qu'allait-il en déduire ? Qu'elle avait quitté son mari pour lui ? Ce n'était pas tout à fait exact.

Elle finit tout de même par descendre de voiture, longea le mur du bâtiment et gagna la porte qui n'était pas fermée. En entrant dans l'atelier sombre et surchauffé, elle aperçut au fond, comme un poste de timonerie, le bureau vitré où brillait une petite lampe d'architecte. Elle se dirigea vers la clarté, heurtant au passage un banc de verrier. Le claquement d'un interrupteur précéda un flot de lumière blanche qui lui fit cligner des yeux.

— C'est vous ? constata Ivan d'une voix incrédule.

Dès qu'il avait entendu le bruit du moteur, il s'était glissé dans l'atelier pour surprendre son visiteur nocturne. À présent, il la dévisageait avec inquiétude.

— Qu'est-ce qui vous est arrivé ?

Il s'approcha d'elle, remit le banc en place d'un geste machinal, lui adressa un sourire rassurant.

— Venez, dit-il gentiment.

Sa main se posa sur le bras de Bénédicte pour la guider vers le bureau. Il la fit asseoir dans un fauteuil Club au cuir fatigué puis la lâcha à regret en murmurant :

— Je suis content de vous voir.

— Même à cette heure-ci ?

— À n'importe quelle heure, évidemment.

Son regard clair était posé sur elle, attentif.

— Vous n'étiez jamais venue, constata-t-il. Je vous ferai visiter, si ça vous amuse.

Il s'éloigna d'elle, repartit vers l'atelier où elle entendit son pas résonner. Il revint très vite avec une serviette éponge dont il avait mouillé un coin. Se penchant sur elle, il lui nettoya le front avec précaution. Ensuite il lui proposa une cigarette, lui offrit du feu puis alla chercher une bouteille sur une étagère.

— De la liqueur de génépi, précisa-t-il en servant.

D'autorité, il lui mit un verre dans la main avant de retourner s'asseoir à son bureau. Dans le silence qui suivit, Bénédicte se détendit un peu.

— Je suis d'abord passée au chalet, déclara-t-elle, je voulais vous demander l'hospitalité pour la nuit. Nous avons eu une discussion un peu… âpre, Clément et moi. Je ne veux pas rentrer chez moi maintenant.

Elle avait levé les yeux vers lui pour guetter sa réaction. Il bougea un peu, fouilla la poche de son jean et en sortit une clef qu'il posa sur le bureau.

— Roméo est en liberté mais il vous connaît. Appelez-le par son nom en entrant, ça suffira à le rassurer. Si vous voulez mettre votre voiture dans le garage, il est ouvert. Le lit n'est pas fait dans la chambre d'amis, au premier, vous pouvez prendre la mienne en bas, ou alors vous trouverez des draps dans le placard du palier.

Déconcertée, elle regarda la clef, puis Ivan.

— Et vous ?

— Je peux très bien dormir ici. C'est déjà arrivé.

Il faisait un effort méritoire pour ne pas l'interroger et elle se mit à rire, soudain très soulagée. Elle reprit le verre qu'elle avait posé par terre, but deux gorgées avec plaisir.

— Je crois que nous allons nous séparer, dit-elle. Nous ne sommes pas les seuls à qui ça arrive, mais c'est un sale moment à passer.

Il acquiesça sans répondre et elle lui demanda, de façon abrupte :

— Votre divorce a été difficile ?

— Oh, c'était très différent… Élisabeth m'en voulait beaucoup. Elle m'en veut toujours, d'ailleurs.

— Oui, j'ai l'impression ! C'est à cause de votre fils ?

— Je l'ai laissé seul deux minutes, répondit-il sans hésiter. Il a voulu s'amuser avec le sèche-cheveux de sa mère qui était posé sur un tabouret. C'est entièrement de ma faute.

Jamais il n'avait abordé le sujet avec elle et elle se sentit troublée par sa subite sincérité.

— Élisabeth n'était pas là quand c'est arrivé, poursuivait-il. Elle avait l'habitude de laisser ce truc branché en permanence. J'aurais dû l'éloigner de la baignoire, enlever la prise ou ne pas quitter la salle de bains. Je ne me le suis jamais pardonné. Guillaume n'a eu qu'à appuyer sur le bouton, mais le bruit l'a sans doute effrayé, alors il l'a lâché. Il était debout dans l'eau.

Il se tut un instant, reprit sa respiration, puis réussit à enchaîner :

— Sa mère s'est mise à me haïr. Il aurait mieux valu que je parte mais ce n'était pas à moi de prendre cette décision. Elle ne me supportait plus, pourtant elle ne voulait pas rester seule. Nous avons vécu une période infernale.

— Vous l'aimiez ?

— Je ne me posais plus ce genre de question à ce moment-là. Quand je l'ai épousée, oui, j'en étais très amoureux.

Bénédicte esquissa un sourire contraint. Elle imaginait trop bien Ivan jeune homme, adorant une ravissante Élisabeth.

— Maintenant, dites-moi ce qui s'est passé avec Clément, dit-il en se levant.

Il prit la bouteille, remit un peu de génépi dans leurs deux verres.

— C'est très simple. Je ne veux pas quitter ma maison pour le suivre à Annecy. Et je me suis aperçue que je n'avais plus très envie de continuer la route avec lui... Je crois que je préférerais être un peu... seule. Il y a beaucoup de contraintes dans la vie à deux et je ne sais plus pourquoi je les subis. Aujourd'hui, je vois tous les défauts de Clément à travers une loupe. Je sais toujours ce qu'il va dire ou faire. Nous n'aimons ni les mêmes choses, ni les mêmes gens, ni les mêmes lieux. Bien sûr, ce n'est pas nouveau, mais c'est devenu pesant.

— Pourquoi ce soir plutôt qu'un autre ? C'est le séjour de votre confrère qui vous a donné du courage ? s'enquit-il d'un ton presque ironique.

Éberluée, elle mit un moment à comprendre ce qu'il insinuait.

— Serge ? Non, il n'y est pour rien. C'est...

— Un type merveilleux, vous l'avez déjà dit !

— Vous êtes jaloux de lui ? demanda-t-elle sans pouvoir réprimer un sourire.

— Je ne vois pas de quel droit, répliqua-t-il avant d'ajouter, un peu plus bas, mais en fait... oui. Bien sûr que oui.

Bénédicte s'enfonça dans son fauteuil et croisa ses jambes sur l'accoudoir. Elle prit le temps de savourer un peu de liqueur tout en observant Ivan.

— Vous acceptez toujours de m'héberger ?

— Naturellement.

— Même si je vous apprends que Clément vous tient pour responsable de tout ça ?

Cette fois, il accusa le coup. La tête baissée, il parut réfléchir.

— J'aimerais savoir ce que vous en pensez, vous, murmura-t-il en relevant les yeux vers elle.

Son regard clair était indéchiffrable et elle se sentit soudain moins sûre d'elle. Le bureau les séparait comme un obstacle, avec la clef du chalet qui luisait toujours sous la lampe.

— Je ne suis pas là par hasard, dit-elle. C'est vous que j'avais envie de voir.

Le silence d'Ivan se prolongea jusqu'à ce qu'elle reprenne la parole.

— On se connaît mal, vous et moi.

— Oh, j'ai un peu d'avance ! J'ai appris beaucoup de choses sur votre enfance, votre famille, grâce à Mathilde. Ou à cause d'elle.

Il alluma une autre cigarette, aspira une longue bouffée, puis finit par demander :

— Voulez-vous qu'on fasse davantage connaissance ?

Même si c'était une question plutôt directe, il y avait plusieurs réponses possibles. Elle choisit ses mots avec soin.

— C'est ce que je souhaite, oui.

Ivan se pencha vers le cendrier, et, quand son profil se retrouva un instant dans la lumière, elle vit qu'il souriait. Mais presque tout de suite il redevint grave pour déclarer :

— Clément doit vous chercher.

— Non, je suppose qu'il sait où me trouver. Chez vous… c'est là qu'il ira d'abord.

— Alors je ferais mieux d'aller lui parler.

— Ce serait maladroit. Je viens de lui avouer que vous me plaisez.

Elle détourna les yeux, gênée d'avoir été si franche, puis se força à le regarder de nouveau. Il semblait figé, l'air malheureux.

— Et c'est vrai ?

Comme elle ne répondait pas, il se leva, contourna son bureau et s'arrêta devant elle.

— Je vous plais, c'est tout ? Vous n'allez pas chambouler votre existence pour si peu !

Sa voix amère trahissait sa frustration. Depuis le début, elle savait ce qu'il voulait. Comme elle n'était pas encore prête à le suivre dans cette direction, elle fit la seule chose possible pour elle à ce moment-là, elle tendit ses deux bras vers lui. Incapable de résister, il se pencha, l'embrassa doucement, puis soudain la serra contre lui avec une violence inattendue. Il avait mis une main sur sa nuque, l'autre dans son dos, et elle se sentit soulevée, se retrouva debout, collée à lui. Il l'embrassa encore, d'une manière beaucoup plus passionnée, prolongeant l'étreinte jusqu'à ce qu'elle suffoque, avant d'accepter de la lâcher. Désemparée, elle le regarda se tourner vers le bureau, récupérer la clef qu'il lui tendit. Elle hésita, un peu déçue, mais referma ses doigts sur l'objet. Il la prit par l'épaule, exactement comme Max le faisait avec Louise, pour l'entraîner vers l'atelier qu'ils traversèrent en silence. Lorsqu'il ouvrit la porte, de sa main libre, la fraîcheur de la nuit les surprit. Dans l'obscurité, il la guida jusqu'à sa voiture et attendit qu'elle soit installée au volant.

— Personne ne vous ennuiera chez moi. Roméo est très dissuasif, dit-il gentiment.

Elle mit le contact, claqua sa portière et démarra tout de suite. Négociant trop vite le virage qui la ramenait sur la route, elle faillit déraper. Avec un soupir exaspéré, elle passa sa langue sur ses lèvres pour y chercher le goût d'Ivan. Pourquoi donc avait-il voulu qu'elle parte ? À cause de Clément ?

Parce qu'elle avait utilisé le verbe *plaire* ? Ce type était fou, imprévisible, exaspérant.

Le chalet apparut dans la lumière de ses phares et elle dut freiner, stupéfaite d'être déjà arrivée. Ivan lui avait proposé de mettre sa voiture dans le garage, peut-être pour éviter les ragots, peut-être pour lui épargner de se retrouver seule à l'extérieur. L'épisode des loups errants l'incita à emprunter la rampe d'accès pour s'arrêter à l'abri du bâtiment. Elle descendit, alla repousser le battant qui se ferma avec un bruit sec. Une porte donnait sur le sous-sol où Diva devait s'inquiéter, l'autre communiquait directement avec le chalet. Elle mit la clef dans la serrure en espérant que c'était la même pour toutes les ouvertures. Dès qu'elle entendit tourner le verrou, elle pensa qu'elle devait parler à voix haute.

— Roméo ! Salut mon Roméo...

Sa main tâtonna le long du mur, trouva l'interrupteur. Deux lampes éclairèrent une petite salle dans laquelle Ivan rangeait ses skis et tout son matériel de montagne. Au bout de la pièce, quelques marches de pierre conduisaient au salon.

— Viens me dire bonjour, Roméo, viens !

Elle entendit un frôlement derrière elle et fit volte-face.

— Tu veux me faire mourir de peur ou quoi ?

S'agenouillant face à lui sans appréhension, elle se mit à le caresser.

— Tu es silencieux comme une panthère, tu sais...

Son pelage bien brossé était assez doux. Et il sentait le chien propre, pas le fauve. De la tête, il la poussa à petits coups, puis entreprit de mordiller la manche de son pull. Il devait s'ennuyer de Diva dont il était séparé depuis l'opération.

— Si j'étais sûre que vous soyez sages, tous les deux, murmura-t-elle en lui grattant l'oreille.

Elle pouvait libérer la louve mais elle n'était pas certaine de savoir les séparer s'ils se montraient trop exubérants. Pourtant l'idée de Diva seule sur sa couverture la contrariait. Elle pensa appeler Ivan pour lui demander son avis mais y renonça aussitôt. Elle l'avait assez mis à contribution comme ça. Et la manière dont il s'était débarrassé d'elle la rendait perplexe. Impossible qu'il n'ait pas vu à quel point elle désirait rester avec lui.

— Pas facile à comprendre, ton père, dit-elle en se redressant.

Bon, il ne voulait rien faire à la sauvette, entre deux portes, et sûrement pas le soir où elle débarquait chez lui sur un coup de tête, après une dispute, et peut-être avec Clément sur ses talons. Il n'était sans doute ni lâche ni menteur, il ne se comporterait pas comme Serge dont les adultères étaient de véritables acrobaties. Il lui offrait l'hospitalité et la laissait réfléchir, c'était le mieux qu'il puisse faire pour le moment.

— Mais c'est quand même très rageant... Allez, montre-moi ton domaine.

Elle escalada les marches de pierre et se retrouva dans le salon, docilement suivie par Roméo. Un autre escalier, de bois sombre celui-là, conduisait à l'étage où elle se rendit d'abord. Le palier se prolongeait par une mezzanine entourée de bibliothèques basses. Elle déchiffra quelques titres au hasard, s'assit une seconde sur une étroite méridienne recouverte de tissu écossais. Aucun cendrier n'étant visible, Ivan ne devait pas souvent s'installer là. Elle alla ensuite visiter la chambre d'amis, probablement celle d'Ivan dans sa jeunesse. Au-dessus d'un petit bureau en pin, des manuels de droit commercial et des livres d'anglais étaient bien alignés sur une étagère. Quelques photos punaisées sur une plaque de liège la firent sourire. À vingt ans, Ivan avait les mêmes mèches blondes, le même regard clair, et beaucoup de filles autour de lui. À dix ans, c'était le plus angélique des petits garçons. Elle étudia le visage de l'institutrice, sur une photo de classe, et finit par reconnaître Mathilde. Sur un autre cliché, elle identifia les parents d'Ivan dans le couple qui posait. Monsieur semblait sévère et madame très rêveuse.

Un peu émue, Bénédicte quitta la pièce douillette, ouvrit la porte d'une salle de douche, puis celle d'un vaste dressing où trônait une table à repasser et un fer ultramoderne. Est-ce qu'il faisait ça tout seul ? Avec toutes les chemises blanches qu'il portait ? Du sol au plafond, de grands placards semblaient avoir été construits sur mesure. Elle en ouvrit un ou deux au hasard, apercevant des vêtements bien rangés.

Roméo toujours dans ses jambes, elle redescendit jusqu'à la cuisine. La part de pizza était loin et elle avait faim. Dans le réfrigérateur, elle trouva un plateau de fromage qu'elle déposa sur la table avec du beurre.

— Nous ne devons pas nous comporter en égoïstes ! dit-elle à Roméo qui suivait tous ses gestes.

La porte donnant sur le sous-sol n'était pas fermée à clef.

— Diva, appela-t-elle doucement en ouvrant.

Elle se sentait bien, étrangement gaie, et à la réflexion tout à fait capable de se faire obéir des deux loups. Après quelques recherches, elle trouva du pain enveloppé dans un torchon, et elle se mit à confectionner un sandwich. Alors qu'elle se servait un peu de vin blanc, elle vit apparaître le museau de Diva, puis sa tête. Méfiante, à son habitude, la femelle prit son temps pour entrer dans la cuisine. Queue très basse, elle vint renifler les mocassins de Bénédicte avant de se frotter contre Roméo qui était assis sagement.

— Tu me laisseras regarder ta cicatrice, tout à l'heure ?

Elle coupa deux morceaux de reblochon qu'elle leur tendit en écartant bien les mains pour qu'il n'y ait pas de confusion. Puis elle leva son verre.

— À la vôtre, mes chéris !

Ce repas improvisé acheva de la mettre à l'aise. L'atmosphère du chalet l'avait séduite dès sa première visite. Tout en mangeant, elle détailla la cuisine autour d'elle, des petits carreaux de faïence au grand comptoir de bois où Ivan devait élaborer ses recettes. Danièle Battandier affirmait qu'il était un cuisinier très inventif. L'homme idéal, en somme. Et puisqu'il proposait de faire plus ample connaissance, elle était à pied d'œuvre chez lui pour se faire une idée de sa personnalité.

Elle remit le fromage au frais, son assiette dans le lave-vaisselle et le pain dans le torchon. Est-ce qu'il n'était pas un peu maniaque ? Sa chambre étant sûrement l'endroit le plus révélateur, elle décida de s'y rendre sans plus attendre. De toute façon, c'était là qu'elle avait décidé de dormir.

Dès qu'elle ouvrit la porte, elle reconnut l'odeur d'Ivan, celle de son eau de toilette qu'elle n'avait sentie sur personne d'autre. Le lit était en désordre, ce qui la fit sourire. Le rangement n'était donc pas son obsession, tant mieux. Elle ramassa l'édredon de plumes qui avait glissé sur le tapis, puis elle alla tirer les rideaux de velours vert. Pas superstitieux non plus. Après avoir allumé les lampes de chevet, elle éteignit l'halogène. La pièce était grande, confortable, avec dans un coin un gros fauteuil club au cuir patiné, le même que celui de son bureau. Sur un petit secrétaire dos d'âne, elle vit le fouillis habituel de monnaie, factures de carte bancaire, pochettes d'allumettes. Et même une liste de courses. Elle essaya d'imaginer Ivan poussant un Caddie dans un supermarché et elle eut un petit rire qui fit dresser les oreilles de Roméo. Diva, couchée sur le tapis, continuait d'observer tous ses gestes.

La tentation d'ouvrir les tiroirs était tellement forte qu'elle s'éloigna du secrétaire. Ivan était d'accord pour prêter sa chambre, pas pour une perquisition en règle. Sur l'un des murs, un tableau aux plans très contrastés représentait une rive du lac d'Annecy. Elle ne parvint pas à déchiffrer la signature, et d'ailleurs elle n'y connaissait rien en peinture, mais elle pensa qu'on pouvait sans doute regarder cette toile pendant des heures. Au-dessus du lit, quelques esquisses avaient été rassemblées dans un seul cadre. En s'approchant, elle détailla ces curieux dessins d'architecte qui figuraient toutes les faces d'un même objet. Peut-être l'une des créations d'Ivan pour son atelier.

Roméo bâilla, découvrant ses crocs effrayants, et se laissa tomber près de Diva. Une dernière fois, Bénédicte parcourut la chambre du regard. Il n'y avait pas une seule photo, alors qu'elle s'attendait à trouver celle du petit Guillaume. Trop intriguée pour résister davantage, elle revint vers le secrétaire et ouvrit les tiroirs un à un. Elle ne trouva rien d'autre que des papiers, auxquels elle se garda bien de toucher. Peut-être Ivan conservait-il la photo de son fils sur lui, dans son portefeuille. À moins qu'il n'ait tout détruit pour pouvoir oublier.

Elle était sur le point de s'éloigner quand son regard accrocha un feuillet posé sur l'abattant. L'écriture lui était vaguement familière et, tout en haut, elle vit son nom, la date et l'heure de sa naissance. Il s'agissait manifestement d'un thème astral. Établi par qui ? La calligraphie, très nette, lui rappela brusquement les cartes de vœux de Mathilde. Le goût des horoscopes avait dû la prendre sur le tard. Mais où Ivan avait-il trouvé celui-ci ? Dans un scrupule tardif, elle s'abstint de lire ces prévisions arbitraires qui pourtant la concernaient.

Soudain fatiguée, elle soupira et quitta la chambre pour gagner la salle de bains. Éclairée de spots encastrés au plafond, la pièce était recouverte de lambris vernis. Sur une tablette, elle découvrit le flacon de ce parfum qui l'intriguait. Elle ouvrit en grand les robinets de la baignoire puis inspecta son reflet dans un des miroirs. L'estafilade, sur son front, s'était agrémentée d'une petite bosse. Rien de méchant. Elle se déshabilla, s'allongea dans l'eau trop chaude et commença à se savonner. Qu'est-ce que pouvait bien faire Clément en ce moment ? Des comptes ? À moins qu'il ne soit tranquillement endormi. En tout cas, il n'avait pas jugé bon de se lancer à la poursuite de sa femme.

Elle se sécha énergiquement puis tendit la main vers un peignoir d'éponge bleu nuit qu'elle enfila. Ivan ne viendrait pas la rejoindre, elle le savait. Tant pis pour lui. De retour dans la chambre, elle constata que les deux loups n'avaient pas bougé du tapis, vautrés l'un sur l'autre, ce qui prouvait leur sérénité. Elle les enjamba pour arranger les draps et les couvertures. Le catalogue d'un magasin de sports, abandonné sur l'une des tables de chevet, ne la tentait pas. Elle se glissa à la place d'Ivan, respira avec plaisir son oreiller. Un jour ou l'autre, ils allaient se retrouver ensemble dans ce lit. Une perspective infiniment excitante qui la fit frissonner. *Plaire* était un euphémisme. Elle n'avait jamais rien éprouvé de semblable, d'accord, mais était-ce de l'amour ?

Remontant l'édredon, elle tendit la main vers la lampe. La dernière chose qu'elle vit, avant d'éteindre, fut le museau de Roméo posé sur le flanc de Diva, et ses grands yeux jaunes qui la fixaient.

11

Depuis quelques minutes, Laurent n'écoutait plus le cours magistral, pourtant le maître de conférence était brillant, concis, facile à suivre. Mais Carole, assise trois rangées plus bas, sur sa droite, s'était tournée vers lui et ne le quittait pas des yeux. Il lui avait d'abord adressé un vague sourire puis avait feint de l'ignorer, espérant qu'elle se découragerait.

Les conseils de sa mère lui revinrent en mémoire et il se pencha soudain vers sa voisine à qui il emprunta un stylo avec un de ces sourires désarmants dont il avait le secret. Il jeta un rapide coup d'œil vers Carole dont l'expression s'était durcie. Content de lui, il fit alors semblant de s'intéresser à l'orateur, tout en laissant son esprit vagabonder. La plupart du temps, dès qu'il s'asseyait dans un amphi, sa capacité de concentration était sans défaut. Comme sa mémoire, son sens de la logique ou de l'analyse, qui lui avaient permis jusqu'ici un parcours universitaire exemplaire. De son côté, Carole s'essoufflait dans ses études. Privée de l'aide de Laurent, elle ne parvenait plus à rattraper ses points de retard aux examens. Elle avait beau aimer le droit, elle avait commencé à connaître des difficultés au moment de la maîtrise. Trop occupée à plaire, sans doute, et à soigner son image. Laurent, lui, savait qu'il serait un des rares à poursuivre jusqu'au doctorat. Le premier jour de sa première année, dans l'amphi de Vaugirard où le doyen avait reçu les bacheliers, il s'était juré d'aller le plus loin possible. C'était ce matin-là qu'il avait aperçu Carole et qu'il était tombé sous son charme. Mais il avait mis un certain temps à la conquérir.

Un mouvement se fit devant lui et l'un des étudiants se retourna pour lui tendre discrètement un papier plié en quatre. Il dut se pencher afin de le saisir, s'assurant que le professeur, sur son estrade, ne faisait pas attention à lui.

« Depuis quand te passionnes-tu pour les rousses ? »

Il relut deux fois la phrase et, sur une impulsion, il rendit le stylo à sa voisine tout en lui effleurant la main. La jeune fille rougit, se tortilla sur son siège, mais la brusque agitation de l'amphi, autour d'eux, annonçait la fin de l'exposé.

— J'ai été plutôt distrait aujourd'hui, déclara-t-il gentiment à la rousse en se levant. À cause de toi ! Est-ce que tu pourrais me prêter tes notes ? Je te les rends cet après-midi, promis…

Stupéfaite, elle lui offrit ses feuilles sans un mot. Il ne se passait pas un seul jour sans qu'il soit question de Laurent dans le groupe des filles, et une véritable lutte s'était engagée entre toutes celles qui espéraient sortir avec lui.

— Merci, dit-il en souriant. Je te retrouve à deux heures sur les marches du hall ? Je t'offrirai un café !

Avant qu'elle ait pu réagir, il avait ramassé ses affaires et s'éloignait dans la travée. Comme il s'y attendait, Carole le guettait en bas des gradins, et dès qu'il passa à sa hauteur, elle le saisit par le bras.

— On déjeune ensemble ? demanda-t-elle d'une voix douce.

— Impossible, j'ai des trucs à recopier.

— S'il te plaît… Fais-moi plaisir !

Câline, elle insistait sans le lâcher.

— Bon, mais juste un sandwich en vitesse, alors.

Il se demanda où il allait trouver le courage de continuer à jouer la comédie du détachement, car le simple fait de respirer le parfum de Carole et de la sentir contre lui le faisait frémir.

Ils sortirent ensemble place du Panthéon, clignant des yeux sous le soleil printanier.

— Tu me manques, tu sais, déclara-t-elle d'un ton boudeur. Il y a une soirée chez Noémie samedi, tu ne voudrais pas m'y accompagner ?

— En copain, alors ?

— Tu te fous de moi ! explosa-t-elle.

Arrêtée au milieu du trottoir, elle s'était tournée vers lui, furieuse mais provocante.

— En copain ! Ce n'est pas ça que je veux, pas du tout…

Brusquement radoucie, elle fit un pas en avant et l'embrassa au coin des lèvres.

— Si tu ne m'aimes plus, murmura-t-elle en s'appuyant sur lui, dis-le-moi maintenant…

D'un geste naturel, il la prit par la taille pour l'obliger à avancer.

— Nous avions parlé d'un sandwich, lui rappela-t-il sans s'émouvoir.

Sa tactique fonctionnait à merveille et il en était tout réjoui. La suite paraissait évidente, elle allait lui faire de grandes déclarations, des promesses qu'elle serait incapable de tenir, mais pour la première fois depuis qu'ils se connaissaient, c'était elle qui demandait quelque chose.

— Laurent…, soupira-t-elle.

Ils entrèrent dans leur bistrot favori et trouvèrent une table libre au fond de la salle enfumée. Carole sortit aussitôt un petit miroir de son sac. Tandis qu'elle s'examinait d'un œil critique, il prit son portable dans la poche de sa veste.

— Tu ne vas pas téléphoner, j'espère ? protesta-t-elle. Puisque tu es pressé, j'aimerais bien profiter un peu de toi !

Elle était tellement ravissante qu'il mourait d'envie de l'embrasser, mais il baissa les yeux vers l'écran du téléphone sur lequel s'affichait un message. Il composa les chiffres lui permettant d'obtenir sa boîte vocale puis il écouta pendant quelques instants, sourcils froncés.

— Comment ça, disparue ? marmonna-t-il d'un air stupéfait.

Carole en profita pour se pencher vers lui, posant une main possessive sur son épaule.

— Mauvaise nouvelle ?

— Je ne sais pas… Il faut que je rappelle mon père.

Il prit le temps de réécouter la voix affolée de Louise avant de faire le numéro de la maison. Clément décrocha à la première sonnerie.

D'un coup d'œil, Max vérifia pour la troisième fois l'équipement étalé dans le coffre du Range Rover. Des cordes, de l'eau, des lampes torches, des jumelles, des couvertures, une trousse de pharmacie, et leurs deux téléphones portables.

— On prend tes chiens ? demanda-t-il à Ivan qui sortait du chalet.

Ils s'étaient habillés tous les deux avec des vêtements chauds et des chaussures de marche.

— Mes chiens ?

Perplexe, Ivan secoua la tête.

— Ils ne sont pas dressés pour ça. En réalité, ils ne savent pas faire grand-chose.

— Peut-être, mais ils peuvent quand même trouver une piste, sentir un truc à côté duquel on passerait sans s'arrêter. En tout cas, ça vaut le coup d'essayer, va les chercher.

Après une hésitation, Ivan fit demi-tour et repartit vers le garage. Roméo et Diva ne leur seraient d'aucune utilité, il en était certain, mais comment l'expliquer à Max ? Il n'avait pas envie de perdre du temps à discuter et il les fit sortir du sous-sol où il les avait enfermés cinq minutes plus tôt.

— Changement de programme, vous venez avec nous…, leur dit-il en décrochant les laisses de nylon rouge.

Max en avait profité pour tasser le matériel dans un coin du coffre et les deux loups sautèrent docilement à leur place. Ivan rabattit le hayon, impatient de se mettre en route.

— Arrête-toi chez Clément au passage, il veut venir avec nous, déclara Max sans le regarder.

— Il va nous retarder, répliqua Ivan d'une voix neutre.

Pourtant il prit le chemin de la maison forte tandis que Max dépliait une carte d'état-major. Les événements s'étaient enchaînés si vite ces dernières heures qu'ils avaient bien failli ne rien comprendre. Quand Louise s'était inquiétée de l'absence de sa mère, la veille, il était déjà tard. À contrecœur,

Clément était revenu d'Annecy mais, persuadé que sa femme était toujours chez Ivan, il avait longtemps tergiversé. Et puis ce matin, ils s'étaient rencontrés tous les deux par hasard au village, devant la porte du marchand de journaux, aussi contrariés l'un que l'autre. Les questions agressives de Clément avaient exaspéré Ivan. Non, Bénédicte n'était pas chez lui, n'était *plus* chez lui. Elle lui avait bien demandé l'hospitalité l'avant-veille mais, depuis, il ne l'avait pas revue. Très alarmé par cette réponse inattendue, Clément avait oublié une seconde ses griefs pour tenter de reconstituer l'emploi du temps de sa femme. Après leur dispute, elle s'était donc rendue à l'atelier comme il l'avait supposé, puis était redescendue dormir au chalet. Le lendemain matin, en partant, elle avait laissé la clef sur la table de la cuisine où Ivan l'avait trouvée. Ensuite elle avait dû se rendre directement au parc des Bauges pour sa matinée de travail. Mais elle n'était pas revenue dans l'après-midi, et ses clients avaient fini par quitter la salle d'attente en bougonnant. Le secrétariat téléphonique avait pris tous les appels depuis vingt-quatre heures. Bénédicte ne s'était montrée ni dans la soirée ni dans la nuit. Furieux, Clément avait supposé qu'elle était toujours dans les bras d'Ivan et il s'était senti trop humilié pour donner l'alerte, malgré les conseils de Louise. Un incroyable malentendu, en somme, mais qui n'expliquait pas où pouvait bien être Bénédicte.

Freinant devant la maison, Ivan aperçut Clément qui les attendait, assis sur le banc de pierre. Son visage fatigué trahissait son angoisse. Il s'approcha du Range Rover, côté conducteur, et Ivan baissa sa vitre.

— Je vais vous suivre avec ma voiture, déclarat-il d'une voix atone. Les gardes du parc viennent de nous prévenir, ils ont trouvé le 4 × 4 de Bénédicte garé normalement à sa place. Il doit être là depuis hier matin. À part ça, aucune trace d'elle mais ils ont entrepris des recherches, évidemment... Tu crois que tes chiens vont pouvoir nous aider ?

Il regardait les deux loups, à l'arrière, avec un évident espoir.

— Je n'en sais rien, avoua Ivan. Tu es sûr de vouloir venir ? On va beaucoup marcher et tu n'es pas entraîné.

— Peu importe ! coupa sèchement Clément. Je vous rejoins dans deux secondes...

En courant, il repartit vers la maison. Max en profita pour murmurer :

— On ne peut pas l'empêcher d'y aller.

Ivan ne répondit rien et Max n'insista pas davantage. Louise lui avait raconté la fureur de Clément, son obstination à ne prévenir personne parce qu'il imaginait sa femme dans le lit d'un autre.

— Le voilà...

Clément revenait, chaussé de solides bottes, agitant un foulard.

— Montez avec nous, lui proposa Max. Inutile de prendre deux voitures.

De mauvaise grâce, Clément ouvrit la portière arrière et se glissa sur la banquette. Ivan redémarra aussitôt.

— Louise ne bouge pas de la maison, elle attend près du téléphone. Elle a les numéros de vos portables et elle nous préviendra si...

Sa phrase resta en suspens quelques instants. Anxieux, il se retourna pour jeter un autre coup d'œil à Roméo et Diva dont il était séparé par une grille. Il roula le foulard en boule et le tendit à Max, ignorant Ivan.

— Bénédicte a souvent porté ce truc, déclara-t-il, il doit être imprégné de son parfum. Peut-être que l'odeur guidera les chiens ?

Comme il avait aperçu les rouleaux de corde et la trousse de pharmacie, sa voix manquait d'assurance. Il ferma les yeux, la tête appuyée contre la vitre, se répétant que Max n'était pas seulement moniteur de ski mais aussi guide de haute montagne, et qu'il savait exactement quoi faire dans ce genre de situation. Pour le moment, le jeune homme était plongé dans ses cartes et suivait du doigt des itinéraires.

— Quand on sera sur place, on fera le point avec les gardes, dit-il en relevant la tête. Inutile de recouper nos pistes.

Clément retint de justesse le déluge de questions qu'il s'apprêtait à poser. Personne ne pouvait lui fournir de réponse, autant ne pas se comporter comme un touriste. Il ne voyait que les cheveux blonds d'Ivan, au-dessus de l'appui-tête. S'il ne l'avait pas rencontré par hasard, ce matin, combien de temps aurait-il encore attendu avant de se rendre au chalet ? Quand Bénédicte était partie après leur querelle, deux jours plus tôt, il avait vécu une nuit abominable. D'abord il avait regretté de s'être mis en colère, puis il s'était reproché de l'avoir laissée sortir. Il l'avait imaginée se réfugiant auprès d'Ivan, dans ses bras puis dans son lit. Dix fois, il avait failli aller la chercher. Mais au bout du compte, il s'était couché, et alors qu'il pensait ne jamais trouver le sommeil, il s'était endormi comme une masse. Le lendemain matin, il l'avait attendue jusqu'à dix heures avant de réaliser qu'elle avait dû se rendre directement au parc des Bauges. Il était parti travailler, drapé dans sa dignité de mari trompé, bien décidé à se venger. Sans les appels affolés de Louise, il ne serait pas revenu. Il voulait lui donner une leçon et projetait de passer la nuit à l'hôtel.

L'odeur de la cigarette qu'Ivan venait d'allumer l'écœura. Il regarda les volutes de fumée qui se répandaient dans l'habitacle puis il baissa un peu sa vitre. La jalousie était un drôle de sentiment. Pas une seconde il n'avait mis en doute les paroles d'Ivan. Bénédicte avait dormi seule chez lui, pas *avec* lui. Évidemment.

— On est arrivés, annonça Max en ouvrant sa portière.

Clément n'avait prêté aucune attention à la route et il constata qu'ils étaient devant la Maison du Parc, au Châtelard.

— Je vais aux nouvelles, vous m'attendez ? lança Max qui s'éloignait déjà.

Les deux hommes descendirent ensemble du Range Rover, un peu embarrassés de se retrouver en tête à tête. Un petit vent frais s'était levé. Clément essaya de se souvenir de quelle manière Bénédicte était habillée l'avant-veille. Peut-être en bleu mais il n'en était pas certain. Depuis combien de temps ne la regardait-il plus ? Ivan, lui, devait avoir noté le moindre détail. Il était amoureux d'elle, il ne s'en était pas caché mais n'avait provoqué personne. Même en ce moment, il ne laissait rien paraître de ses sentiments. C'était au mari d'être inquiet, il ne lui volerait pas son rôle.

— Tu as peur pour elle ? demanda-t-il brutalement à Ivan.

C'était sa propre angoisse qui le contraignait à parler, à être agressif.

— Donne-moi une cigarette, ajouta-t-il d'un ton moins dur.

Sans un mot, Ivan lui tendit son paquet et son briquet. Leurs regards se croisèrent un instant mais ce fut Clément qui détourna la tête le premier. Ils fumèrent en silence, appuyés à la carrosserie de la voiture, tout près l'un de l'autre.

— Qu'est-ce qui a pu lui arriver ? reprit Clément au bout d'un moment.

— Elle a dû se perdre. Ou faire une chute.

Ivan avait répondu à voix basse, assez calmement. Clément sortit le foulard de sa poche.

— C'est ce type, ce berger qui tenait tellement à son chien... Le lendemain de Noël, tu t'en souviens ? Il était venu lui offrir ça en remerciement. Elle l'a porté juste pour lui faire plaisir. Elle est comme ça. Et elle a du mérite, parce que ce truc est d'un goût...

Il fixait les chamois et les écussons parsemant l'étoffe, mais soudain tout se brouilla devant ses yeux embués.

— Clément ? Ça va ?

D'un geste machinal, Ivan lui prit le foulard des mains et l'enfouit dans son propre blouson en murmurant :

— On la retrouvera.

Clément avala sa salive pour faire disparaître la boule qu'il sentait dans sa gorge. Impossible de craquer devant l'autre. N'importe qui mais pas lui. Pourtant il se sentait incapable de le haïr. Peut-être n'aimait-il plus assez passionnément Bénédicte pour ça.

— On la retrouvera ? répéta-t-il d'un ton incrédule. Quand ? Dans quel état ? Pourquoi n'a-t-elle pas donné signe de vie ? Elle a toujours un téléphone dans son sac ! Qu'est-ce qu'elle a fait la nuit dernière, à ton avis ? Elle a continué à se promener tranquillement au clair de lune ? Elle est coincée quelque part, morte de trouille, de faim ! Et ça, c'est dans le meilleur des cas ! Elle a pu tomber sur un cinglé, un ours, des loups...

— Bon, arrête maintenant, dit Ivan en lui posant la main sur le bras.

Une nouvelle fois, leurs regards se croisèrent. Max revenait et Clément fit un effort pour retrouver son sang-froid.

— Ils vont prévenir la gendarmerie, mieux vaut ne pas perdre de temps, annonça le jeune homme. En attendant, les gardes commenceront leurs recherches à partir d'ici, en cercles concentriques. Ils n'ont aucune idée de son programme d'hier mais, a priori, elle était censée rester dans la réserve de chasse. Je chercherai plutôt le long de la combe d'Ire. Elle n'avait pas le temps de s'attaquer aux sommets en une matinée. Ce n'est pas une grande sportive ni une écervelée, elle est donc restée sur les sentiers. En tout cas, un moment... Mettons deux heures au maximum, parce que après il lui fallait penser au retour.

— Elle a pu suivre un mouflon, ou un aigle royal, ou n'importe quoi d'assez remarquable pour la distraire et la perdre, suggéra Ivan.

Max désigna le Range Rover.

— Sors tes chiens, on va essayer de partir de sa voiture à elle.

Résigné, Ivan fit descendre Roméo et Diva. Jugeant inutile de les attacher, il mit les laisses dans sa poche puis aida Max à répartir le matériel indispensable dans deux sacs. Comme Clément voulait absolument porter quelque chose, ils finirent par lui donner les rouleaux de corde. Ensuite ils gagnèrent le petit parking réservé aux employés du parc. Le 4 × 4 Baroud de Bénédicte était garé à une extrémité et Ivan y conduisit les loups qui, ainsi qu'il s'y attendait, ne prêtèrent pas la moindre attention au véhicule. Ils se contentaient de rester à côté d'Ivan, un peu désorientés par cette promenade, lui jetant de temps en temps un regard inquiet. Ivan espéra qu'ils se comporteraient comme de braves chiens. Il les avait dressés à revenir au premier sifflement et il avait l'habitude de marcher avec eux en montagne, mais sans aucune présence étrangère. Max et Clément pouvaient les effrayer, les gardes aussi. De toute façon, ils ne comprendraient rien à ce qu'on attendait d'eux. Les seules pistes qu'Ivan les ait jamais vus suivre étaient celles de renards ou de lièvres. Et encore, par curiosité, pas pour chasser. Ils avaient toujours le ventre plein et leur instinct de prédateur n'avait pas eu l'occasion de se révéler. S'ils avaient été élevés par une louve, elle leur aurait appris à traquer du gibier en meute, à tuer des proies pour survivre, au lieu de quoi Ivan s'était appliqué à les rendre sociables et inoffensifs.

Il s'agenouilla entre eux deux et ils tendirent aussitôt leurs museaux vers lui, persuadés qu'il s'agissait d'un jeu.

— Écoutez, les rentiers, vous allez essayer de vous montrer à la hauteur, d'accord ? chuchota Ivan en sortant le foulard de son blouson. Sentez ça...

Diva renifla l'étoffe un instant puis s'en désintéressa. Ivan mit alors le foulard sous la truffe de Roméo.

— Tu te souviens d'elle, quand même ? Tu vas la chercher... et tu la rapportes...

Ces deux expressions, *va chercher* et *rapporte*, il les avait souvent utilisées au sujet d'une balle ou d'un bâton quand il faisait jouer les deux infatigables louveteaux du matin au soir. Roméo huma longtemps le tissu, émit un son indéfinissable, regarda Ivan, puis s'assit en attendant qu'il lance l'objet. Avec un soupir découragé, Ivan rangea le foulard dans sa poche et répéta plusieurs fois sa phrase à Roméo. Au moment où il allait abandonner, ce fut Diva qui s'éloigna d'un petit trot décidé vers un des deux sentiers.

— Ta chienne a choisi ! lança Max qui était resté à l'écart avec Clément.

Roméo avait déjà rattrapé et devancé la femelle, mais Ivan haussa les épaules.

— Ne compte pas sur eux, Max, ils n'ont pas d'expérience, je t'ai prévenu. Ils se baladent au gré du vent.

— Ils sont partis en direction de la combe et c'est là que je veux aller, ça tombe bien, répliqua Max.

Les trois hommes se mirent en route, Clément fermant la marche.

Bénédicte s'était assise au soleil, pourtant elle avait toujours très froid. La température était descendue aux environs de zéro degré la nuit précédente. Pas tout à fait, sans doute, puisque la flaque boueuse, au fond de la crevasse, n'avait même pas gelé en surface. Dans une heure au maximum, l'endroit où elle se tenait se retrouverait à l'ombre.

Baissant les yeux sur le bandage improvisé autour de son avant-bras et de son poignet, elle bougea ses doigts l'un après l'autre. Pas d'ankylose ni de douleur, elle avait donc bien réduit la fracture. Trois petites branches servaient d'attelles, fixées par les lambeaux de sa chemise en soie bleu marine. Ça n'avait pas été facile, avec une seule main. Trouver les branches, les casser à la bonne dimension, déchirer la soie en lanières. Puis, en serrant les dents et en retenant sa respiration, elle avait essayé de remettre l'os en place. Trois tentatives avaient été nécessaires et, chaque fois, elle avait hurlé. La dernière avait été la bonne, heureusement, car elle était au bord de l'évanouissement, en larmes et couverte d'une sueur glacée. Avec le reste de la chemise, elle avait ensuite fabriqué une sorte d'écharpe autour de son cou pour y laisser reposer son bras cassé. Depuis, elle ne souffrait plus. Elle était même arrivée à somnoler durant l'interminable nuit qu'elle avait passée là.

Relevant la tête, elle considéra pour la millième fois les parois de la faille. Comme la veille, elle se répéta qu'avec ses deux mains et ses deux pieds, elle aurait pu en sortir. Enfin, peut-être. Une dizaine de mètres la séparaient du haut de cette sorte d'entonnoir au fond duquel elle était coincée. Pour un bon grimpeur, ce qu'elle n'était pas, c'était faisable. Pour un chamois ou un mouflon aussi, sûrement ! Il y avait bien quelques racines affleurant sous la terre, des pierres en surplomb ici ou là, mais tout ça ne l'avançait à rien. Elle avait essayé, inlassablement, et avait fini par renoncer à trois mètres du sol. Elle ne pouvait monter qu'à plat ventre, ne sachant que faire de son bras qu'elle écrasait sous elle ou qui, si elle le libérait de l'écharpe de fortune, pendait douloureusement. D'ailleurs, une deuxième chute déplacerait la fracture et tout serait à refaire. Cette seule idée lui soulevait le cœur.

— Tu es douillette, marmonna-t-elle. Douillette et stupide.

Ses lèvres fendues lui faisaient un peu mal mais elle évita de passer sa langue dessus ainsi qu'elle en mourait d'envie. Par terre, à côté d'elle, s'alignaient son téléphone portable dont les batteries étaient déchargées, deux emballages vides de barres chocolatées, la clef de sa voiture, ses jumelles, son briquet, les deux cigarettes qui lui restaient, les débris de sa montre. Maigre trésor. Elle avait gardé dans la poche de son jean le ridicule petit couteau pliant qu'elle avait supposé utile dans ce genre de promenade. Il avait au moins servi à découper la chemise. Ensuite elle avait remis, à même la peau, le pull d'Ivan. Un bon gros pull irlandais qu'elle avait trouvé accroché derrière la porte de la salle de bains, au chalet, et qu'elle avait eu irrésistiblement envie d'emprunter. Comme elle s'était réveillée tard, stupéfaite d'avoir tant dormi, elle avait décidé de filer directement au parc sans repasser chez elle. Et elle n'avait jamais songé à recharger les batteries du portable. Si elle l'avait fait, elle serait chez elle, au lieu de claquer des dents dans ce trou depuis près de vingt-quatre heures. Dans son malheur, elle avait tout de même pensé à prendre sa parka. Vu le soleil magnifique de la veille, elle aurait aussi bien pu décider de la laisser dans la voiture ! Mais on lui avait souvent rabâché que le temps pouvait vite changer en montagne, que la température baissait en altitude, qu'il ne fallait jamais partir sous-équipée. Scrupuleuse, elle l'avait enfilée avant de s'élancer sur le sentier. Un réflexe qui lui avait peut-être sauvé la vie.

Pour changer de position, elle déplia ses jambes, s'étira, s'allongea à moitié. Elle devait profiter du soleil tant qu'il était là. Et essayer de trouver une solution. Rester sans rien faire était suicidaire. D'ici peu, elle aurait trop soif et trop faim pour réfléchir avec le calme nécessaire. Déjà, un peu plus tôt dans la matinée, un renard l'avait effrayée beaucoup plus que de raison en passant à quelques pas d'elle. Dès qu'elle avait bougé, il s'était sauvé et il n'avait eu aucun problème pour remonter, lui, le corps arqué dans la pente raide. Que faisait-il et que cherchait-il, pourquoi s'était-il approché d'elle ? Sa présence furtive avait rappelé à Bénédicte les loups errants auxquels Ivan avait dû faire face. Elle serait sûrement une proie idéale pour des loups ou des lynx. Et le petit couteau de poche n'y pourrait rien !

Avec un soupir, elle se força à se rasseoir. La chute avait été très dure, elle avait mal partout, et sa nuit de somnolence et de terreur n'avait rien arrangé. La petite bosse due à Clément était désormais dérisoire à côté des multiples plaies et hématomes dont elle souffrait. Trop tard pour jurer qu'elle ne marcherait jamais plus les yeux rivés aux jumelles au lieu de regarder où elle mettait les pieds. Mais les chamois de la veille étaient si fascinants qu'elle les aurait bien suivis au bout du monde.

Elle jeta un coup d'œil aux taches de sang et de boue qui maculaient sa parka. Le soleil l'avait suffisamment réchauffée à présent, elle devait en profiter.

« Bien, il faut que je recommence. Très lentement. Le côté le moins abrupt est aussi le plus lisse, pas question de monter par là… »

De nouveau, elle plia les doigts de sa main gauche sans ressentir d'élancement. Elle se leva avec précaution, fit quelques pas. Le sol était glissant, couvert d'une végétation humide qui avait beaucoup amorti le choc final. Parvenue au pied de la seule paroi qui semblait accessible, elle essaya de repérer les anfractuosités dans le mélange de roche lisse et de terre meuble.

« Il suffit de trouver une bonne prise tous les cinquante centimètres… »

Un bruit léger, derrière elle, la fit sursauter. Elle se retourna d'un bloc, aperçut une marmotte qui s'enfuyait et qui disparaissait dans un trou, à l'autre bout de la crevasse. Secouée d'un frisson, elle voulut rire mais le cœur n'y était pas.

« Ne reste pas là, vas-y, lance-toi… »

Elle se sentait peureuse, inexpérimentée, complètement démunie, pourtant elle ne voulait pas céder au découragement. Son absence finirait bien par se remarquer. Clément boudait sans doute à Annecy, mais Louise avait dû donner l'alerte. À moins que… Leur fille savait que ses parents traversaient une crise, qu'ils se disputaient depuis la mise en vente de la maison. Elle avait peut-être entendu ou remarqué quelque chose à propos d'Ivan. Et si elle supposait sa mère réfugiée au chalet, elle se garderait de toute intervention. Quant à Ivan, il attendrait sûrement qu'elle lui donne signe de vie sans bouger. Le malentendu pouvait se prolonger un certain temps. Beaucoup trop longtemps.

Serrant les dents, elle posa son pied gauche sur une pierre et saisit une racine de la main droite. Elle se hissa doucement, chercha un appui pour le pied droit. Une fois stabilisée, elle respira à fond. Tous ses muscles étaient raides, douloureux. Appuyée sur son épaule droite, elle leva la tête pour repérer la prise suivante. Tandis que ses doigts tâtonnaient en cherchant où s'accrocher, un peu de terre glissa jusqu'à sa bouche. Elle la recracha en toussant. Les deux premiers mètres ne seraient pas trop durs, mais après, il faudrait qu'elle improvise.

Clément, à bout de souffle, finit par s'arrêter. Comme prévu, il était incapable de suivre le rythme de Max et d'Ivan qui marchaient loin devant, sans effort. Les chiens, eux, batifolaient en tête, revenaient sur leurs pas, faisaient dix fois plus de chemin que les hommes et ne cherchaient rien du tout. Leur petit trot élastique semblait une vitesse de croisière qu'ils pourraient maintenir à l'infini.

Il entendit Max parler, Ivan siffler. Il avait besoin d'une pause, orgueil ou pas, et il vit avec soulagement les deux autres qui faisaient demi-tour pour le rejoindre. Max lui offrit de l'eau sur laquelle il se jeta goulûment. Du coin de l'œil, il remarqua qu'Ivan en profitait pour allumer une cigarette, appuyé à un arbre.

— Désolé de vous retarder, articula-t-il péniblement.

— On va s'arrêter là deux minutes, répondit Max.

Depuis deux heures que cette marche forcée durait, ils avaient plusieurs fois hésité sur la direction à prendre. Max laissait parler son instinct et observait les chiens avant de se décider, tandis qu'Ivan restait obstinément silencieux. Ils avaient aperçu des chevreuils, des martres et des blaireaux, mais de très loin. Le chien avait eu quelques velléités de chasse qu'Ivan avait stoppées net. À un endroit où le sentier se divisait en fourche, la femelle avait quand même paru flairer quelque chose et elle avait hésité une ou deux minutes. Dès qu'elle s'était décidée, Max lui avait donné raison en lui emboîtant le pas.

— On repart ? demanda Max gentiment.

Clément hocha la tête. Il se sentait vidé, mort de fatigue, et il se demanda s'il pourrait faire un seul pas de plus. Pourtant, comme il ne voulait ni rester à la traîne ni ralentir les deux autres, il se remit en marche derrière Ivan. Le sentier n'était pas très praticable et grimpait en pente forte, coupant le souffle. Ivan siffla de nouveau pour faire revenir les chiens qui avaient pris de l'avance. Il avançait moins vite, afin d'épargner Clément, et cette fois Max fermait la marche, une solidarité que Clément aurait pu apprécier en d'autres circonstances. Il se mit à fixer le dos d'Ivan, essayant de progresser à la même cadence, de ne pas penser à ses pieds, à sa gorge qui le brûlait, au point de côté qui n'allait pas tarder à revenir.

— Est-ce que ça va ? dit Ivan sans se retourner. Quand tu voudras souffler, on refera une pause.

Il n'y avait pas trace d'ironie dans sa voix calme et grave. Un mec bien, Clément l'avait longtemps pensé. Un homme dont il avait voulu devenir l'ami, il ne savait plus pourquoi. Ou plutôt si, parce que c'était quelqu'un de gentil et de flatteur. Serviable, sachant écouter, avec une petite dose de mystère et beaucoup de classe. Voilà pourquoi au début il s'était plu en sa compagnie. Est-ce que ces raisons-là étaient celles de Bénédicte ? Et à qui pensait-elle, à cette seconde précise ? À son mari, à ses enfants, ou à ce type ? À condition qu'elle soit en mesure de penser quelque chose, bien sûr. Et lui, devant, l'infatigable marcheur, qu'est-ce qu'il avait dans la tête ? L'agacement de devoir traîner

Clément ? La honte ? La vanité ? Ou juste la trouille, comme lui ?

Ivan s'immobilisa et Clément buta contre lui, trébucha, étouffa un juron. La tête levée, Ivan considérait ses chiens qui avaient quitté le sentier ensemble et qui coupaient vers le sommet d'une sorte de butte. Ils disparurent à travers des buissons de genévriers. La respiration sifflante, Clément se laissa tomber sur une souche.

— On les attend là, décida Max. S'ils se promènent, on en profite pour se reposer… Et s'ils ont une idée en tête, on les suivra !

— Ils n'ont aucune idée précise, rappela Ivan, ils ne comprennent pas ce que tu veux et je ne suis pas un maître-chien.

Sans tenir compte de sa remarque, Max sortit la carte de son blouson, la déplia pour l'étudier une nouvelle fois. Ivan prit dans son sac une bouteille d'eau qu'il tendit d'abord à Clément.

— Ne reste pas assis, tu te refroidis, ce sera encore plus dur après.

— Fous-moi la paix, répliqua Clément en se levant.

La phrase lui avait échappé, désagréable et gratuite. Ce n'était pas le moment idéal pour régler leurs comptes.

— Vas-y, rappelle-les pour voir, demanda Max à Ivan.

Le sifflement se répercuta dans le silence de la montagne. Une minute plus tard, Ivan recommença, sans résultat.

— Intéressant, murmura Max. Où sont-ils passés ?

— Aux trousses d'un levraut, la promenade les a mis en appétit !

Agacé, Ivan siffla encore une fois. Clément s'approcha de lui pour lui rendre sa bouteille.

— Tiens… Désolé.

Il s'en voulut aussitôt de cette demi-excuse. Mais après tout Ivan n'était pas l'amant de sa femme, pas encore, il en était certain. Il le regarda boire, mal à l'aise. Pourquoi ne parvenait-il pas à le détester ? Ivan tourna la tête vers lui, le dévisagea une seconde, finit par baisser les yeux.

— Visez-moi ça ! cria soudain Max. Je crois qu'il veut nous faire comprendre quelque chose…

Au sommet de la pente, la silhouette de Roméo se découpait sur le ciel. Ivan s'étonna que le loup ne soit pas revenu au sifflet, et surtout qu'il se tienne dans cette position, immobile comme s'il allait se mettre à hurler à la mort.

La seconde chute avait assommé Bénédicte. Elle avait repris connaissance au bout de plusieurs minutes, taraudée par la douleur de son bras, et la crise de larmes n'avait servi qu'à l'épuiser davantage. Ensuite elle s'était escrimée sur les nœuds de son bandage pour tout défaire et tout recommencer, luttant contre la nausée. À la fin, elle s'était rallongée, en état de choc, puis roulée en boule pour essayer de se réchauffer un peu.

Gagnée par la peur, elle finit par fermer les yeux mais les rouvrit aussitôt, prise de vertige. Son engourdissement ressemblait davantage à un malaise qu'à de la somnolence, seulement elle n'avait plus le courage de bouger. Pas tout de suite. Le temps était bien la seule chose qui ne lui manquait pas. Autant attendre un peu avant de se remettre à agir. Quelle heure pouvait-il bien être ?

Elle envisageait avec terreur la perspective d'une seconde nuit de froid et de solitude.

« Les secours ne vont plus tarder, c'est obligé... Dors un peu, tu seras réveillée par un bruit d'hélicoptère, ou par des appels, ou des aboiements... N'importe quoi mais plus ce silence, merde ! »

Il n'y avait même pas de chants d'oiseaux au fond de la crevasse. Pour surmonter la panique qui menaçait de l'envahir, elle se répéta qu'elle n'avait qu'un malheureux bras cassé, une blessure handicapante mais insignifiante, qu'elle aurait pu se tuer à deux reprises et qu'elle avait eu de la chance, qu'elle était en bonne santé, que donc elle résisterait plusieurs jours et qu'on l'aurait retrouvée avant. À la minute où il saurait qu'elle était en danger, Ivan se mettrait à sa recherche. Et s'il était bien celui qu'elle croyait, il était de taille à la dénicher dans n'importe quel trou de la montagne. Il ne devait sûrement plus être très loin. Quand elle se remit à pleurer, elle ne s'en rendit même pas compte.

Roméo trottait en tête, Diva un peu en retrait, et les trois hommes peinaient derrière eux.

— Ils coupent au plus court, les vaches..., constata Max d'une voix essoufflée.

Clément avait évidemment pris du retard mais il s'acharnait à suivre, Max s'en assurait de temps à autre par un coup d'œil par-dessus son épaule. Les chiens ne remontaient aucune piste mais les conduisaient quelque part, il en était certain. La femelle était restée absente près de dix minutes pendant que le mâle demeurait aux aguets sur son promontoire. Ensuite il avait disparu à son tour puis ils étaient revenus ensemble. Entre-temps, Max avait repéré deux possibilités sur sa carte. Un gouffre, à l'est, assez improbable parce que très visible même pour un promeneur inexpérimenté, et une faille, au nord. Quand les chiens étaient partis dans cette direction-là, il n'avait plus hésité.

Avec une facilité qui surprenait Max, Ivan progressait très vite, indifférent à la densité de la végétation autour d'eux. Il passait où passaient ses chiens, ouvrant la route pour les deux autres sans les attendre.

— Ivan ! cria-t-il. Arrête, laisse-moi aller devant !

Arrivé à sa hauteur, il ajouta :

— Il y a une crevasse quelque part, elle est à peine signalée sur ma carte, ça doit être assez traître.

Comme ils venaient de gagner un faux plat, ils eurent le temps de voir Roméo disparaître littéralement sous leurs yeux, tandis que Diva s'immobilisait. Ils franchirent très vite la distance qui les séparaient encore de la chienne, ralentissant dans les derniers mètres, puis se couchèrent ensemble à plat ventre au bord de la faille.

— Fais attention, recule un peu, dit Max. Tu vois quelque chose ?

Au fond du trou, ils discernaient mal la silhouette recroquevillée, immobile, que Roméo était en train de flairer.

— Bénédicte ! hurla Ivan.

La terreur dans sa voix était si perceptible que Diva s'aplatit, les oreilles basses. Max appela lui aussi plusieurs fois, sans résultat. En bas, la forme ne bougeait pas. Ivan se releva d'un bond, repartit en courant vers Clément qui arrivait enfin, toujours chargé des rouleaux de corde.

— Elle est là ! lui lança Ivan.

Ses traits ravagés d'angoisse étaient éloquents. Hors d'haleine, Clément se débarrassa de son chargement sans quitter Ivan des yeux.

— Elle est tombée dans une crevasse, elle paraît... inconsciente, parvint à murmurer Ivan.

Ils rejoignirent Max qui avait commencé à repérer le terrain, le long du bord de la faille. Quand Clément voulut s'approcher, Ivan le tira brutalement en arrière.

— Pas debout ! Couche-toi si tu veux regarder.

L'espace d'un instant, ils furent face à face, tout près l'un de l'autre, puis Clément s'agenouilla, s'allongea, se mit à appeler sa femme. Max et Ivan déroulaient la corde, enfilaient des anneaux et des mousquetons en silence. Diva allait et venait, nerveuse, cherchant le meilleur endroit pour descendre vers Roméo. Elle fit plusieurs tentatives avant de trouver un angle d'attaque sur la paroi où elle s'engagea prudemment. Ils entendirent ses griffes sur la roche, puis elle glissa un peu trop vite, essaya de se rattraper et finit par un bond prodigieux qui la propulsa au fond du trou où elle s'étala. Elle s'ébroua, sonnée, avant de se rapprocher de Roméo en boitillant. D'en haut, Clément ne voyait plus Bénédicte désormais masquée par les deux chiens. Il avait envie de vomir, il était couvert de sueur et claquait des dents, exténué. Il s'éloigna du bord en rampant, parvint à s'asseoir.

— Tu veux descendre en premier ?

La voix d'Ivan avait perdu son calme, elle résonnait de façon métallique. Clément leva la tête pour le dévisager. Les mâchoires crispées, le regard assombri, Ivan était livide. Un peu plus loin, Max s'affairait sans les regarder, attachant l'extrémité d'une corde autour des deux mélèzes les plus proches, un peu rachitiques. Clément s'imagina ballotté au bout de cette corde, grotesque et impuissant. Il se demanda ce qu'il ferait si Bénédicte était morte, s'il pourrait le supporter. Les yeux interrogateurs d'Ivan restaient fixés sur lui.

— Vas-y, toi, dit-il tout bas.

C'était un cadeau empoisonné qu'il lui faisait, il en avait conscience. Mais un cadeau quand même et il ne fut pas surpris par la réaction d'Ivan qui murmura seulement :

— Merci, Clément.

En quelques secondes, il s'équipa du baudrier fabriqué par Max. Tournant le dos à la faille, il s'approcha du bord. La corde se tendit entre les deux hommes.

— Laisse ton corps droit, mets un pied après l'autre, tu peux peser tant que tu veux, je t'assure deux fois.

Ivan commença à descendre et Clément essaya de se relever. Il fallait au moins qu'il aide Max. Faire quelque chose en attendant, même si chaque geste lui coûtait. Il alla se placer derrière le jeune homme mais resta bras ballants, aux aguets. Il entendait la respiration de Max, voyait la corde de nylon glisser entre ses mains.

À mi-chemin de la paroi abrupte, Ivan jeta un coup d'œil vers ses loups qui cachaient toujours Bénédicte. Malgré son impatience, il marqua une pause, avala sa salive, s'obligea à respirer. Il fallait qu'il sache avant de la toucher. Il allait poser le pied par terre à une dizaine de mètres d'elle, une distance qu'il ne pourrait pas franchir s'il n'avait aucune certitude. Max devait s'inquiéter de cet arrêt. Il regarda de nouveau et vit quelque chose de bizarre sur le pelage clair de Roméo.

En bas, Bénédicte venait de reprendre conscience, et la première image qu'elle avait discernée était cette énorme tête juste au-dessus d'elle, avec des yeux jaunes et une gueule ouverte. Paralysée par une terreur folle, elle eut un réflexe de recul et tendit sa main droite dans un geste de protection dérisoire. Ravi, Roméo lui lécha la joue tandis que le bras de Bénédicte s'accrochait à son cou. Secouée de hoquets convulsifs, elle voulut le repousser et l'attirer en même temps.

— Roméo, gémit-elle en enfouissant sa tête dans l'épaisse fourrure.

— Elle est vivante ! hurla une voix toute proche.

Serrée de toutes ses forces contre le loup qu'elle ne voulait plus lâcher, elle sentit une main qui se posait sur ses cheveux.

— Bénédicte, dit doucement Ivan, vous êtes blessée ?

Il s'était agenouillé à côté d'elle et regardait le bandage du bras, la parka couverte de boue et de sang. Sans bouger, il attendit qu'elle se calme, qu'elle accepte de rompre le contact avec l'animal. Lorsqu'elle se laissa enfin aller en arrière, il la retint par la taille et par l'épaule, se gardant bien de toucher à son côté gauche. Appuyée sur lui, elle releva la tête. Elle était méconnaissable, sale et barbouillée, hagarde. Ses lèvres fendues esquissèrent une grimace qui devait être un sourire. Il n'osait rien tenter, surtout pas la prendre dans ses bras sinon il n'allait pas pouvoir s'empêcher de la broyer. Dans l'échancrure du blouson, il reconnut son pull irlandais et en fut bouleversé.

— Comme je t'aime..., constata-t-il d'un air catastrophé.

Diva s'était approchée et avait entrepris de nettoyer la main valide de Bénédicte qu'elle léchait avec application.

— Je savais que tu viendrais me chercher, mais je trouve que tu as mis le temps, déclara-t-elle tout bas.

L'expression d'Ivan changea, son regard parut se troubler.

— Ton mari est là-haut. Avec Max.

Il se leva, l'aida à se mettre debout, puis renversa la tête en arrière pour regarder vers le sommet. Les deux silhouettes leur adressaient de grands signes, criaient à tue-tête des phrases incompréhensibles.

— À part ton bras, rien de cassé ?

— Non. Seulement, je te préviens, ne me demande pas le moindre effort.

— Tout ira très bien.

— J'ai soif.

— Dans cinq minutes. Tu remontes d'abord.

— Comment ont-ils fait pour descendre ? interrogea-t-elle en désignant Roméo et Diva.

— Ce sont des loups, chuchota-t-il en souriant.

— Elle, tu aurais dû l'en empêcher. Et si sa cicatrice s'était rouverte ?

— Tu travailles trop bien pour ça.

Il ne la quittait pas des yeux, frustré de ne pas pouvoir se permettre le moindre geste. Il s'éloigna pour ramasser la corde, revint tout de suite près d'elle.

— Tu te sens capable d'essayer ? Ce sera aussi facile que sur une chaise, tu ne risques rien, ils vont te tirer doucement, toi tu prends juste appui avec les pieds pour t'éloigner de la paroi… Si tu es trop fatiguée, dis-le-moi, on trouvera une autre solution.

Délicatement, il bouclait les mousquetons autour de sa taille, de ses cuisses. Il avait très bien compris qu'elle n'avait qu'une hâte, sortir de là. Il prit une paire de gants dans son sac à dos, lui enfila le droit qu'il boucla serré autour de son poignet.

— Tiens ça et laisse-toi faire, ne cherche pas à les aider, Max a l'habitude.

— Je l'ai déjà dévalée deux fois, protesta Bénédicte d'une voix mal assurée.

Se plaçant derrière elle, il l'obligea à s'approcher de la pente rocheuse.

— Pose ton pied là…

La corde se tendit lentement au-dessus de la tête de Bénédicte. Elle sentit les mains d'Ivan sur ses hanches.

— Vas-y, grimpe, lui dit-il.

Il espéra que Clément avait réussi à se rendre utile pour soulager un peu Max. La main en visière, il surveillait la progression maladroite lorsque Roméo se dressa contre lui.

— Non, non, je ne joue pas, marmonna-t-il. Tu es le loup le plus intelligent des Alpes, d'accord, mais attends un peu…

Il jeta quand même un rapide regard au splendide animal qui retombait souplement sur ses pattes, déçu. Là-haut, le moment délicat serait l'arrivée, il faudrait que Max trouve le moyen d'attraper Bénédicte sans lui faire mal. Dans quelques minutes, Clément allait pouvoir embrasser sa femme. Il faudrait probablement attendre un peu avant que Max lui renvoie la corde. Il se demanda si les loups seraient aussi habiles pour s'extraire de là que pour y dégringoler. C'était quand même très raide. Au pire, il serait obligé de les aider.

Quand Bénédicte disparut enfin de son champ de vision, il poussa un long soupir. Il alla ramasser le téléphone portable, les jumelles et la clef de voiture. La montre était vraiment fichue mais il la prit quand même avec le reste. La fatigue commençait à se faire sentir maintenant que l'angoisse avait disparu. Il n'avait éprouvé semblable panique qu'une seule fois dans sa vie, devant son fils, et cela restait son plus effroyable souvenir.

La voix de Max retentit, suivie du sifflement de la corde qui retombait. Il s'attacha en hâte puis leva le bras pour faire signe qu'il était prêt. À trois mètres du sol, il appela Roméo d'un ton impérieux.

— Allez viens, mon grand ! Viens !

Il le vit trotter, inquiet, au fond de la crevasse, suivi de Diva. Puis le loup prit son élan pour s'attaquer à l'autre paroi, moins abrupte et plus meuble. Il dérapa à deux reprises, réussit à se rétablir par miracle, faillit manquer le bord dans son dernier bond. La louve l'avait observé, d'en bas, et elle se lança sur ses traces sans hésiter. Plus légère que lui, elle emprunta le même chemin sans encombre mais ne parvint pas à finir. Arc-boutée, elle griffait en vain la pente de ses pattes avant. Ivan se mit à crier pour l'encourager et il entendit la voix de Clément qui faisait chorus, au-dessus de sa tête. La louve glissa encore un peu, faillit se renverser mais trouva enfin un point d'appui et réussit à sortir. Ivan se hissa tout seul sur les poignets pour finir assis sur la terre ferme.

— Tes chiens sont fabuleux ! lui lança Max. Tu te rends compte qu'ils l'ont retrouvée ? Je viens de prévenir les gardes, ils arrivent avec un brancard…

— Comme les carabiniers, non ? riposta Ivan.

Il prit la main que Max lui tendait et, en se levant, aperçut Bénédicte allongée près des mélèzes, la tête sur un des sacs à dos. À genoux près d'elle, Clément l'aidait à boire. Ivan se détourna, croisa le regard de Max, finit par baisser la tête. C'était une situation détestable, à laquelle il ne pouvait rien changer pour l'instant, mais qu'il ne se sentit pas le courage de supporter une seconde de plus.

— Je pars devant, décida-t-il.

Stupéfait, Max l'entendit siffler ses chiens.

— Ivan ! Tu es fou ou quoi ? Tu es complètement crevé. On l'est tous !

— J'ai besoin de marcher.

C'était un prétexte évidemment absurde, pourtant Max ne fit rien pour le retenir. Derrière Roméo qui batifolait, Ivan s'engagea dans les traces qu'ils avaient laissées en venant. De toute façon, il ne tenait pas à ce que les gardes du parc voient ses loups de trop près.

12

— Mais oui, comme vous monsieur Carpentier, des rhumatismes !

Bénédicte donna une petite claque amicale sur le dos du briard puis alla chercher des médicaments qu'elle tendit au berger.

— Revenez quand vous n'en aurez plus, lui dit-elle gentiment.

Le vieil homme rangea avec soin les boîtes dans sa veste puis sortit son portefeuille.

— Ah non, pas vous ! protesta-t-elle.

Sur le point de se vexer, il lui lança un regard aigu mais elle désigna son bras gauche, immobilisé dans un plâtre couvert de signatures.

— Sans votre foulard, les chiens d'Ivan Charlet ne m'auraient jamais retrouvée, n'oubliez pas !

Après une seconde d'hésitation, il hocha la tête.

— Des sacrés bestiaux, hein ? murmura-t-il. Vus de loin, ils font peur... Mais, y a pas, vous leur devez une fière chandelle.

L'histoire ayant fait le tour du village, Roméo et Diva étaient devenus des héros. Les gardes du parc, en installant Bénédicte sur son brancard, avaient demandé des détails à Max et à Clément qui n'avaient pas tari d'éloges sur le sauvetage. Depuis, tout le monde chantait les louanges des « chiens sibériens du verrier » comme s'il s'agissait de deux braves saint-bernard. Au prochain promeneur égaré, ils seraient certainement réquisitionnés, mais au moins personne ne se poserait de question à leur sujet dans l'avenir.

Marcel Carpentier continuait de la fixer avec, au fond des yeux, une lueur malicieuse. Combien de loups avait-il vus, dans sa longue vie de berger ? Est-ce qu'il pouvait se tromper sur la silhouette redoutable des prédateurs de troupeaux ?

— Je les ai déjà aperçus deux ou trois fois en balade avec leur maître, ajouta-t-il d'un ton négligent. Belles bêtes, vraiment.

Il chiffonna les oreilles de son briard avant de tendre la main à Bénédicte.

— Docteur…

Elle le raccompagna jusqu'à la porte de la salle d'attente. Appuyée au chambranle, elle le regarda s'éloigner de son pas cadencé sur le chemin. Son chien vieillissait ; elle se promit de tout faire pour le maintenir en forme le plus longtemps possible. Carpentier était un brave homme, aussi elle décida de se mettre en quête d'un chiot à lui proposer, la prochaine fois qu'elle le verrait. Le briard se chargerait de le dresser au métier de chien de berger tant qu'il était encore valide. Un job qui consistait justement à écarter les loups et autres nuisibles.

Des bruits de marteau et de perceuse lui parvenaient très assourdis, depuis la grange où Louise et Max devaient travailler d'arrache-pied. La femme de ménage n'allait pas tarder à arriver, comme tous les soirs, pour nettoyer le cabinet. À pas lents, Bénédicte s'engagea sur le sentier qui menait à la maison.

Sa maison. Le notaire préparait le dossier nécessaire au transfert de propriété, et le virement bancaire de Serge était arrivé depuis deux jours. Clément n'avait fait aucune difficulté. Dans l'ensemble, il s'était montré plutôt arrangeant. Tout à l'heure il appellerait, comme il le faisait chaque jour, ensuite ce serait au tour de Laurent.

Arrivée dans la cuisine, elle fit chauffer de l'eau pour le thé. En quinze jours, elle était devenue très habile avec une seule main. Il lui fallait encore attendre le surlendemain pour être débarrassée du plâtre, mais l'interne de garde, à l'hôpital, l'avait félicitée pour la réduction impeccable. Son séjour forcé dans la crevasse n'était plus qu'un mauvais souvenir et ne lui donnait pas de cauchemar la nuit. Elle s'était débrouillée sans difficulté pour reprendre le travail. La veille, elle avait quand même dû demander de l'aide à un fermier et à son fils pour un vêlage difficile. Elle avait mis en place les courroies, le bras droit enfoncé dans l'utérus de la vache, puis avait demandé aux hommes de tirer doucement. Le veau était sorti vivant.

Elle but son thé trop chaud à petites gorgées. Ivan lui avait promis un coq au vin pour le dîner et il devait déjà être devant ses fourneaux. Ils n'avaient passé que trois soirées ensemble, trois moments extravagants, un peu irréels. Comme elle n'était pas censée conduire, il passait la chercher et la ramenait ensuite. Pour les visites, le matin, c'était Louise qui servait de chauffeur.

Après avoir mis sa tasse dans le lave-vaisselle, elle monta se changer. Elle avait tout son temps. Une douche et un shampooing, sans mouiller le plâtre, ensuite une touche de maquillage, choisir une tenue. Ivan remarquait toujours les moindres détails.

Il avait une façon de la regarder qui finissait immanquablement par la troubler mais il ne semblait pas s'en apercevoir. Il dînait face à elle, s'asseyait loin d'elle dans son salon, bavardait à bâtons rompus. Chaque fois qu'elle lui posait une question, il répondait sans hésiter, se livrant entièrement à sa curiosité. Elle l'avait interrogé sur sa façon de vivre, sur les femmes, sur son goût de la solitude et sur son enfance. Puis elle l'avait fait parler de son métier et, durant près d'une heure, il avait tenté de l'initier à la chimie des silicates, lui expliquant la différence entre les verres sodocalciques ou potassiocalciques comme le mal nommé cristal de Bohême. Elle n'y comprenait rien mais adorait sa voix. En la quittant, le premier soir, il ne l'avait même pas embrassée. Un peu vexée, elle n'avait pas tenté le moindre geste non plus, toutefois en y réfléchissant elle avait fini par admettre qu'il ne pouvait pas se donner en spectacle sous les fenêtres de Clément et de Louise. Lors du second dîner, elle lui avait appris que Clément restait désormais à Annecy où il avait loué un duplex. Il avait écouté la nouvelle en silence, puis il s'était contenté de demander si leur séparation était officielle, ce qu'elle avait confirmé. Séparation ne signifiait pas obligatoirement divorce, mais ce soir-là, ils avaient quand même flirté. À force de s'observer, de se frôler, de se respirer, ils s'étaient retrouvés dans les bras l'un de l'autre. Ivan l'avait caressée avec une sensualité redoutable, jusqu'à ce qu'elle s'abandonne entièrement, toutefois il avait gardé assez de contrôle de lui-même pour s'arrêter à temps. Exaspérée, elle lui avait demandé s'il souhaitait une autorisation écrite de Clément et s'il considérait toujours qu'elle était la *propriété* d'un autre. Il s'était mis à rire, avait désigné le bras plâtré et seulement dit : « Pas maintenant. » La troisième fois, c'est-à-dire quatre jours plus tôt, c'était elle qui l'avait tenu à distance. Il avait raison, ils avaient assez attendu pour ne rien précipiter, elle voulait pouvoir faire l'amour en pleine possession de ses moyens, avec deux mains pour lui répondre. Elle le lui avait déclaré crûment, afin de le provoquer, mais il n'était pas entré dans son jeu.

Sans complaisance, elle s'examina dans la glace de la salle de bains. Qu'est-ce qu'elle pouvait avoir de si remarquable pour plaire à un homme comme lui ? Clément avait insinué qu'elle ne serait qu'un numéro sur la liste, qu'Ivan pouvait s'offrir toutes les femmes qu'il voulait, plus jeunes et plus jolies. Des mots dont elle se souvenait trop bien.

— Maman ?

Louise venait d'entrer et considérait sa mère d'un air de reproche.

— Tu aurais dû m'appeler ! s'écria-t-elle en prenant une serviette-éponge.

Elle l'aida à sécher ses cheveux puis à enfiler un peignoir.

— Tu ne dînes pas avec nous ? demanda-t-elle, faussement désinvolte.

— Non, pas ce soir, répondit Bénédicte en posant sa main sur l'épaule de sa fille. Ça t'ennuie ?

Le regard de Louise ne cilla pas. Elle savait très bien ce qui était en train d'arriver, elle en avait longuement discuté avec Max, mais elle refusait de porter un jugement.

— Pas du tout. Tu fais ce que tu veux, je suis ravie que tu sortes.

C'était une vérité difficile et elle s'était obligée à la dire. Bénédicte l'attira contre elle, l'embrassa.

— Tu es gentille.

Louise eut un rire bref, sans joie. La rupture de ses parents était quelque chose de douloureux, même si elle se sentait solidaire de sa mère.

— Je vais t'aider à t'habiller. Tu as choisi ce que tu vas mettre ?

La jeune fille n'avait jamais prononcé le nom d'Ivan, pourtant il faudrait bien qu'elles arrivent à en parler un jour ou l'autre. Une complicité tellement délicate à établir qu'elle n'osait pas encore s'y risquer. Elle releva la tête, croisa le regard de Bénédicte qui était resté posé sur elle.

— Tu vas bien, maman ? murmura-t-elle.

— Très bien, répondit Bénédicte. Très, très bien. Je ne t'apprends rien si je te dis que je suis… amoureuse ? Je comprendrais que ça te choque, ma chérie, et que tu ne veuilles pas aborder la question.

Elle attendit un peu mais Louise ne réagit pas et elle enchaîna :

— Pour toi, j'ai sûrement passé l'âge. Pourtant ça arrive, même aux vieux comme nous ! Seulement je voudrais que tu saches deux choses. La première est qu'Ivan n'a pas cherché à me séduire, qu'il n'est pas la cause de ce qui arrive entre ton père et moi, seulement la conséquence. La seconde est que je ne prévois pas de bouleversement dans mon existence, il n'y aura jamais pour toi aucun beau-père en vue.

Un peu éberluée, Louise dévisagea d'abord sa mère avec curiosité puis, au bout d'un moment, se décida à sourire.

— Je comprends, murmura-t-elle.

Même si ce n'était pas exact, c'était une façon de dire qu'elle acceptait la situation. Laurent serait moins facile à convaincre mais, heureusement, il était loin.

— Si on prenait un verre ? proposa Bénédicte dont les yeux exprimaient une gaieté communicative. Max est en bas ?

— Il est allé embrasser ses parents.

— Alors je m'habillerai plus tard, allons-y !

Elle sortit la première et commença à descendre l'escalier. Dans son dos, elle entendit la timide question de Louise.

— Est-ce qu'il est aussi gentil qu'il en a l'air, Ivan ?

— Oh non ! répondit-elle en riant. Bien davantage...

Adossé à l'un des piliers soutenant les arcades, Ivan regardait de l'autre côté de la rue. Depuis près d'une heure qu'il était là, il avait fumé plusieurs cigarettes sans bouger de son poste d'observation, décidé à attendre. Le coq au vin était prêt et n'aurait qu'à être réchauffé, le couvert était mis, le champagne était au frais. Comme il n'avait aucune idée de l'heure à laquelle Clément fermait l'agence, il avait préféré venir assez tôt pour être certain de ne pas le rater.

Jouant distraitement avec son briquet, il songeait à Bénédicte. D'ici peu, on allait lui enlever son plâtre et il n'aurait plus aucun moyen de lui résister. D'ailleurs il en mourait d'envie, y pensait à longueur de journée et de nuit. Mais il s'était promis de parler à Clément d'abord, si pénible que ce soit.

Au moment où, résigné, il sortait de nouveau son paquet de cigarettes, il vit la porte de l'agence s'ouvrir. Clément raccompagnait un couple de clients, leur serrait la main puis, dans le mouvement qu'il fit pour se détourner, il découvrit Ivan et resta saisi. Il n'hésita qu'une seconde avant de traverser la rue.

— Qu'est-ce que tu fais là ? attaqua-t-il sèchement. C'est moi que tu veux voir ?

— Oui. J'aimerais te parler.

Clément le toisa, agacé d'avance.

— Vas-y, je t'écoute.

Les mains dans les poches de son jean, Ivan le regardait franchement.

— C'est une situation détestable, commença-t-il.

— Pour toi ou pour moi ? ricana Clément.

— Je préférerais que les choses soient claires.

— Oh, mais c'est limpide ! Tu te tapes ma femme, c'est ça que tu cherches à me dire ?

— Non.

— Ah bon ? Et qu'est-ce que tu attends ? Tu as des scrupules ?

Le regard clair d'Ivan vacilla une seconde. Finalement il secoua la tête, mal à l'aise.

— Je ne sais pas ce qu'on fait dans ces cas-là, avoua-t-il. Je suis sûrement responsable de votre séparation, et je n'ai pas voulu ça. Si j'étais à ta place, je...

— Tu n'y es pas ! Parle pour toi et épargne-moi le reste.

Malgré lui, Clément s'énervait. Pourtant il n'était pas vraiment en colère. Pas comme il l'aurait dû, en tout cas.

— Je ne veux pas avoir à te fuir, déclara Ivan, quand tu viendras voir Bénédicte ou Louise. C'est un petit village, on finira par se rencontrer.

La manière dont il venait de prononcer le prénom de sa femme réussit cette fois à exaspérer Clément.

— Mais tu es vraiment amoureux, ma parole, ironisa-t-il avec cynisme. De quoi as-tu peur ? Que je débarque au chalet pour vous surprendre ? Sois tranquille, nous allons divorcer. D'ici là, effectivement, j'aimerais autant ne pas te trouver chez moi. Enfin, ce sera bientôt chez elle, tu pourras bien faire ce que tu veux dans mon lit, ça ne me concernera plus.

Ivan maîtrisa un geste de rage qui arracha un sourire à Clément.

— Ne te trompe pas de rôle, c'est moi l'offensé, ce serait plutôt à moi de te taper dessus.

— Fais-le si tu veux, riposta Ivan, je suis venu pour ça.

— Pour que je te démolisse en pleine rue ? railla Clément.

Ils s'observèrent une seconde, aussi tendus l'un que l'autre, conscients d'avoir un contentieux à régler, mais sans savoir comment s'y prendre.

— Je suis le mari, tu es l'amant, hélas on ne connaît pas nos textes, dit amèrement Clément.

— Tu anticipes. Enfin... ça revient au même, réglons le problème maintenant.

Clément se demanda pourquoi il croyait Ivan sur parole, une fois encore, pourtant il savait que c'était la vérité. Avec un long soupir, il se détendit un peu puis finit par marmonner :

— Bon, c'est la vie. Il faut croire que tout n'était pas parfait entre Bénédicte et moi. Pour ne rien te cacher, je ne suis pas... désespéré.

Il fut le premier surpris par cet aveu. Les deux semaines de célibat qu'il venait de vivre ne lui avaient pas pesé, au contraire, et l'aménagement du duplex lui ouvrait des horizons, mais pourquoi faisait-il cette confidence à Ivan, au lieu de le culpabiliser ? Il aurait été si simple de lui mettre son poing dans la figure, ou de l'accuser, de le traîner dans la boue, de l'obliger à admettre que c'était lui le salaud de l'histoire. Connaissant le passé d'Ivan, c'était facile de deviner qu'il ne se défendrait pas, qu'il était là pour subir, qu'il était allé au-devant de la fureur légitime de Clément.

— Si c'est ma bénédiction que tu veux, lâcha-t-il d'un ton désabusé, tu m'en demandes beaucoup !

— Ta bénédiction ? répéta Ivan, incrédule. Tu te fous de moi ? Je ne te demande rien, et je ne suis pas non plus en train de te présenter des excuses ! Mais je ne suis pas hypocrite au point de t'éviter, de me cacher. Ni assez ignoble pour mettre les pieds à la maison forte où tes enfants sont chez eux. Seulement voilà, si amoral que ce soit, j'aime Bénédicte. Je n'y peux plus rien.

— Tant mieux pour elle ! répliqua Clément en haussant les épaules. Mais ne te crois pas obligé de me tenir au courant de votre programme heure par heure !

Délibérément, il se montrait assez méprisant pour pousser l'autre à bout. Après un petit silence, il ajouta, par provocation :

— Tu as encore d'autres conneries à m'infliger ?

— Non, répondit Ivan d'une voix qui s'était durcie.

Il se décida à quitter le pilier où il était resté appuyé tout le temps de leur discussion. Au moment où il se détournait pour partir, Clément le saisit brutalement par le bras.

— Une seconde ! J'ai quand même un conseil à te donner…

Sur ses gardes, Ivan attendit l'inévitable injure qui allait suivre.

— Tu l'as voulue, alors rends-la heureuse. Que tout ce gâchis, au moins, ce ne soit pas pour rien !

Mais je crois que tu l'aimes, oui. En ce moment, tu l'aimes sûrement plus que moi.

Désemparé, Ivan ne trouva rien à répondre. Il hésita un instant avant de s'éloigner, le long des arcades, tandis que Clément le suivait des yeux, songeur. Ils avaient essayé en vain de se quereller et n'étaient même pas parvenus à s'insulter vraiment. Clément aurait pu regretter ce jour déjà lointain où il avait rencontré Ivan et où il avait refusé de lui vendre la maison de Mathilde, or il n'en était rien. Le parcours de ces derniers mois se soldait par des conséquences dramatiques, pourtant il ne se sentait pas désespéré. Pas du tout. Presque impatient, au contraire, d'achever le bouleversement de sa vie. Et lorsqu'il téléphonait à sa femme, le soir, il n'éprouvait pas de haine, juste une tendresse mélancolique. Même la jalousie qu'Ivan pouvait lui inspirer n'était qu'un sentiment diffus, à peine douloureux.

Sans hâte, il retraversa la rue, poussa la porte de l'agence. Pour son dernier rendez-vous de la journée, il devait recevoir une jolie jeune femme très indécise à qui il avait préparé une sélection de maisons à vendre. Peut-être accepterait-elle de dîner avec lui ? En tout cas, il pouvait tenter sa chance. Et, en attendant, il devait appeler Bénédicte pour prendre de ses nouvelles, peut-être aussi pour lui raconter la visite d'Ivan. Il était certain qu'elle aurait assez d'humour pour en rire avec lui.

— Il est tard, allez-y, je fermerai, dit-il aimablement à sa secrétaire avant de gagner son bureau.

Pelotonnée sur le canapé, Bénédicte se sentait si bien qu'elle se serait volontiers assoupie. Elle entendait Ivan aller et venir dans la cuisine, ranger la vaisselle du dîner. Un repas exquis, un peu lourd, arrosé d'un bourgogne exceptionnel qui les avait rendus aussi bavards l'un que l'autre. Ils avaient longtemps traîné à table, les yeux dans les yeux, Roméo et Diva près d'eux comme deux sentinelles.

— Veux-tu un café, une infusion ? proposa-t-il en entrant.

Elle refusa d'un signe de tête et le vit s'agenouiller devant la cheminée, rajouter une bûche à la flambée. Il n'avait pas parlé de Clément qui, lui, s'était montré moins discret au téléphone.

— Un alcool ?

— Non, plus rien, j'ai trop mangé, soupira-t-elle.

Gourmande, elle avait même repris du dessert. Il s'approcha d'elle, glissa un coussin sous le bras en écharpe, hésita puis en profita pour se pencher davantage et lui effleurer les lèvres.

— Est-ce que tu veux dormir avec moi ? chuchota-t-il.

— Ce soir ? dit-elle en se redressant.

Devant son air affolé, il faillit se mettre à rire.

— Tous les soirs si tu veux, mais ce soir en parti-culier, oui…

— Je croyais que tu préférais attendre ?

— J'ai dû présumer de mes forces.

— Mais on me retire ce plâtre après-demain ! rappela-t-elle.

Il la regardait en souriant, son visage tout près du sien.

— Je ne te *plais* plus ? dit-il en insistant avec dérision sur le verbe.

Sans lui laisser le temps de répondre, il la souleva du canapé et la porta jusqu'à sa chambre où il la déposa délicatement sur le lit. Comme Roméo les avait suivis, il le fit sortir, referma. Se sentant soudain très mal à l'aise, intimidée et inquiète, Bénédicte s'accouda sur les oreillers. Ivan revint vers elle mais s'arrêta net en voyant son expression. Finalement il alla tirer les rideaux, alluma les lampes de chevet puis éteignit l'halogène. Exactement ce qu'elle avait fait lorsqu'elle avait dormi là toute seule.

— Tu préfères que je te ramène chez toi ? demanda-t-il au bout d'un moment.

Elle secoua la tête, envahie d'une stupide appréhension. Hormis Clément, elle n'avait aucune expérience des hommes. Elle aurait voulu se retrouver dans l'obscurité, avec Ivan déjà contre elle, au lieu de quoi il l'observait, debout au pied du lit, sans faire un geste. Elle ferma les yeux pour ne plus le voir et, dans le silence qui suivit, elle l'entendit soupirer.

— Regarde-moi, Bénédicte...

Il attendit qu'elle relève la tête puis il ôta tranquillement sa chemise, ses chaussures, avant de venir s'asseoir à côté d'elle. Crispée, elle remarqua qu'il était plus musclé qu'elle ne l'avait imaginé. Il lui inspirait toujours une attirance aussi effrayante et elle frissonna quand il se mit à défaire un à un les boutons du gilet qu'elle portait. Ensuite il glissa ses mains dans son dos pour libérer l'agrafe du soutien-gorge. En prenant garde au plâtre, il la débarrassa de ses vêtements, lui caressa les épaules jusqu'à ce qu'elle se détende un peu. Quand il se pencha pour l'embrasser, ce fut elle qui vint à sa rencontre, impatiente de découvrir sa peau contre la sienne. Pourtant, presque aussitôt, il s'écarta pour lui enlever son pantalon de velours et ses mocassins. Lorsqu'elle fut entièrement déshabillée, il la détailla quelques instants avant de la prendre dans ses bras. Dès qu'il la serra contre lui, elle entendit que son souffle s'était sensiblement accéléré, que son cœur battait très vite. Du bout des doigts, elle tâtonna sur la ceinture de son jean.

— Non, pas encore, murmura-t-il d'une voix rauque.

Il voulait prendre son temps et garder le contrôle jusqu'au bout, ne surtout rien gâcher de cette première nuit, mais il n'était plus très sûr d'y parvenir si elle le touchait maintenant. Comme elle s'obstinait, il étouffa un gémissement, changea de position. Elle sentit ses cheveux soyeux frôler son ventre, une main qui se posait avec douceur sur sa cuisse, et elle ne chercha pas à se dérober.

Laurent contemplait sa sœur d'un air stupéfait.

— Mais tu aurais pu m'en parler au téléphone ! explosa-t-il. Même papa ne m'a rien dit !

Indigné, il se mit à marcher de long en large. La séparation de ses parents l'avait beaucoup attristé et, ajoutée à la peur ressentie lors de la disparition de sa mère, l'avait décidé à descendre en Haute-Savoie pour le week-end. Carole l'avait supplié de l'emmener jusqu'à ce qu'il fasse semblant de céder à contrecœur alors qu'il en mourait d'envie. Dans le train elle lui avait juré en riant qu'elle n'accorderait pas un regard à Ivan si par hasard ils le croisaient dans les rues du village. Mais jamais Laurent n'aurait pu imaginer qu'il entendrait encore parler de ce type, à peine arrivé, surtout pour apprendre que sa mère passait ses soirées chez lui.

— Je ne peux pas croire ça d'elle ! Elle est devenue folle ?

— Ne crie pas, protesta Louise entre ses dents.

Leur mère, Max et Carole prenaient l'apéritif dans la grande salle et elle n'avait aucune envie que son frère provoque un nouvel esclandre.

— Elle fait ce qu'elle veut, reprit-elle à voix basse.

— Mais pas avec ce mec-là !

— Et pourquoi pas ? Est-ce que ça te regarde ?

— Je serais papa, je lui collerais une balle entre les deux yeux !

— À Ivan ? Tu dis n'importe quoi. En plus tu m'engueules, moi qui n'y suis pour rien, et devant maman tu seras tout sucre tout miel, comme un bon petit garçon !

Ne sachant que répondre, il haussa les épaules. Sa mère était resplendissante, il ne pouvait pas le nier. Quand elle l'avait accueilli, une heure plus tôt, sa transformation l'avait frappé. Pour une femme sur le point de divorcer, elle était en pleine forme !

— Enfin, soupira-t-il, il en pense quoi, papa ?

— Je ne suis pas dans sa tête mais, si tu veux mon avis... il s'en fout.

Stupéfait, Laurent rejoignit sa sœur en deux enjambées, la prit par les épaules et la secoua sans ménagement, prétendant qu'elle ne connaissait rien aux hommes, à la jalousie, à l'amour. Ils se mirent à crier aussi fort l'un que l'autre jusqu'à ce que la porte s'ouvre sur Bénédicte.

— Vous avez passé l'âge de vous disputer comme des chiffonniers, non ? leur dit-elle en souriant. Max et Carole sont inquiets de vous entendre hurler comme ça.

Son fils la dévisageait d'une manière si étrange qu'elle devina instantanément le sujet de leur querelle. Discrète, Louise quitta la cuisine pour les laisser seuls.

— Tu as un souci, mon chéri ? s'enquit alors Bénédicte en regardant son fils bien en face.

Ne sachant absolument pas quelle attitude adopter, il s'approcha d'elle et la prit dans ses bras. Comme il était plus grand qu'elle, son geste semblait très protecteur et rappelait la façon d'être de son père.

— Maman, souffla-t-il, j'ai beaucoup de mal à accepter que tu...

— Accepter ? s'écria-t-elle en se dégageant. Quel drôle de mot !

Il se troubla, incapable de poursuivre la leçon de morale dans laquelle il avait failli s'engager. Au bout de quelques instants, elle lui adressa un sourire amusé.

— Je viens d'avoir ton père au téléphone, il est ravi que tu sois venu, il se propose de déjeuner ici demain. Mais, si tu préfères aller à Annecy, avec Carole, il en profitera pour vous montrer son duplex, c'est un endroit charmant.

De plus en plus désorienté, Laurent hocha la tête sans répondre. Il avait toujours admiré sa mère sans réserve, aussi il était arrivé plein de bonnes intentions, prêt à la soutenir au besoin, et il ne comprenait rien à son comportement. Elle n'était pas seulement sereine, elle était carrément joyeuse.

— À propos de Carole, tout va bien avec elle, maintenant ?

— Oui, bredouilla-t-il, on a réglé nos problèmes. J'ai suivi tes conseils et, pour le moment, ça marche.

— J'en suis très heureuse, dit-elle en détachant ses mots. Il faut savoir se réjouir pour les gens qu'on aime, n'est-ce pas ?

Elle le vit rougir, lui ébouriffa les cheveux avec tendresse.

— Va porter le seau à glace là-bas, je vous rejoins, dit-elle en sortant.

Dans le hall, elle bifurqua vers la petite pièce qu'elle continuait d'appeler le « bureau de Mathilde ». Elle ferma la porte puis composa le numéro de l'atelier sur son téléphone portable. Ivan répondit à la première sonnerie, il devait donc être en train de travailler sous sa lampe d'architecte.

— On dîne toujours ensemble après-demain ? lui demanda-t-il dès qu'il reconnut sa voix.

Elle adorait cette intonation à la fois inquiète et chaleureuse qu'il avait pour lui parler. Ses premières questions étaient toujours pour s'assurer de leurs prochains rendez-vous, comme s'il ne supportait pas de rester dans l'incertitude.

— Ton fils va bien ? ajouta-t-il.

— Très bien… Sauf qu'il a envie de te tuer.

— Tu lui as dit ?

— Pas moi, Louise.

Laurent poserait un problème dans l'avenir parce qu'il n'accepterait sans doute jamais Ivan, trop hérissé par le souvenir du numéro de charme de Carole. Tant pis. Elle était quand même soulagée que son fils sache la vérité. Désormais elle comptait séparer sans remords ses désirs de femme et ses devoirs de mère. Ses enfants étaient assez grands pour l'admettre.

— Qu'est-ce que tu fais, là, tu dessines ? demanda-t-elle d'un ton léger.

— Oui. Seulement, au lieu de m'occuper des commandes, c'est toi que je dessine. Dans toutes les positions…

Elle ressentit aussitôt un creux à l'estomac, une

insupportable envie d'être près de lui, contre lui, accrochée à lui. Il se taisait et elle avala sa salive pour poursuivre.

— Je commence mes visites très tôt demain matin, je m'arrêterai au chalet si tu m'offres un café.

— Tu es chez toi.

Ce n'était pas un vain mot, il lui avait fait faire une clef pour qu'elle puisse le rejoindre quand elle le souhaitait. Ils étaient condamnés à vivre de cette manière un certain temps, et elle s'en réjouissait alors qu'il en souffrait déjà. Avec son habituelle franchise, elle lui avait dit tout de suite qu'elle ne souhaiterait probablement jamais autre chose que ces moments partagés. Sans se laisser impressionner, il avait riposté qu'il se sentait de taille à la faire changer d'avis. Mais, ainsi que Serge l'avait prédit, la liberté retrouvée était une chose précieuse qu'elle ne voulait plus perdre.

— Je t'aime, murmura Ivan avec une intonation angoissée.

Il laissa passer quelques secondes, lui souhaita une bonne soirée et raccrocha. Elle pouvait le rendre malheureux d'une parole ou d'un silence, c'était un genre de pouvoir très nouveau pour elle. D'ailleurs tout ce qu'il lui faisait découvrir était nouveau ! Les longues promenades nocturnes derrière les loups, les dangers de la forêt, le désir et l'attente, le plaisir débarrassé de toute pudeur. Bien décidée à préserver l'intensité de leur relation, elle ne laisserait pas s'installer l'habitude. Un homme tel qu'Ivan ne méritait pas l'usure du quotidien. Ni toutes ces petites contraintes de la vie commune qui avaient fini par détruire les sentiments qu'elle portait à Clément vingt ans plus tôt.

Le téléphone toujours en main, elle se demanda si elle allait le rappeler. Il devait marcher de long en large dans son bureau, des mèches de cheveux blonds retombant sur ses yeux clairs, frustré parce qu'elle n'avait pas prononcé les mots d'amour qu'il espérait. Après tant d'années de solitude délibérée, il avouait sans honte qu'elle changeait tout pour lui et qu'il était avide de sa présence, mais elle ne lui donnerait pas l'occasion de s'en lasser. Parce qu'elle adorait le chalet et la façon dont il la recevait en multipliant les attentions, elle n'avait aucune envie de s'y installer. Elle n'irait qu'en visite. C'était son territoire à lui, tout comme elle était chez elle ici ou dans son cabinet. Le plus longtemps possible, il faudrait qu'Ivan reste cet amant séduisant et mysté-rieux à qui elle pouvait penser jusqu'au vertige en s'endormant seule certains soirs. Et qu'il continue à lui faire l'amour avec la même sensualité volup-tueuse. Qu'il ne soit jamais question entre eux d'impôts, de sirops pour la toux ou de poubelles à sortir. Qu'ils ne décident de rien l'un pour l'autre sinon de s'éblouir mutuellement. Que la passion demeure.

Elle se dirigea vers la fenêtre, écarta un peu les rideaux. La nuit tombait sur les sommets d'où toute neige avait disparu. En lui léguant sa maison des Aravis, Mathilde lui avait fait un cadeau qui allait bien au-delà des murs.

Un éclat de rire la tira de sa rêverie. Dans la grande salle, les jeunes devaient commencer à avoir faim. Un petit verre de vin blanc de Savoie serait le bienvenu pour débuter la soirée. Demain, avant de monter jusqu'à cette ferme où elle devait procéder à une série de vaccinations, elle ferait halte chez Ivan, se réfugierait quelques instants contre son pull irlandais, se laisserait emprisonner dans son odeur et son infinie tendresse. Ensuite elle prendrait la route de la montagne avec la certitude de n'avoir jamais été si près du bonheur.

J'adresse ici mes remerciements les plus affectueux à Thierry Rosset pour la gentillesse avec laquelle il m'a livré quelques explications sur sa passion de souffleur de verre.

POCKET N°15718

> « *Un beau roman sur la filiation et la transmission.* »
>
> *L'Est-Éclair*

Françoise BOURDIN
L'HÉRITIER DES BEAULIEU

C'est l'été au domaine des Carrouges, vaste manoir biscornu, prétentieux et sinistre. Les Beaulieu y cohabitent depuis des lustres, descendants d'une longue lignée et porteurs de vilains secrets.

Barthélemy, le fils aîné, la cinquantaine flamboyante mais sans héritier, est le patron redouté de l'imprimerie familiale qu'il fait seul prospérer d'une main de maître. Mais bientôt sa mère, qui ne l'a jamais aimé, tente de lui imposer son unique neveu pour la succession, faisant ainsi surgir de douloureuses questions. L'heure du bilan a sonné...

Retrouvez toute l'actualité de Pocket sur :
www.pocket.fr

Composé par Facompo
à Lisieux, Calvados

Imprimé en Espagne
par Black Print CPI Iberica
à Sant Andreu de la Barca
en avril 2016

POCKET - 12, avenue d'Italie - 75627 Paris cedex 13

Dépôt légal : novembre 2002
Suite du premier tirage :avril 2016
S11901/19